U0126240

五十年來的經學研究

林慶彰 主編

臺灣學生書局印行

總　序

　　出版與人類文明發展的關係、出版社與學術文化發展的聯繫，都是不必再予強調或說明，早已廣爲各界所知之事。但一家出版社專以學術書刊爲其出版內容，專以服務學林爲宗旨，爲數畢竟尚少。學生書局四十年前創業時，卻選擇以此爲經營目標。四十年間，凡出版學術論著幾千種，創辦《書目季刊》等學術期刊若干種，與學界廣有聯繫，並獲圖書金鼎獎六座，爲學術發展貢獻的心力與物力，學界無不感謝。

　　書局的出版，以發揚中華文化爲目的，故其出版品以史料暨圖書文獻學、語言文字學、經學、文學、哲學與宗教幾個部分爲主，長期支持相關學門的研究與出版。因此，書局事實上也是一所重要的學術機構，它在這四十年間，參與也見證了臺灣這些學術領域的發展。

　　這四十年，恰好是臺灣從政府播遷時的風雨飄搖、百廢待舉，到逐漸穩立而發展的階段。政治、經濟、社會都在變化之中，學術研究亦不例外。四十年來，一步一腳印，奮鬥的歷程，獲致的成果，彌足珍貴。尤其是相對於大陸，在大陸實施三反、五反、人民公社、文化大革命之際，中華文化之發揚，是臺灣在歷史上不可抹煞的貢獻。這裡面有許多成果，後來也對大陸在改革開放之後，重新接上中華文化之大流頗有裨益。學生書局所出版的新儒家相關著作，即爲其中一個

明顯的例證。

　　因此，欣逢書局四十周年，我們覺得紀念它最好的方法，就是編一套叢書，回顧這幾十年來臺灣在中華文化的探究上做了些什麼。審茲舊躅，既可策勵將來，亦足以紀念此數十年間書局與學界共同努力的情誼。

　　回顧，仍從政府遷臺後起敘，照覽較為周全。所論，則以臺灣地區對中國傳統文化的研究為限。分圖書文獻學、語言文字學、經學、文學、哲學與宗教五部，供未來研究臺灣學術研究狀況者採擇。

　　學術史的整理，本身就極具學術意義。現在我們回顧這五十年的發展，已經有許多人許多事不可考、許多書刊論文找不齊了，倘不整理，將來必就湮滅；臺灣在中華文化研究上的貢獻，可能也會遭到漠視。因此，這個工作，其實也是刻不容緩的。本叢書受限於客觀條件，或許尚未能全面如實反映整個五十年間所有的成就，但希望能以此為嚆矢，呼籲大家一同來正視當代學術史的研究。

龔鵬程

序

　　儒家經學是何時傳入臺灣的？雖不一定可以得到確切的答案，但鄭成功遷臺時，隨行的官員不少是讀經典的儒士，已爲臺灣撒下傳播經典的種子。雖然如此，從各種有關的記錄，清朝統治臺灣近兩百年，學者有關經學的著作卻相當少，如要和乾嘉時代的經學著作相比，臺灣一地可說是化外之民了。追究其原因，當時士人僅以讀經典作爲參加科舉的敲門磚，雖有儒學的傳播，卻少有學者專注於經典的研究。

　　日治時期情況非但沒有改善，且因研習漢文不方便，情況更加惡化，能專心於經學研究的學者少之又少。日治末期，不少臺灣的知識分子到日本、歐美留學，學得最新的社會學方法，利用這種方法來研究經典，是一種相當新的嘗試。林履信研究《尚書·洪範》，郭明昆研究《儀禮·喪服》，都得利於社會學方法的應用。

　　這些以新方法研究經典的例子本就不多，且研究成果都用日文發表。一九四五年日本戰敗投降，國民政府接收臺灣，隨後國民政府又播遷來臺，重新恢復漢文，日治時期研究經典的方法完全中斷。對重新開始使用漢語的臺灣同胞來說，要研究儒家經典，宛如牙牙學語的小孩，一切都得重新開始，這是爲何《四書淺說》、《四書白話句解》等書在光復初期大爲流行的原因。

　　中國大陸淪入共產黨之手，是件大不幸的事。但保住臺灣，播遷

來的學者成了宣揚經學的新種子，使臺灣成爲發揚經學的唯一聖地，則是不幸中的大幸。當時來臺的經學家有陳槃、屈萬里、戴君仁、高明、陳大齊、王夢鷗等，如以對後來臺灣研究經學的影響來說，以屈萬里、高明兩位最爲重要。當時屈萬里先生在臺灣大學任教，後來他的弟子除在臺灣大學外，分布在中央研究院、東吳大學等。高明先生本在省立師範學院（今臺灣師範大學）任教，後來創立政治大學中研所，他的弟子除在臺灣師範大學、政治大學外，分布全臺灣各大專院校，這些弟子把老師種下的經學幼苗，灌漑成綠蔭濃密的大樹。

綜合民國四十至六十年代來加以觀察，經學除了有上述大師的宣揚外，最關鍵的因素應該是：

1.各級學校講授經學課程：

初中階段在「國文」課本中選讀部分經典文字，高中階段編有中國文化基本教材，將《四書》的大部分章節納入基本教材中，大學聯考也列入考試的範圍。大學的國文學系和中國文學系，將大部分的經典列入必修或選修。

2.設立碩士、博士班：

從省立師範學院、臺灣大學開始，各個學校陸續設立國文研究所或中國文學研究所。研究所中經學課程佔了相當的分量，以經學爲專業的學生所佔比例相當高，至民國九十年爲止，累積的經學學位論文即有數百篇之多。

3.編輯經學通俗讀本：

當時來臺的經學家，爲應因學生和社會人士的需求，編輯了不少經學的通俗讀本，如中華文化出版事業委員會出版的《國民基本知識

叢書》中有屈萬里先生的《尚書釋義》、《詩經釋義》，正中書局出版有屈萬里先生的《詩經選註》、王夢鷗先生的《禮記選註》，這些書不但可作爲大學生修習經典的教材，也爲經典的研究奠定堅實的基礎。

正當經典在臺灣蓬勃發展時，對岸的中國大陸於一九六六年發生了文化大革命，經典被扣上封建遺毒的大帽子，研究經典的學者大都被清算，各級學校也都被迫停課，從此進入經典研究的黑暗期。如有關於經典的著作，大都以馬列的觀點大肆批判，經典受到如此激烈的摧殘，已奄奄一息。從此，研究經典成了一種禁忌，經學這個學科也從各級學校的課目中消失，圖書館的圖書分類更見不到經學的類目，傳統的經學書也祗得流離失所。十年文化大革命結束後，經學的研究稍稍恢復，但因以前的經學傳統完全中斷，要趕上臺灣，至少要再三十年的努力。這也是前文提到台灣是經學研究的唯一聖地，大陸的自我毀滅，反襯出臺灣維護傳統文化的用心，也造就了臺灣「經學王國」的封號。

在這經學王國裏，並不是沒有可憂心的事，民國八、九十年代以來，臺灣本土化的呼聲越來越強烈，所謂本土化，就是要強調臺灣的主體性。什麼可以反映臺灣的主體性，在學校課程方面，就是要增加臺灣文學的課程，甚至設立臺灣文學系、臺灣文學研究所。現在設有臺灣文學系、所的學校還不多，但在中國文學系、所中挪出部分中國文學的課程，改開臺灣文學課程，也是必然的事。哪些課程應該被取代，最先受影響的是小學、經學的課程，也就是本土化壓縮了小學和經學的空間。由於臺灣文學的課程越開越多，許多研究生選擇以臺灣

文學作為學位論文也加倍的成長，這又奪走了部分想研究經學的學生。研究經學的學生雖逐年減少，但因有數十年深厚的傳統，至少還能維持小康的局面。如果這種局面持續惡化，三十年後反而要再向大陸取經，此點不可不未雨綢繆。

　　以上敘述了這五十年臺灣經學發展的簡要歷程。臺灣學生書局要慶祝創業四十周年，想編輯一套紀念叢書，要我擔任「經學」的主編，由於和我個人的專業相吻合，欣然同意。經過數個月的構思，在有限的篇幅之內，我選定《周易》、《尚書》、《詩經》、《三禮》、《春秋》經傳、《四書》、經學史、經學文獻整理等八個類別，分別邀請專研各經的青壯代學人撰寫。各文旨在就這五十年間各經研究的成果作歸納分析，不但有總結近五十年成果的意味，也含有策勵將來的期許在內。海內外學者想以最短的時間來了解臺灣近五十年經學的發展，本書是最方便的入門書。

　　在撰寫過程中，我個人僅提示撰寫方向，並負責連絡事宜而已，要以主編身分來寫這篇序未免有點心虛，但願以上所言不是心虛之下的胡言亂語。

二○○二年七月林慶彰誌於
中央研究院中國文哲研究所

五十年來的經學研究

目　次

《周易》學研究

許維萍*

前　言

　　筆者對於各時期《易》學的發展，一向抱持著高度的興趣。過去研究的重心多半集中在宋元時期，偶而也向上或向下略做延伸，不過始終停留在古代的階段，而不曾涉及到民國時期。一九九八年是國民政府播遷來臺的第五十年。臺灣學生書局因此籌畫了《五十年來臺灣人文學術研究》系列叢書，其中經學類是由中央研究院中國文哲研究所研究員林慶彰師負責統籌。承蒙林先生抬愛，邀請筆者撰寫《易經》部分的文稿。〈《周易》學研究〉一文，就是在這樣的背景下產生的。

　　由於臺灣正值二〇〇〇年總統大選的敏感時刻，兩岸關係再度成為世界矚目的焦點；處在這樣的政治氛圍中，筆者在處理問題時，也有了不同於以往的思考角度和方向。

　　在與選舉有關的話題中，最引起筆者注意的是有關「本土」與「外來」的論戰。姑不論此種畫分法背後所隱藏的政治意涵，這樣的議題

---

*　銘傳大學應用中文系副教授。

讓筆者聯想到從「文化承傳」的角度切入本文的可能。

《易經》是中國文化中最具代表性的內涵之一。而臺灣因為受到臺灣海峽的阻隔，在一九四九年以前，對這部經典的認識卻十分有限。相隔五十年之後，放眼望去，臺灣大街小巷中販售通俗性刊物的書報攤或書店裏，已經不難找到與《易經》有關的書籍；而大學各科系中也不乏以《易經》為主的相關課程。五十年來閱讀《易經》的人口呈現如此快速的成長，箇中原委，十分值得玩味。

《易經》研究在臺灣的種種進展，或可視為中國文化在臺延續的一種表徵。目前我們所得到的觀察是：此地學者對於這種「外來」文化所採取的態度是接納，而非抗拒。其中的原因固然十分複雜，不過筆者願意透過歷史的觀察，將《易經》一書在「文化傳遞」的過程中所扮演的角色與功能，試做分析，希望藉此尋繹出「《易》學蓬勃發展」表象背後的成因，這部分內容將在本文第一章中呈現。

除此之外，本文也將對臺灣《易》學研究的現況進行述評，這部分將從幾個不同的領域分別進行。由於《易》學涉及的層面實在太廣，本文只集中論述了成果較為豐碩的幾個領域。其中「《易》學史」這個領域因為與本文的關係較為密切，而且是筆者過去投注較多心力的所在，因此在篇幅上要比其他領域多出許多，這是要額外加以說明的。整個部分的內容將安排在本文的第二章。

在研究方法上，本文主要採取了二條不同的路線：一是「縱的串連」，二是「橫的連繫」。前者主要運用在第一章「歷史的觀察」上，後者則實行在第二章「各領域研究成果綜述」中。所謂「縱的串連」，是指透過一些《易》學事件的陳述，將五十年來臺灣《易》學發展的過程，做一個歷史性的回顧。由於「時間」是構成這部分的主要因素，

因此筆者將此研究方式稱之爲「縱的串連」。至於「橫的連繫」，是指透過這個時期不同領域研究成果的評比，勾陳出整個大時代《易》學發展的樣貌。由於側重的部分在各領域研究成果的個別差異上，因此筆者名之爲「橫的連繫」。

附帶說明的是，本文旨在反映一九四九年至一九九八年這五十年來臺灣一地的《易》學研究成果，論述的範圍界定在這段期間內臺灣學者所發表的與《易經》有關的專書或單篇論文。至於臺灣學者或海外學人（包括大陸）在這段期間內重新刊印的舊作，或是海外學人在臺發表或出版的新作，則不在此列。唯古籍的重新刊印與點校出版，因一部分反映了市場的需求，一部分體現了臺灣學者在整理古籍上所做的努力，因此仍將納入討論。

壹、歷史的觀察

一、1949－1968：最初二十年

㈠渡海來臺的《易》學種子
——從最初二十年學院裏的《易》學研究談起

臺灣的《易》學研究，起步甚晚。根據筆者的統計，從一九四九年到一九九八年的五十年間，共有一百○六篇❶以《周易》爲研究對象而完成的碩、博士論文。其中，撰寫於一九四九年至一九六八年者，

---

❶　分別由97人撰寫，詳見本文〔附錄〕。

總共只有五部；而晚近十年 (1989-1998年) ，卻出現了五十七部。從國民政府播遷來臺後，長達二十年的時間內只出現了個位數的《易》學論文，而晚近十年間卻一下子成長了11倍強，這一方面反映了《易經》研究在晚近臺灣的學術領域中，有蓬勃發展的趨勢；另一方面，也顯示了早期《易經》研究在學院裏的貧瘠。

以臺灣大學及臺灣師範大學的研究成果為例。臺灣大學中文研究所第一部《易》學論文出現在一九七三年，❷距離一九四九年已經過了二十五個年頭；而臺灣師範大學國文研究所的《易》學論文雖然出現較早，但距離一九四九年也已經有了十年。❸可以這麼說，一九四九年以前，屬於臺灣本土的《易》學研究在學院裏似乎是一片空白的，一直要到一九四九年以後，研究風氣才慢慢展開，並且逐漸受到重視。

檢閱當時指導這些論文撰寫的教授名單，可以得知，這些論文是由高明、蔣復璁、林尹、程發軔、南懷瑾、陳立夫、戴君仁、屈萬里、方東美等先生所指導的。從出身背景來說，他們都是從中國大陸遷徙來臺的「新移民」，這些在政治立場上強烈反共，在文化態度上多半

---

❷ 撰者為林麗眞，題目是：《王弼及其《易》學》。臺灣大學中國文學研究所碩士論文，1973年6月，戴君仁指導。同年雖另有另二篇碩士論文的出現（郭文夫：《孔穎達《周易正義》質疑——第一部：論評〈周易正義·序〉之哲學思想》，臺灣大學哲學研究所碩士論文，1973年，方東美指導。馮滬祥：〈周易「創造無己論」之哲學精神及其現代意義〉，臺灣大學哲學研究所碩士論文，1973年，方東美指導），但皆出於哲學研究所。

❸ 第一位以《易經》研究獲得學位的臺灣師範大學畢業生是王忠林，題目是：《《周易正義》引書考》（臺灣師範大學國文研究所碩士論文，1958年6月，高明指導）。

趨於保守的學者❹們，憑著在大陸時期所打下的國學基礎，來臺後，多數在大學院校裏從事教職。於是，在他們的共同推動下，學院裏漸漸有了以《易經》研究做爲專業的人才。至此，《易》學種子在臺灣才萌了芽。

事實上，在第一本《易》學論文出現（1958年）以前，就有人針對「經書是否應讀」的問題，展開一場熱熱鬧鬧的唇槍舌戰。❺由於《易經》也是經書的一部分，因此這件事情的發生，相當能反映當時一部分學者的看法，而這在臺灣早期的《易》學發展史上，也是一件值得記載的事。因此以下就設立專節，詳述這件事情的始末。

㈡讀經問題爭議下《易》學的發展

1.讀經問題的始末

一九五二年六月，《自由中國》第六卷第十期上出現了一篇名爲〈堵防時代思潮中的一股逆流〉的社論（頁303），主要是針對新上任

---

❹ 胡適在〈新文化運動與國民黨〉（收入歐陽哲生編：《胡適文集》，北京：北京大學出版社，1998年11月。第5冊，頁577-588）一文中曾經指出國民黨與新文化運動之間的關連。上述諸先生雖然不見得個個都是國民黨黨員，但是他們在文化上的態度，與〈新文化運動與國民黨〉一文中所述及的國民黨黨員卻是不謀而合的。相關論述詳見下文。

❺ 關於讀經問題的爭議，早在民國初年就已經啓其端。當時提倡新文化運動的幾個主要人物，像是胡適、傅斯年、羅家倫等人，對於「讀經」就是採取一種反對的態度。他們的「激進」，曾經引發當時在文化上較保守的若干人士的抨擊。雙方於是展開激辯。民國41年在臺灣發生的論戰，或可視爲民國初年讀經爭議的延續，但是因爲事件發生在臺灣，因此筆者特別將它獨立開來。

的考試院院長賈景德所主張的「今後的考試，要將四書五經列爲必考科目」❻，提出強烈的質疑。該社論指出：「自章學誠先生說出『六經皆史也』這句啓發性的名言以後，我們讀書人對於四部當中的所謂『經』，應接受章先生這個正確的認識，不應再像耶教徒之信奉新舊約，或回教徒之信奉可蘭經。」然而，有些人因爲「慨乎文化的病態」及「道德的墮落」，於是，在「時代演進到二十世紀五十年代的今日」，仍然「主張讀經考經」，這無異是「求治於古方」，「乞靈於聖廟」！撰者進一步指出，主張考經的人，「其理由據說是『恢復中國固有文化，發揚中國舊有道德』」。但是，「如果以爲共黨毀滅中國固有文化和道德，我們反共就必須恢復共黨所毀滅的，這是一種似是而非的想法。」因爲，「共黨所要毀滅的不只是固有文化和道德，而是包括人類社會的一切精神力量，尤其是現代化的精神力量更是共黨的勁敵。」然而，「現代化的主要內涵，爲科學與民主，以及適存於科學精神和民主制度下的生活方式和行爲規範。這些東西，在我國固有文化和道德中是找不出的。」因此，撰者認爲，「中華民國目前所迫切需要的人材」，「決不是靠四書五經所可培養得出來的。」如果一定要將經典列入錄取現代化人材的共同必考科目，就是一種「盲目的復古」，或「思想復辟」，而這都是「時代思潮中的逆流」，「必須加以防堵」。

---

❻ 這是民國四十一年四月二十七日新上任的考試院院長賈景德在四十年度高等普通考試及格人員同年聯誼會茶會上所講的一段話裏的重點。這段話後來被記錄成文字，收錄在《考詮月刊》第14期上，題目是〈關於考試問題講話〉。後又被收錄在黃力生編：《讀經問題》（臺北：中國政治書刊出版合作社，1953年3月），頁1-4。

　　這篇文章的主要論點有二：其一，現代人應該拋棄過去那種將經典視為權威的心態，轉從「史料」的觀點去看待四書五經。其二，針對當時的政治情勢來說，讀經、考經不僅無益於反共，而且會妨礙現代化的進程。

　　細讀該文，撰者並非主張現代人不要讀經，只是反對將經書視為解決一切問題的萬靈丹，尤其對於提倡者冀望透過「讀經、考經」來達到「振衰起弊」的目的，更以為不切實際。作者之所以撰文質疑考試院院長的動機在此，主要理由也在此。

　　此文一出，立刻引起兩極化的反應。同年（1952年）七月，《反攻》半月刊第六十三期更以「論讀經問題」專號的形式，刊登了七篇與此議題有關的論文。在該期卷首的社論中，編者提到：

> 這兩個月來因攷試院賈景德院長公開發表考經與讀經的意見，引起《自由中國》半月刊著論反駁，更因此一雜誌的社論，引起各方面許多議論，對於《自由中國》的社論有反對的，也有同情的。蔣總統且於本月月中發表了〈整理文化遺產與改進民族習性〉一篇訓詞，可見這問題關係很大，實在不容忽視。同時很有幾位朋友把他們的大作送到本刊，希望發表，其中也是見仁見智各有不同。我們覺得他們這些意見雖反正不同，亦各言之成理，似有盡量公開發表，以供社會參攷，研究與批評的必要，必須如此，才能辯論出真理來。這是自由中國的好現象，也是自由言論的可貴之處。本刊之所以刊印專號，不外這點意見。（〈本刊的意見——對讀經問題〉，《反攻》第63期，頁2。1952年7月）

一篇社論的發表，可以促使當時總統蔣介石發表訓詞〈整理文化遺產

與改進民族習性〉，可見它所產生的餘波，尚能引起層峰的關切，其「威力」之大，並不只是如我們表面上所看到的一場筆仗而已。

在《反攻》第六十三期的撰稿人當中，最引起筆者注意的是一向在臺灣國學界享有盛名，並且桃李滿天下的高明及潘重規二位先生。

基於捍衛中國傳統文化的立場，高明及潘重規先生對於〈堵防時代思潮中的一股逆流〉的批判，態度是十分嚴峻的。潘先生在〈一個嚴正的表示〉中，根據國父遺教以及蔣介石的言論，認為提倡經書是文化的「順流」而非「逆流」，恢復固有文化和道德，不但不是科學和民主的「攔路石」，而是「磨盤心」。❼而高明先生則在〈中國人與現代化〉一文中指出：

> ……新文化運動促成固有文化的摧毀和民族精神的崩潰，實在是替共匪的橫行鋪好了一條坦坦蕩蕩的大道！……新文化運動的領導者群，對於中國固有的文化，重新整理，重新估價，究竟作了些什麼？支離破碎地做一些考證功夫，引導一批學者去鑽牛角尖；鹵莽決裂地去寫一些殘斷不全的《哲學史大綱》一類的書，淆亂一般青年對於真知的體認；武斷曲解地懷疑古書，要把古史都辨成是偽的……試問這樣地「發揚光大」中國固有的文化，如何能夠不教一般青年厭棄中國的固有文化？說到這裏，我真是不能不發「感慨」了！因為戴著「發揚光大」中國固有文化的假面具，用作摧毀消滅中國固有文化的真手段，其用心的毒辣，其收效的神速，實在較之公開主張「非孝」，公

---

❼ 參見潘重規：〈一個嚴正的表示〉，《反攻》，第63期，頁21-22。

開主張「手打孔家店」的人，尤爲可怕！固有文化的摧毀，民族精神的崩潰，已經釀成大陸上共匪「一面倒」的竊據局面，領導文化界三十年的新文化運動者捫心自問：眞能夠俯仰無愧，對國家民族不負一些責任嗎？……現在還有一些人，仍舊拿著新文化運動所標揭的口號——肯定「民主」和「科學」，使中國「現代化」——當爲反對中國文化和民族精神的武器。……他們不知道：中國文化和民族精神的重建，未必就是復古；復古也未必就是反現代化。……那些把「恢復中國固有文化、發揚中國舊有道德」當作「毒格碼」（dogma）的人❽，他們以爲「六經皆史」，「史」就是過時的無用的東西，不值得一顧。他們不知道：「史」裏固然有過時的無用的東西，也有永遠不過時，永遠有用的東西。……我們對於章學誠先生「六經皆史也」這句啓發性的名言，該受到怎樣的啓發呢？我們必須認清：所謂「恢復中國固有文化，發揚中國舊有道德」，就是恢復和發揚那「永不過時，永遠有用的東西」。「永不過時，永遠有用的東西」，可以說是萬古常新，雖古猶新。這樣看來，我們說他是「復古」也可，說他不是「復古」也未始不可。……復古正所以啓新，誰說復古必定是「進化過程中的攔路石」，復古就必定是「反現代化」呢？……所謂「現代化」的内容，就是肯定「科學」和「民主」。……但是「科學」是要「人」去運用的。……「民主」也要看「人」怎樣地運用。……如

---

❽ 把恢復中國固有文化、發揚中國舊有道德當作「毒格碼」，是〈堵防時代思潮中的一股逆流〉作者的説法。

果我們無視運用「科學」和「民主」的「人」，而只盲目地講求「科學」和「民主」，結果「科學」和「民主」能否造福於我們，恐怕還是一個謎。共匪不是也在大談其「科學」和「民主」嗎？……共匪講「科學」和「民主」，是爲蘇帝國主義的走狗而講的。而我們講「科學」和「民主」，卻是爲了要做一個道道地地的「中國人」而講的。假如我們不講求做「中國人」，這和共匪有多大的區別？……我們要怎樣地成爲「中國人」呢？很明顯地，從「恢復中國固有文化」裏體認我們的文化意識，從「發揚中國舊有道德」裏振發我們的民族精神，是唯一可行的大道，我們惟有先做成「中國人」，纔能談「現代化」，也纔配談「現代化」，這是我們應有的認識。……（高明：〈中國人與現代化〉，《反攻》第63期，頁3-4）

　　由於高明是五十年來臺灣第一個以研究《易經》而獲得學位者❾的指導教授，因此他的態度和立場，別具意義。此爲筆者不惜佔用大量篇幅，引用高明原文的原因。高明在這篇文章中，一一針對〈堵防時代思潮中的一股逆流〉的論點提出反駁，其中，「炮火最猛」的是在對「六經皆史」說及「現代化」問題的闡述。可以清楚的看出，高明是反對「新文化運動」的，他認爲新文化運動「除了固有文化的摧毀、民族精神的崩潰，還有什麼偉大的成就？」因此，他反對今人將中國傳統經書的價值及作用，一筆抹殺。而所謂的價值及作用，在〈中國人與現代化〉中的說法，是指「現代化」和「反共」。

────────────────

❾　高明是王忠林撰寫《《周易正義》引書考》（臺灣師範大學國文研究所碩士論文，1958年6月）的指導教授。

2.反共與《易經》

打開六十年代前後臺灣出版的《易》學專書，不難在其中找到類似以下的幾段話：

> 國父救國救世的大學問，自謂淵源於儒家道統。總統紹國父之心傳，發揚光大，正紀綱，維人倫，將以弭赤禍，致大同者，不盡在堅甲利兵。總統諄諄訓示，勉吾人以整理經學，溫故知新。尤以《易》教精微，陰陽太極所演的哲理，遠勝辯證法「正反合」之說。蓋唯此足以徹底破滅共產邪說，不使死灰復燃，公理對邪惡之戰，非任何殺人武器所能決定最後勝負的。作者開始讀《易》於大陸淪陷，憂患交攻之時，著手草擬經解於總統倡導之後，後知後覺，必待文王而興，所期於世道人心，或者不無小補。(謝大荒：〈易經語解·自序〉，《易經語解》卷首。臺北：遠東圖書公司，1958年3月)
>
> ……近代科學哲學之原理原則，固不能超越於《易》理之外，而日常應用之邏輯學，以及共匪利用之辯證法，亦悉不能出其範疇。《易》誠博大精深者乎！(李士珍：《周易分類研究》，頁2，臺北：中央警官學校校友出版委員會，1959年10月)
>
> 西方學術，自黑格爾、達爾文後，尚動不知靜，至馬克思而極。中國則兩漢黃老、魏晉清談、宋儒理學、主靜不主動矣。故西方強而暴戾，東方弱而慈祥，均止見到一面，而其為害也則一。予故曰動不知靜強以亡，靜不知動弱以亡。知剛柔動靜之宜，窮變通塞之道者，其唯《周易》乎。矧剛柔易見，而窮變難知，故《周易》卦卦語常，而亦卦卦語變，此其所以為「易也」、

「不易也」、「變化也」，予之取《易》而釋之者以此。（但
衡今：《周易淺釋》，宜蘭：不著出版者，1952年）

這三段話的共同點是：都不約而同的提到了與「共產黨」有關的內容。
其中尤以第一段文字，最足以反映「反共政策」對臺灣《易》學研究
造成的刺激和影響。

第一段文字中說，「《易》教精微，陰陽太極所演的哲理，遠勝
辯證法『正反合』之說。蓋唯此足以澈底破滅共產邪說，不使死灰復
燃。」這是謝大荒在一九五七年冬爲自撰的《周易語解》所寫的〈序〉
中的一段話。顯而易見的是，《周易語解》的撰作，是建立在「澈底
破滅共產邪說」的基礎上的。而古老的《易經》究竟要如何「破滅共
產邪說」，謝氏認爲，靠「精微」的「《易》教」，尤其是「陰陽太
極所演的哲理」，這是「遠勝辯證法『正反合』之說」的。而近似的
主題也出現在一九六四年二月周鼎珩所寫的《易經講話》中：

> 《易經》與辯證法尤其唯物辯證法，根本就不能夠相比，因爲
> 《易經》所研究的範圍，是窮盡了整個宇宙的全體，語乎大，
> 大到日月星辰以外，語乎小，小到滴水微塵以內，舉凡哲學科
> 學甚至宗教家所講的神學，只要是學術上能夠涉及到的，《易
> 經》都無一不備，至於唯物辯證法，不過僅就變化中的現象，
> 截取某一個段落，以作研究的根據，這個段落以前是怎麼來的，
> 這個段落以後是怎麼去的，都沒有適當的交代。而且《易經》
> 對於宇宙的看法，最初是由太極變爲陰陽兩儀，再由陰陽兩儀
> 的複合，逐級化生萬物，所謂陰陽兩儀，陽是代表能力，陰是
> 代表物質，宇宙之所以能夠發展，就是一本而來的能力和太極

相互爲用，……而唯物辯證法，顧名思義，僅僅以機械的眼光，注意到物質的一環，……總之，無論在範圍、性質、或是方法上，〈辯證法與《易經》〉❿都不能夠相比，要是比，那就比之不倫。（周鼎珩：《易經講話》，臺北：作者自印，1964年2月，頁10－11。）

這段文字的主要目的是在證成「辯證法不如《易經》」這個命題。這是國共鬥爭進行的如火如荼的時候，臺灣《易》學論文中經常出現的主題。既然《易經》的存在與價值是定位在「打擊共產黨」這一點上，當五、六十年代彼岸開始出現以唯物史觀或辯證法來解釋《易經》的論文時⓫，臺灣方面立刻以〈如何運用易哲學批評唯物辯證法〉⓬、〈讀易論辯證法〉⓭、〈以易經思想批判唯物辯證法〉⓮等文予以「回應」。在這樣你來我往的唇槍舌戰中，《易經》不免淪爲兩岸政治角力下的犧牲品，即使能夠鑽研得再透徹，充其量，這部書也只是成爲被雙方政權所利用的工具而已。而在對抗的過程中，《易經》的內涵與實質，又被各自政權的擁護者作無限制的誇大與延伸，這可以說是近代《易》學發展史上的一大厄運。

---

❿ 括弧裏的字爲筆者所添加。

⓫ 例如湯逸鶴撰有〈易經中的辯證法及唯物主義因素〉，人文科學雜誌，1957年1期，頁45-61，1957年5月。李景春撰有《周易哲學及其辯證法因素》，（濟南：山東人民出版社，1961年）。

⓬ 王冠青：〈如何利用易哲學批評唯物辯證法〉，《主義與國策》，第70期，頁26-32，1956年3月。

⓭ 王震：〈讀易論辯證法〉，《人生》，6卷9-11期，計7頁，1953年12月。

⓮ 周鼎珩：〈以易經思想批判唯物辯證法〉，《自立晚報》4版，1963年8月9、10日。

　　值得一提的是，像這樣以辯證法的角度所進行的《易經》研究，在最近十年的大陸《易》學界仍然十分熱絡，而臺灣方面則似乎已經是興趣缺缺了，尤其是這幾年，除了零星發表的幾篇文章外，已經少有與此議題有關的論文出現，這一方面說明此議題有其時代的局限，另方面也顯示了臺灣的《易》學研究，已經慢慢開始脫離政治的附庸，而發展成一門獨立的學問。

3. 科學與《易經》——「現代化」在《易經》一書的體現

　　從表面上看，一九四九年以後從中國大陸遷徙來臺的知識分子，在政治立場上是頗為一致的——他們都共同傾向於「反共」。然而，細究之下，這些人卻可以依對文化的不同態度，區分為二派：一派以主張「全盤西化」的自由主義學者為主，胡適、傅斯年、羅家倫等人可為代表，他們對文化採取的是較激進的態度；而另一派則屬力主維護中國傳統固有文化的國民黨黨員，高明、林尹、蔣復璁、程發軔等皆屬之，❶他們對文化採取的是較保守的態度。這兩派人因為在文化上持有不同的觀點，因此對民國初年所發生的「新文化運動」也持有正反不同的意見。一九五二年，因考試院院長賈景德的一席話所引發的讀經爭議，其實可以視為這兩派不同意見的延伸。值得注意的是，儘管這兩派人在對中國傳統經典的價值上有著完全不同的認知，但是在對「中國應該走上現代化」的這點上，卻有著相當程度的共識。

　　在讀經問題的爭議過程中，最常被提到的名詞是「現代化」這三

---

❶ 筆者雖然沒有直接的證據可以證明這幾位都是國民黨員，但是從他們撰寫的文章，或者是所屬的職位來說，起碼與國民黨的關係是十分密切的。

個字。就上述這兩派人的意見來說,並沒有任何人反對中國要現代化,只是,中國要如何現代化,卻是個見仁見智的問題。大家也都同意,現代化的主要內涵是「民主」和「科學」。因此,有關的論點在兩派人的言論中都可以找尋到依據。

　　就《易經》這部書的本質來說,其內容與占卜的關連無疑是大於一切的,若要從這個角度來解釋它與「民主」之間的關係,不免有些勉強。因此我們發現,五、六十年代起,臺灣《易》學界出現了不少討論科學與《易經》關連的文章,不論是〈周易科學思想〉⓰、〈現代科學方法與易經〉⓱等概論性的題目,或者是《易經數理科學新解》⓲、《周易天文學》⓳、《周易物理學》⓴等探討《易經》與數學、天文、物理有所關連的文章,都陸續有人發表。這是繼民國初年《易》學界的「科學熱」之後,《易經》與科學間又一次的大結合。

4.復興中華文化與《易經》

　　自從蔣介石推行「中華文化復興運動」以後,「整理國故」就成為臺灣五、六十年代文化界的主要工作。一九六七年,當時擔任臺灣商務印書館董事的王雲五先生,選定了十種經書,進行白話註譯的編纂,並將這十部書,以《經部今註今譯》叢書的形式,一一出版。《易

⓰　陳泮藻:〈周易科學思想〉,師大學報,第11期,頁299-318,1966年6月。

⓱　曾子友:〈現代科學方法與易經〉,《學園》,4卷12期-5卷1期,計7頁。1969年8-9月。

⓲　薛學潛:《易經數理科學新解》,臺北:撰者印行,260頁,1964年。

⓳　張淵量:《周易天文學》,桃園:撰者印行,107頁,1975年2月。

⓴　張淵量:《周易物理學》,臺中:撰者印行,92頁,1972年10月。

經》既被視爲群經之首，自然是學者進行整理的首要對象。於是，在南懷瑾和徐芹庭的主事下，《周易今註今譯》於一九七四年十二月出版，不出數年，已經三版、四版，其間於一九八四年八月進行修訂，到一九九五年十月爲止已經重新印刷了九次。這不僅說明該書可能是臺灣銷售量最好的《周易》「今註今譯」，而且與其他《易》學類的著作相較，受歡迎的程度也是名列前茅的。**❹**

　　根據筆者的統計，五十年來臺灣出版的各類型《易》學專書中，以註釋及翻譯形態出現的，數量最爲眾多。同樣一本書，爲什麼要一解再解，一翻再翻，個中原因，或可由下面的一段話，得到答案：

> 古籍蘊藏著古代中國人智慧精華，顯示中華文化根基深厚，亦給予今日中國人以榮譽與自信。然而由於語言文字之演變，今日閱讀古籍者，每苦其晦澀難解，今註今譯爲一解決可行之途徑。今註，釋其文，可明個別詞句；今譯，解其義，可通達大體。兩者相互爲用，可使古籍易讀易懂，有助於國人對固有文化正確了解，增加其對固有文化之信心，進而注入新的精神，使中華文化成爲世界上最受人仰慕之文化。（臺灣商務印書館編審委員會：〈重印古籍今註今譯序〉，南懷瑾、徐芹庭註譯：《周易今註今譯》，臺北：臺灣商務印書館，1995年10月修訂版）

　　《周易今註今譯》的暢銷，大抵反映出「中華文化復興運動」推行的徹底與成功。像《易經》這樣一部文字艱澀，內容撲朔迷離的經

---

❹　該書並於1989年由天津古籍出版社影印出版，其影響力甚至達到海峽的彼岸。

典，在「《易》爲《六經》之源」的桂冠底下，更散發著無窮的魅力。於是，不僅是學院裏的研究生想要一窺堂奧，就連一般社會大眾也想要一探究竟，因此這類書籍的需求量大增，群眾有了相關的基礎知識後，自己也躍躍欲試，於是，越來越多的「今註今譯」不斷的產生，終於成爲《易》學市場上的主流。

二、1969－1978：第三個十年──新出土文物對臺灣《易》學研究的影響──以帛書《周易》爲例

　　一九七三年十二月，湖南長沙市東郊馬王堆第三號漢墓中，發現了一批寫在縑帛上的古籍，其中有《周易》。和過去流傳的通行本相較，該書不僅在內容、字句上與傳統的《周易》有所出入，就連卦名、卦序等部分也和通行本有所不同。經過專家的考訂，漢墓下葬的時間在漢文帝前元十二年（西元前168年），換句話說，墓中的《周易》距今至少已有二千一百五十年的歷史。從該書與通行本《周易》的種種歧異看來，這應該是二個不同系統的版本。爲求區隔起見，學者稱一九七三年出土的《周易》爲「帛書《周易》」，以別於以往所見到的通行本《周易》。

　　由於年久水浸，破損情況嚴重，帛書《周易》的文字辨識工作進行得相當緩慢。一九八四年三月，帛書《周易》的部分內容──《六十四卦》釋文才在眾人的期盼下首度發表❷；一九九二年八月，《繫

---

❷　《文物》，1984年第9期，頁1-24。1984年3月。

辭》的釋文接著公布㉓；而其他的佚書，在二年後也相繼問世。㉔可以這麼說，一直到一九九五年一月，帛書《周易》終於完整的公諸於世了，而這距離馬王堆漢墓出土已有二十餘年之久。㉕

由於兩岸的政治情況特殊，臺灣學者並沒有參與相關的整理工作，因此，所有的校理工作幾乎都是由中國大陸的學者一手包辦的。從整理出土文物的角度來說，大陸學者必須從斷簡殘編中將幾已黏疊成塊的《周易》重新整理，其過程之艱辛，恐非旁人所能體會；但就「掌握先機」的原則來看，這些學者在校理的過程中卻也因此得到了最寶貴的第一手資料，可以先睹爲快。相形之下，臺灣學者固然沒有相對的付出；但就資料的取得來說，不免有延誤之憾。因此，臺灣在「帛書《周易》」這方面的論文篇數上遠不如中國，是十分可以理解的。

臺灣雖然受到地理環境的限制，在帛書《周易》的研究上喪失了「先機」，但仍有數位學者的研究成果不俗，值得一述。

第一位撰寫帛書《周易》論文的是嚴靈峰，他在1980年7月率先發表了《馬王堆帛書易經初步研究——周易經傳文字的結構和錯簡》（《經子叢書》，第五冊，臺北：成文出版社，1980年7月）一書，此後，又陸續發表單篇論文數篇，並於1994年7月，完成《馬王堆帛書易經斠理》（臺北：文史哲出版社，268頁，1994年7月）一書。嚴靈峰可以說是臺灣第一位出版帛書《周易》專著的學者。

㉓ 見傅舉有、陳松長編：《馬王堆漢墓文物》（長沙：湖南出版社，1992年8月）。

㉔ 見朱伯崑主編：《國際易學研究》，第一輯。（北京：華夏出版社，1995年1月）。

㉕ 參閱黃琪莉：〈帛書《周易》研究現況概述〉，〈中國文哲研究通訊〉，5卷4期，頁95-117。

　　在數量上僅次於嚴靈峰的是陳鼓應。陳鼓應撰文的重點在探討帛書《周易》與道家之間的關連。論題包括有：〈繫辭傳的道論及太極、大恆說〉、〈馬王堆出土帛書繫辭爲現存最早的道家傳本〉、〈也談帛書繫辭的學派性質〉、〈帛書繫辭傳與今本繫辭——再論帛書繫傳爲道家之傳本〉、〈帛書繫辭和帛書黃帝四經〉、〈二三子問、易之義、要的撰作年代以及其中的黃老思想〉、〈帛書繆和、昭力中的老學與黃老思想之關係〉等（俱見陳鼓應撰：《易傳與道家思想》，臺北：臺灣商務印書館，1994年9月）。

　　嚴、陳二先生之外，黃沛榮先生也撰有相關論文數篇。他曾發表〈論馬王堆帛書易經之卦序〉（《中國書目季刊》，第18卷第4期，頁139-149，1985年3月）、〈馬王堆帛書繫辭傳校讀〉（《周易研究》，1992年4期，頁1-9，1992年）、〈帛書繫辭傳校證〉（《道家文化研究》（上海：上海古籍出版社），第3輯，1993年8月）、〈馬王堆帛書繫辭傳校讀〉（《周易研究》，1992年4期，頁1-9，1992年），並於1999年指導臺灣大學中文研究所碩士生貝克定完成《馬王堆帛書〈易之義〉「數往／知來」段及其相關問題研究》論文，這是目前爲止臺灣第一部以帛書《易》爲研究對象而獲得學位的論文。

　　其他學者雖有零星發表，但或因篇數太少，或因份量不足，在此只好捨去不論。

三、1979－1988：第四個十年

㈠從《中華易學》的創刊談臺灣《易經》研究的多元化及通俗化

　　一九八〇年三月，臺灣第一個以《易》學研究爲主的定期性刊物

《中華易學》在中華民國河圖洛書學會的創辦下正式出刊。從發起人
陳立夫的一段話中可以清楚的看出該雜誌對《易經》一書的基本立場：

> 《易》學的範圍，賅括宇宙，包羅萬有，眞可說是精微博大，
> 但究應如何使其和時代需要相結合，乃是一項很重要的課
> 題。……近年來我們可以看到，不少拿到諾貝爾獎金的學者，
> 如國人楊振寧、李政道等，他們都提到了《易》學對他們的啓
> 示。現在就應該把《易》學與物理、化學、數學有關的道理說
> 得很清楚，使大家對《易》學有更深更進一步的了解。（陳立
> 夫主講，諶國華筆記：〈《中華易學》的發展方向〉，《中華易學》，第3期，
> 頁4-6，1980年5月。）

他並且指出：

> 現代一般人最感到有疑問的，莫過於醫學，中國的醫學書籍，
> 差不多完全是《易》學的一套道理，如太極、陰陽、五行、八
> 卦、九宮之說等，而有人卻看它不懂，他們不但不承認自己對
> 這方面的學問不夠，並且拿「不科學」三個字給中醫下了個定
> 義，這個定義下得很不合理，你自己不懂，你怎麼可以輕易下
> 定義呢！同時這種「不科學」的定義就是自相矛盾而不合科學，
> 因爲科學是根據事實而來的，違背事實來研究道理，妄加論斷，
> 妄下定義，是缺乏常識的表現！〈《中華易學》的發展方向〉

除了力陳《易》學範圍的精微博大外，陳立夫這兩段話的重點在「如
何使《易經》和時代需要相結合」。他特別舉了「中醫與《易經》」
的例子，來強調《易經》的科學性。在這樣的前提下，無怪乎陳立夫

先生會有以下的主張：

> 我們今後研究《易經》，要找一些物理、化學、數學專家，來
> 參加我們的學會，大家一塊來研究，一個數、理、化，一個數、
> 理、象；一個是致廣大，一個是極精微，兩者揉合在一起，一
> 樣是把握世界的真理，以達到復興中華《易》學於全國，宏揚
> 中華《易》學於世界的目的。〈《中華易學》的發展方向〉㉖

既然發行人主張要找物理、化學、數學等專家一起投入《易經》的研
究，於是，《中華易學》在傳統路線的〈易經導讀〉㉗之外，又刊載
了為數不少的〈爻卦與數字觀〉㉘、〈針灸和相對論〉㉙之類的文章，
而這也就成為該刊物特有的風格。

　　整體來說，《中華易學》的論文水準參差不齊，這主要是因為撰
稿者的學習背景（教育程度）相當複雜：既有在大學講授《易經》的
教授，也有純粹自學苦讀的國學愛好者；所受的專業訓練既不一致，
內容程度的深淺也就有別了。

　　截至目前為止，《中華易學》仍在持續發行中，而從創刊號到最
近的二百三十九期（2000年1月），屈指數來，已經過了二十個年頭。
這二十年來，《中華易學》刊登過的《易經》論文數在千篇以上，雖

㉖　陳立夫另主編有《易學應用之研究》（1、2、3輯）（臺北：臺灣中華書局，
　　1975年6月、1982年6月、1985年11月），內容亦無所不包，可以說落實了陳
　　氏的這個主張。

㉗　徐芹庭撰，見《中華易學》創刊號─第4期，共19頁。

㉘　陳太義撰，《中華易學》，創刊號，頁44-49。

㉙　周治華撰，《中華易學》，第10期，頁39-40，1980年12月。

然其中有不少論文是以偏離傳統的方式來進行研究，而且不乏與方術、命理相結合的例子，但由於該刊物對稿件的學術要求並不那麼高，因此對有心接觸《易經》，但卻未必受過學術訓練的社會大眾來說，無形中提供了一個知識交流的重要管道。因此，雖說《中華易學》在提昇臺灣《易》學研究的水準上未必有多少實質的貢獻，但對《易經》研究的推廣和普及，卻有其值得肯定的地方。

㈡解嚴（1987.7）前後臺灣《易》學研究的狀況

一九八七年七月十五日，臺灣政府宣布解嚴，並且開放報禁、大陸探親及旅遊政策。自此，隔絕了近四十年的臺海兩岸，終於在各方面有了交流的機會。

對臺灣的文化界來說，「解嚴」最大的意義在於：各項大陸出版品終於有了合法進口的管道。事實上在這之前，在臺灣大學、臺灣師範大學附近的流動書攤上，經常可以買到各種盜版的大陸書籍，儘管印刷品質不良，但在物以稀為貴的心理及好奇心的趨使下，在學者及研究生之間，仍然炙手可熱。因此這些政策的開放，只是讓出版品的交易從此化「暗」為「明」，由「地下」轉為「地上」。

理論上來說，大陸出版品的正式引進，對臺灣從事中國文史的研究者來說，應會產生不小的衝擊和影響。然而，就《易經》的研究領域來說，實際情況卻似乎並非如此。

檢閱林慶彰師主編的《經學研究論著目錄》（1912－1987）（臺北：漢學研究中心，1989年12月。以下簡稱《正編》）、《經學研究論著目錄》（1988－1992）（臺北：漢學研究中心，1995年6月。以下簡稱《續編》），我們可以觀察到一些有趣的變化。

　　先看《正編》、《續編》收錄的《易經》條目。由於一九八七年為《續編》收錄條目的起始年限，因此《續編》所呈現的內容，恰好反映了解嚴後五年臺灣及中國大陸的研究狀況。

　　首先，就數量來說，臺灣在一九八七年以後的論文總數遠遠少於中國大陸。這和《正編》所呈現的臺灣與中國大陸的論文幾乎各占一半的情況是大不相同的。此現象可以從二方面來解釋：其一，由於兩岸的開放交流，臺灣取得大陸的資料遠比解嚴前容易，因此《續編》能搜集到的大陸資料，比《正編》更接近實際。其二，一九六六年五月，中國大陸發生了「文化大革命」。❸⓿一直到一九七六年十月「文革」結束前，大陸上有關中國傳統經學的研究，幾乎呈現一片空白。而文革結束後，這方面的研究開始慢慢復甦，因此在《正編》、《續編》的數量上，二者呈現出如此明顯的差異。❸❶

　　其次，在研究主題上，解嚴前後臺灣學者的變化似乎並不明顯。換句話說，大陸學者的《易》學研究成果並沒有直接帶給此地學者多大的衝擊。這一方面可能是交流管道的不順暢，阻礙了彼此對研究成果的認識與了解；另方面也可能是相對而言，大陸學者的研究成果仍屬有限，因在此地起不了太大的作用。

　　根據《續編》的收錄，在各類研究主題中，中國大陸以「《周易》的注釋及翻譯類」數量最驚人。除此之外，探討「《周易》是一本什

---

❸⓿　有關這段歷史的記載，參閱政治學院中共黨史教研室編：《中國共產黨六十年大事簡介》（北京：解放軍國防大學出版社，1986年10月）。

❸❶　根據《正編》的收錄，文革時期（1966-1976）大陸有關《周易》研究的論文數幾乎是零，這似乎可以說明為什麼中國大陸和臺灣在面積上差距如此大，然而二地在1912到1987的七十五年間，論文數目卻差距不遠的主要原因。

麼性質的書」的概論性文章為數也不少。這似乎透露出中國大陸的《周易》研究在文革過後彷彿有「重新開始」的趨勢，因此才會有那麼多人投注心力在基礎的注釋和翻譯工作上。正因為此時期中國大陸的研究工作似乎仍在「起步階段」，因此對臺灣的《易》學研究產生不了太大的作用，也就可想而知了。

四、1989－1998：晚近十年——從通俗到庸俗——晚近《易》
　　學出版的新趨勢

　　近十年來臺灣的《易》學研究，似乎有越來越多元發展的趨勢。但看各大書店販售的《易》類書書名：《易經新解縱橫股市》❸❷、《易經法則與股價指數股票控盤》❸❸、《易經與股市走勢》❸❹、《易經與中國插花的六十五花相》❸❺、《易經擇日學》❸❻、《易經的成功法則》❸❼，《易經陽宅學》❸❽、《易經與密宗》❸❾、《易經數字開運寶鑑》❹⓿、《易經辯證法的應用》❹❶、《周易與預測學》❹❷、〈《易經・乾卦》爻辭—

❸❷　秦炳華編，臺北：旭屋文化發行，黎光文化總經銷，1997年。
❸❸　陳榮撰，撰者自印，臺北：文笙經銷，1995年。
❸❹　林南方撰，臺北：武陵出版社，1998年。
❸❺　國立歷史博物館編，臺北：國立歷史博物館，1997年。
❸❻　徐芹庭撰，臺北：聖環圖書公司，1997年。
❸❼　尾山潔撰，臺北：輕舟出版社，1996年。
❸❽　汪儒毅編撰，臺北：益群出版社，1997年。
❸❾　徐芹庭撰，臺北：聖環圖書公司，1997年。
❹⓿　楊鶴朋撰，臺北：武陵出版社，1997年。
❹❶　劉毓璋撰，撰者自印，1995年。
❹❷　邵偉華撰，臺北：立得出版社，1994年。

一地理學之解讀〉❸、〈易經五行與平面設計入門的探討〉❹、〈易經與傳統醫學〉❺……，就令人頭暈目眩、眼花撩亂；再細究其內容，更令人對《周易》一書的「無所不包」，「神通廣大」，歎爲觀止。

如果說，《易經》研究必須透過這樣的方式才能達到通俗的目的，我們不得不指出，這樣的一種「通俗」，只是突顯出《易經》研究在當今研究領域的窘境而已。從《易經》中究竟能不能看出股市的走向、能不能準確的測知未來，到怎樣利用五行的觀念，與平面設計做一個結合，凡此種種，用現在流行的話來說，叫做「應用《易經》」。《易經》究竟能不能作這樣的「應用」，這固然是個見仁見智的問題，但《易經》本身並不曾包括這麼豐富的意涵，卻是不爭的事實。在二十一世紀科技發達的今天，如果凡事仍然必須藉助一本被「神格化」的古老書籍來「指點迷津」，除了顯示現代人在面對事情時的徬徨、困惑與不安外，對《易經》研究本身，並沒有太大的意義。更何況，從《易經新解縱橫股市》一類的書籍大行其道看來，《易經》研究已經有被商業化的趨勢。這就將原本就已經夠「通俗」的《易經》研究，更進一步推向「庸俗」的境地。

「通俗」的本身，含有「普及」的意思，從學術研究的角度來說，意謂著多數人的共同參與，這對任何知識領域的探求，都是一件好事；但是如果學術研究最後走上「庸俗」的道路，就不免令人扼腕了，因爲除了「普及」的意義外，更深一層的意義是「撰者投讀者之所好」，

❸　潘桂成撰，《中國地理學會會刊》，第21期，頁1-17，1993年7月。

❹　林質彬撰，文分上下，分見《中華易學》，第14卷第10、11期（總第166、167期），計8頁，1993年12月、1994年1月。

❺　麻福昌撰，1994年1月。

換句話說，書籍的撰寫完全是以利益爲導向，在這樣的前提下，既失去了「客觀性」，也就難以保持公正的立場了。

貳、各領域研究成果綜述

五十年來，臺灣的《易》學研究已經有了蓬勃的發展。不論在《易》學史、古籍整理、註釋與翻譯、哲理、占卜及文字學、聲韻學、句法等不同的領域，都取得了一定的成績。以下分別就這幾個方向，進行整理與檢討：

一、《易》學史

臺灣在「《易》學史」方面的著作，大致可以分爲二類：一類是在書名上直接挑明爲「《易》學『史』」或「《易》學『源流』」的著作，從性質來說，可以稱之爲「通論性的《易》學史著作」；一類是雖然從書名上看不到與「《易》學史」或「《易》學源流」有關的字眼，但是書中所闡明（或分析）的對象，卻是《易》學史上相關的問題⑯，本文姑且將這類著作稱之爲「分論性的《易》學史著作」。⑰前者的數量相當有限，高懷民的三部《易》學史⑱和徐芹庭的二部《源

---

⑯ 或者說，是從「史」的角度來撰寫的書籍。

⑰ 嚴格說來，這個名詞並不那麼貼切，而且容易造成語意上的混淆。不過相對於「通論性的《易》學史著作」來說，「分論性的《易》學史著作」強調的是《易》學史中「部分」與「全體」的關係，因此在筆者尚未找到更適合的名詞之前，姑且採用這個稱謂。

⑱ 即《先秦易學史》、《兩漢易學史》及《宋元明易學史》。

流》❹可爲代表；後者的數量則比較多，本文將列舉其中較值得稱述的幾家，做爲了解臺灣這五十年來《易》學史研究成果的憑介。

(一)通論性的《易》學史著作

1.高懷民的《先秦易學史》、《兩漢易學史》和《宋元明易學史》

高懷民撰有一系列的《易》學史著作，分別是《先秦易學史》（臺北：東吳大學中國學術著作獎助委員會，1975年6月）、《兩漢易學史》（臺北：中國學術著作獎助委員會，1970年12月）和《宋元明易學史》（臺北：撰者自印，460頁，1994年12月）。從撰寫的先後次序來說，《兩漢易學史》完成最早，《先秦易學史》居次，《宋元明易學史》殿後，首尾相距二十四年。❺

從書名上看，作者在《「兩漢」易學史》之後，直接撰寫《「宋元明」❺易學史》，這不免令人產生「在『史』」的連續觀念上，（兩書）似乎有不相御接之感」（高懷民：《宋元明易學史·自序》），但是，作者在撰述《兩漢易學史》時，就已經將活動時間本在東漢之後，但學術上卻仍隸屬於漢《易》範圍的管輅（208－255）、王弼（226－249）、

---

❹ 即《易學源流》和《易圖源流》。

❺ 從原稿完成的時間來說，《先秦易學史》最先，《兩漢易學史》居次，《宋元明易學史》最末，但因《先秦易學史》在完成之後曾經加以修訂，延誤了出版時間，因此最先「訂稿」（即出版）的，就成了《先秦易學史》。（參見〈兩漢易學史·自序〉，頁2）

❺ 此處「兩漢」及「宋元明」上的引號，是筆者爲了強調此二書所論述的年代而添加的。

蜀才（生卒年不詳）、干寶（生卒年不詳）等人納入討論了，**❷**而且，在《兩漢易學史》完成多年之後，高氏更進一步指出，王弼以後，「在哲思創建方面稀少而傳述訓注以承繼固有者多，在《易》學發展史上看，不能算作《易》學興盛時代。」（見〈宋元明易學史·自序〉）因此，這三部《易》學史所涵蓋的範圍，事實上是從先秦一直延續到元明時期的。

此三書基本上都是「史」，雖然作者謙稱「在性質上只算是對舊學的整理」（《先秦易學史·自序》），但實際上卻呈現了許多作者個人特殊的見解，值得重視。

⑴《先秦易學史》

作者首先指出，「先秦《易》學」是中國《易》學的真精神所在，尤其是伏羲氏、周文王、孔子、老子四聖，更是讓《易經》一書趨於博大精微的重要功臣。然而因史料的不足，多年來遲遲未見一部《先秦易學史》的撰作，以至於今日的知識青年只能叫出《易》學之名而不知其精義所在；而《易》學界也只知有《易》訓詁學、《易》算命學、《易》史料考據學、《易》物理學、《易》天文學、《易》數學等，而不知何者為「純粹而精的哲學思想的《易》學」，這是十分可

---

❷ 理由是：管輅《易》為焦、京一脈的嫡傳；蜀才《易》採虞翻卦變為說；王弼排除象數，為《漢》易時代的結束；至於干寶，雖已晚至晉元之世，但其注《易》以孟、京《易》為宗而有新創義，略掉可惜，故也附載於注經派象數《易》家之後，可視為漢象數《易》的落日餘輝。（參見高懷民：〈兩漢易學史·自序〉，頁2。）

惜的。因此作者決意撰寫一部《先秦易學史》，「希望做一點實際的工作，使後來的中國人，認識我們的博大精微的《易》學在先秦一段是如是一個面貌罷了。」

在《先秦易學史》中，有許多問題的看法並不合於傳統，例如將重卦的問題、卦爻辭作者的問題、三《易》差別的問題置於「筮術」下；又如詳論周文王創制筮術一事、強調「筮術《易》」一支與儒、道兩家《易》在漢代以下同等重要，不當被遺棄在《易》學史之外、認為老子是《易》家，《老子》是《易》書等等。這些問題直到現在雖然仍然沒有定案，但是部分已經引起學界廣泛的討論。❸作者在二十五年前就能不囿於傳統的提出這些意見，十分難能可貴。

本書在內容上或許顯得有些瑣碎，但是作者自言，是為了讓《易經》普及所做的考量，因此吾人似乎不應苛責。倒是書中所提的研究《易經》的態度，很值得提倡：

> 以前《易》學家因不論《易》學史，多以現代思想，去理解古聖思想，是以失去了時代思想遞變的理路，弄得古今混淆。以前《易》學家討論《易》學問題，多以《周易》一書中的字句為範圍，是以各人緊緊地抱著幾句話或幾個字，官司打不清。作者現在是設身處地運思，儘量求作到以歷史上伏羲氏的時代論伏羲氏的思想，以歷史上周文王的時代論周文王的思想，以歷史上孔子的時代論孔子的思想。《周易》一書中的字句當然是主要根據，同樣主要的，是大的歷史思潮的演變，將《周易》

---

❸ 如《易》、《老》之間的關連，國立臺灣大學哲學系教授陳鼓應即撰有多篇論文述及此。

中所言投入歷史思潮的演變中，印證出它的出處淵源，這樣一
來，就旁涉到當時的政治、社會、信仰等方面，也由此產生了
和傳統見解不同的結果。（〈先秦易學史·序〉）

「將《周易》中所言投入歷史思潮的演變中」，這的確是治《易》時
最應掌握的原則，否則，「以現代思想，去理解古聖思想」，當然會
發生捍格不入的情況，所謂「以今律古」，指的就是這樣的情形。

(2)《兩漢易學史》

這是高懷民《易》學史系列中，最先出版的一部。

眾所周知，漢、宋《易》分別為「象數《易》」和「義理《易》」
的兩大主幹，而過去學者在講述到漢《易》時，不是語焉不詳的一筆
帶過，就是簡單的略舉幾個特有人物做為代表。為了讓這段長達四百
年的學術史有清楚呈現的機會，作者於是在「以學術思想的演變為經，
以各家《易》說的介紹為緯」的前提下，完成此書。

這部書是以兩漢當代的學術為立場，因此敘述「象數《易》」的
部分特詳，而敘述「儒門《易》」的部分則較簡略，這是因為作者認
為「象數《易》」是漢《易》的主流的緣故。

本書所介紹的《易》學家，計有：田何、王同、周王孫、丁寬、
伏生、韓嬰、楊何、田王孫、施讎、梁丘賀、孟喜、焦延壽、京房、
費直、高相、馬融、鄭玄、荀爽、劉表、宋忠、魏伯陽、虞翻、陸績、
姚信、王肅、董遇、管輅、王弼、蜀才、翟元和干寶等三十一人。

全書共分為七章。首章對於漢《易》中幾個特殊的問題，如「《易》
與秦火的問題」、「《易》的傳承問題」、「《易》偽書的問題」等，

提出探討；次章「漢興儒門《易》的復古」，論述的內容從「漢興以前《易》學的沉寂」、「復古大師田何」的出現，一直到「儒門《易》的興盛與衰落」；第三章論述「漢象數《易》興起的原因」，文中提出二點遠因和三點近因；第四章以孟喜、焦延壽、京房、費直、高相等人的《易》說，構成「前期占驗派象數《易》家」一章；第五章「後期注經派象數易家」則論述了鄭玄、荀爽、虞翻三大家及馬融、劉表、宋忠、王肅、董遇、陸績、姚信、蜀才、翟元、干寶等人；第六章「漢象數《易》的結束」有三個重點，分別是：魏伯陽援《易》入丹道、管輅以數術合《易》，以及王弼掃象數歸義理；第七章「結論」，則是對兩漢《易》學做了簡單的綜合敘述。

漢《易》的問題在《易》學史上一向是極為瑣碎而且複雜的。作者能以近二十萬字左右的篇幅，深入淺出的將漢《易》整體形勢的發展，做如此清晰的陳述和說明，尤其對各家《易》的精華，亦設立專節，一一予以介紹，這對於讀者掌握漢代《易》學的面貌，確實提供了極大的幫助。

(3)《宋元明易學史》

放眼望去臺灣的《易》學研究，宋代的研究成果最為豐碩，然而卻始終缺乏一部貫穿整個朝代的《易》學史，而元代的《易》學一向被視為朱子學的餘緒，無甚新意，因此，投入研究的學者並不多，成果自然十分有限。至於明代的《易》學，除來知德等少數人的《易》說曾引起當代學者的重視之外，其研究成果幾乎難和理學研究相提並論。

高懷民的《宋元明易學史》是彌補上述缺憾的一部著作。在材料

的選取上，本書是以哲學思想做爲價值標準，而不是如同其他的《易》學史般，以人物爲經，著作爲緯。因作者認爲，那樣的編寫方式無法突顯個人的價值標準，因此摒棄不用。在這樣的前提下，一向在學術史上享有崇高地位的周敦頤、張載、二程諸人，因爲他們的主要學思指向在理學，而不在《易》學，所以在本書中只合占了一章；相對而言，邵雍因主要成就在《易》學，因此本書論述精微。

除了「哲理」之外，「圖象」也是宋元明時期《易》學的主要特色。因此本書對於〈河圖〉、〈洛書〉、〈太極圖〉、〈卦圖〉等問題，也有詳盡的闡述。

2.徐芹庭的《易學源流》及《易圖源流》

徐芹庭是高懷民之外，少數撰有「《易》學通史」類著作的臺灣學者。他的《易學源流》（上、下冊）（臺北：國立編譯館，1987年8月），論述的範圍從先秦一直到民國，是目前爲止臺灣所出版的《易》學史專著中，涵蓋的範圍最大的。而《易圖源流》（上、下冊）（臺北：國立編譯館，1993年4月），則是從「圖象」的觀點所寫成的《易》學史著作。兩書相輔相成，是徐氏所有的《易》著中，最能產生提綱挈領作用的書籍。

(1)《易學源流》

作者在〈序言〉中指出，「自漢儒傳經，《易》道以明。下歷魏、晉南北朝、隋、唐、五代、宋、元、明、清迄於今時，代有增演，故有各代之《易》學。而圖書之資料，《易》學之別傳，亦踵事增華，遞有傳述。本文由是於各章一一闡述之。復作導論於前，並述《易經》

形成之過程，與歷代《易》學之風尚、淵源、流變派別與要旨，以導夫先路。」（徐芹庭：《易學源流》，頁6，國立編譯館，1987年8月）所以這部書很清楚的是以呈現歷代《易》學的流變爲主要目的。

(2)《易圖源流》

根據一般學者的認知，《易》圖書之學是從宋代的陳摶以後才開始有的；然而徐芹庭的《易圖源流》，卻將「《易》圖」的定義，設定在「與《易》有關的圖象」上。因此，《易圖源流》論述的範圍，是從石器時代各種出土文物上的線條、圖案，一直到民國以後杭辛齋、徐昂、黃木溥……沈宜甲、周治華、周力行等人所創立的《易》圖。由於收錄的資料實在太多，❺許多圖像在書中的處理方式都只是照錄其內容，並附上從史書上摘錄下來的作者傳記而已；徐氏的文字說明既不多見，因此該書不免給人「《易》學圖鑑」之感。

作者另撰有《兩漢十六家易注闡微》及《魏晉七家易學之研究》，屬「分論性的《易》學史」。將分別於下節中論述。

(二)分論性的《易》學史著作

1.先秦時期

此時期較重要的著作，有胡自逢師的《先秦諸子易說通考》（臺北：文史哲出版社，1974年10月）、黃沛榮的〈《易》《老》關係新探〉（國科會研究獎助論文，1982年）、以及朱曉海〈今本《易傳》與儒家關係的

---

❺ 例如在圖書之學全盛時期的宋代收有84圖，元代有29圖，明代有35圖，清代15圖，民國有32圖。

再審〉（國科會研究獎助論文，1986年）。《先秦諸子易說通考》是藉著先秦時期諸子所引的《易》說的輯佚和分析，與《周易》一書相互印證。由於諸子與《周易》的時代至為接近，因此這些《易》說的整理，對《周易》的詮解，的確提供了不少助益；而〈《易》《老》關係新探〉與〈今本《易傳》與儒家關係的再審〉二文，討論的是《易經》（《易傳》）與儒、道二家之間的關連。這個問題一直沒有具體的答案，不過從儒、道兩家均有學者支持的情況看來，正可以印證「《易》道廣大，無所不包」這句話的真實性。

2.兩漢時期

兩漢時期的重要著作，有徐芹庭的《漢易闡微》（臺北：作者印行，1973年1月）、《兩漢十六家易注闡微》（臺北：五洲出版社，1975年12月）、《周易陸氏學》（臺北：成文出版社，1977年2月）、《虞氏易述解》（臺北：五洲出版社，1974年2月）、黃元炳的《卦氣集解》（臺北：集文書局，1977年8月）、黃慶萱師的《周易數象與義理》（國科會研究獎助論文，1981年）、葉國良的《易林研究》（國科會研究獎助論文，1981年）、王明的《周易參同契考證》（臺北：自由出版社，1959年1月）以及李周龍的《周易十翼與京房易說》（臺北：國科會研究獎助論文，1988年）。

《漢易闡微》是徐芹庭的博士論文，這部書後來分成三部分出版，也就是《兩漢十六家易注闡微》、《周易陸氏學》和《虞氏易述解》三書。

3.魏晉南北朝時期

魏晉南北朝時期的重要著作，有：黃慶萱師的《魏晉南北朝易學

書考佚》（臺北：國科會研究獎助論文，1975年）、簡博賢的《魏晉四家易研究》❺❺（臺北：文史哲出版社，1986年）及徐芹庭的《魏晉七家易學之研究》❺❻（臺北：成文出版社，1977年2月）。

魏晉南北朝時期的《易》學家，除了王弼之外，一向鮮少受到重視。黃慶萱師的《魏晉南北朝易學書考佚》，卻讓這些為人所忽略的《易》學家有「重見天日」的機會；而簡博賢的《魏晉四家易研究》和徐芹庭的《魏晉七家易學之研究》，更分別針對了虞翻、王弼、蜀才、干寶以及姚信、蜀才、翟元、王肅、董遇、何晏、向秀等人做了深入的分析，對學者了解這時期的《易》學發展，貢獻良多。

4.隋唐時期

隋唐時期的重要著作，有王忠林《周易正義引書考》（臺灣師範大學國文研究所碩士論文，1958年）、龔鵬程《孔穎達〈周易正義〉研究》（臺灣師範大學國文研究所碩士論文，1979年）、郭文夫《孔穎達〈周易正義〉質疑——第一部：論評〈周易正義·序〉之哲學思想》（臺灣大學哲學研究所碩士論文，1973年）、徐芹庭《周易口訣義疏證》（臺北：成文出版社，1977年2月）、《周易舉正評述》（臺北：成文出版社，1977年2月）、黃彰健《唐寫本周易正義殘卷跋》（國科會研究獎助論文，1970年）及劉承幹《周易正義校勘記》（臺北：成文出版社，1976年）。

5.宋時期

宋時期的研究成果最為豐碩。不只在論文的數量上高居各時期之

---

❺❺ 所謂「魏晉四家」，指的是虞翻、王弼、蜀才、干寶。
❺❻ 所謂「魏晉七家」，指的是姚信、蜀才、翟元、王肅、董遇、何晏、向秀。

冠，而且從事研究的人也最多。

在概論方面，有論述「義理派《易》學」的《宋義理派易學的研究》（林益勝撰，臺北：國科會研究獎助論文，1972年）、有「通論北宋《易》學」的《北宋易學考》（王基西撰，臺北：臺灣師範大學國文研究所碩士論文，1978年5月）；在分論方面，有討論朱子（1130－1200）《易》學的《朱子的易學》（戴君仁撰，臺北：國科會研究獎助論文，1965年）、《朱子易學研究》（江弘毅撰，臺北：國立臺灣師範大學國文研究所碩士論文，1985年）、《〈周易本義〉與〈朱子語類〉易論比較》（張朝南撰，臺北：臺灣師範大學國文研究所碩士論文，1993年）；有討論胡瑗（993－1059）《易》學的《胡瑗的義理易學》（林益勝撰，臺北：臺灣商務印書館，1974年10月）、有討論程頤（1033－1107）《易》學的《伊川易傳的處世哲學》（林益勝撰，臺北：臺灣商務印書館，1978年5月）、有討論蘇軾（1036－1101）《易傳》的《東坡易傳之特質與思想》（林麗真撰，臺北：國科會研究獎助論文，1984年）、有討論楊萬里（1127－1206）《易》學的《楊萬里易學之研究》（黃忠天撰，臺北：國科會研究獎助論文，1989年1月）。

6.元明時期

在通論方面，計有徐芹庭所撰的〈元代之易學〉（《孔孟學報》，39期，頁223－256，1980年4月）；分論方面，以來知德（1525－1604）的《易》學最受矚目，相關的論文，計有：陳竹義的《來氏易經理數思想之研究》（中國文化大學哲學研究所碩士論文，1988年，高懷民指導）、徐芹庭的《易來氏學》（臺灣師範大學國文研究所碩士論文，1968年，程發軔指導）、《來氏易闡微》（《中華易學》，第8卷11、12期，第9卷1－7期，1988年1－9月）、〈易經來知德註探頤〉（收入徐芹庭：《易經深入》（1），頁475－735，桃園縣：普

賢出版社，1991年10月）、李煥明的〈來知德的易學〉（收入李煥明：《易經的生命哲學》，頁423-428。臺北：文津出版社，1992年3月），以及鄭燦訂正、李寰附考的《訂正易經來註圖解》（臺北縣：中國孔學會，1冊，1971年9月）。

來知德之外，俞琰（1258-1314）和方孔炤（生卒年不詳）的《易》學亦有專文研究。其中，林文鎮所撰《俞琰及其易學研究》（臺灣師範大學國文研究所碩士論文，1991年，黃沛榮指導）的篇幅較大，是學位論文。

7.清時期

五十年來並沒有「清代《易》學史」一類的專著產生，但是有關顧炎武（1613-1682）、王夫之（1619-1692）、李光地（1642-1718）、惠棟（1697-1758）、焦循（1763-1820）等人的《易》學，均有專文討論。其中論及王夫之及焦循的論文，篇數稍多，而且兩人均有博士論文以之爲題。[57]

8.民國時期

民國時期曾針對《易經》一書提出看法，並受到當代臺灣學者矚目的，計有：熊十力（1885-1968）、胡適（1891-1962）、朱自清（1898-1948）、方東美（1899-1977）、錢穆（1895-1990）、高亨（1900－1984）等人。其中熊十力的《易》學引起的討論最熱烈，除了個別發表的單篇論文外，並有碩士論文《熊十力易學思想之研究》（王汝華撰，臺灣師範大學國文研究所碩士論文，1991年，黃慶萱指導）。

---

[57] 曾春海：《王船山易學闡微》（輔仁大學哲學研究所博士論文，1977年，羅光指導）、賴貴三：《焦循雕孤樓易學研究》（臺北：臺灣師範大學國文研究所博士論文，1994年5月，黃慶萱指導）。

二、古籍的整理與再版

(一)標點及校勘

中央研究院中國文哲研究所籌備處於一九九七年六月點校出版了清朱彝尊（1629-1709）編纂的《經義考》三百卷。其中，卷二到卷七十一爲《易經》類，共收錄《易經》類著作二千零三十部。這可以說是目前所能見到的卷帙最大、資料最豐富的《易經》古籍目錄。

這七十卷所著錄的《易經》類著作，大抵是以作者的時代爲次，略做編排。與「太極」有關的著作，則被安排在最末（卷71），自成一卷，不與他書相混。

由於資料的來源十分多元，因此，《四庫全書總目》給它「詳贍」的評語。（《四庫全書總目·經義考》提要）但也因爲該目錄「網羅宏富，囊括千古」，所以其中不免有誤。對此，前人曾陸續展開續補和校正的工作，可惜除了翁方綱的《經考補正》和羅振玉的《經義考目錄》、《校記》外，幾無傳本。❺⑧

爲了讓《經義考》的資料能充分發揮最大的作用，中央研究院中國文哲研究所經學組的林慶彰教授向國家科學委員會提出了「點校補正經義考」的研究計畫，協同中央研究院中國文哲所經學組的蔣秋華、楊晉龍二先生，帶領數位在中文系碩、博士班就讀的研究生，進行《經義考》的整理工作。

---

❺⑧ 參朱彝尊原著、林慶彰等編審：《點校補正經義考·點校說明》（臺北：中央研究院中國文哲研究所籌備處，1997年6月），頁2-3。

整理的方法是以盧見曾補刻本爲底本，加以新式標點，再以文淵閣《四庫全書》本、《四部備要》本爲輔本，詳加校勘，作成校記。再將前人的補正資料，如翁方綱《經義考補正》、羅振玉《經義考校記》、《四庫全書總目》（涉及《經義考》失誤，而四庫館臣加以辨正者）等，附於相關條目之下。於是，《易》類首條「《連山》」底下，朱彝尊說：「《唐志》：『十卷。司馬膺注。』佚。」（《點校補正經義考》，卷二，頁15。）之後，就有翁方綱的《補正》：

> 案：《舊唐志·五行類》有《連山》三十卷，梁元帝撰。《新唐志·五行類》同。《新唐志·經類》有《連山》十卷，亦非司馬膺注。所云司馬膺注者，《歸藏》十三卷也。竹垞誤讀，當刪正。（卷一，頁一）（《點校補正經義考》，卷二，頁15。）

及羅振玉的《校記》：

> 王謨、馬國翰有輯本。（《易》，頁一）（《點校補正經義考》，卷二，頁15。）

讀者在參酌他們的意見後，不致於完全受到朱彝尊的誤導，而影響到研究結果。

《經義考》的整理工作前後歷時三年，其間工作人員所投注的心力，雖不足爲外人道，但成果卻是有目共睹的。尤其是這次的整理工作，是以最少的物力，最大的熱忱來完成，這對於一向較乏人問津的「古籍整理」領域，有很好的示範作用。

(二)翻印——幾部《易》學叢書的印製

1. 《無求備齋易經集成》

一九七六年一月，臺北的成文出版社出版了由嚴靈峰選定的三百六十二部《易經》著作（計1614卷，319家），精裝分成一百九十五冊，訂名為《無求備齋易經集成》。這是目前為止除了《四庫全書》外，臺灣所出版的卷帙最龐大的《易》學叢書。

《無求備齋易經集成》收錄的典籍是以「無求備齋」的藏書為主，齋主嚴靈峰將這些書依照內容的性質，區分為正文、傳注、通說、札記、答問、音義、圖說、略例、占筮、雜著、緯書、校勘、輯佚、彙考、論辯十五類。不論象數、義理、遺佚或新說，均包括在內。

大體而言，《無求備齋易經集成》是以影印舊籍為主，其中，各時期的「叢書」是影印的主要來源，例如：《嘉業堂叢書》、《古經解彙函》、《道藏輯要》、《通志堂經解》、《武英殿聚珍叢書》、《古逸叢書》、《兩蘇經解》、《佚存叢書》、《別下齋叢書》、《守山閣叢書》、《幾輔叢書》、《嶺南遺書》、《湖北叢書》、《惜陰軒叢書》、《皇清經解》正續編、《樸學齋叢書》、《金華叢書》、《豫章叢書》、《粵雅堂叢書》、《第一樓叢書》、《止園叢書》、《董氏叢書》、《涇川叢書》、《九經古義》、《玉津閣叢書》、《懷廬叢書》……等，皆在搜羅之列。

2. 《文淵閣四庫全書》

一九八三年，臺灣商務印書館影印文淵閣《四庫全書》，其中第

七冊到第五十三冊屬於《易》類,共包括《易經》著作一百八十八部。

3. 《大易類聚初集》

一九八三年七月,臺北新文豐出版公司選定了一百零八種《易》學專著,由趙韞如編次,定名為《大易類聚》,分成二十冊出版。由於《易》類書籍十分繁多,因此該書局先將此二十冊定為「初集」,擬待持續搜集到一定的數量後,再彙印為第二集,但截至目前為止並未出版「二集」。

4. 《皇清經解易類彙編》、《續經解易類彙編》(臺北:藝文印書館,皆無版權頁。)

《皇清經解易類彙編》收錄清人《易》類著作十六種,《續經解易類彙編》收錄清人《易》類著作二十二種,皆原刻影印,沒有標點。

三、註釋、翻譯

五十年來臺灣所出版的《周易》註釋、翻譯,數目不下六、七十種。[59]其中有將古文翻成白話的,也有從中文翻成英文的。[60]內容有適合成人閱讀的,也有專為兒童而設的。[61]書名則從簡單明瞭的「白話《周易》」,到文謅謅的《易理鑰》、《易貫大中》、《說易解頤

---

[59] 此數據是筆者根據《經學研究論著目錄》正編、續編所做的統計。

[60] 沈仲濤:《中英對照易經》(臺北:文化圖書公司,1973年5月)。

[61] 王財貴編訂:《大字注音經典誦讀本之六:周易》(臺北:讀經出版社,1996年7月)。

內篇》……等等。㉒究其實，都只是不同程度的註釋和翻譯而已。

根據筆者粗略的了解，目前臺灣各大學所開設的「《周易》」課程中，最常採用的教科書仍是程頤的《傳》及朱熹的《周易本義》。上述六、七十部的《周易》譯注，鮮少在課堂上被提及，更遑論做爲教授指定的參考用書。這當然不一定意謂著這些書籍的「難登大雅之堂」，但是，臺灣迄今仍然沒有一部令多數學者都滿意的今人譯注，卻也是事實。

由於這部分著作的數量實在太多，筆者很難在短時間內一一加以評比，筆者擬另行撰文討論這個問題，並試著解決這個一般有心習《易》者最常存在心中的困惑。

四、哲　理

《周易》在二十世紀末的今天之所以對許多人仍然具有強大的吸引力，很重要的一個原因是它可以從哲學的角度做多元化的解釋。這也是放眼望去，五十年來臺灣研究《周易》的碩、博士中，有大半是哲學研究所出身的緣故。

在臺灣，中文系出身的《周易》學者，多半注重的是《周易》的文字和訓詁，也有一部分是從「史」的角度對《周易》一書進行研究；而哲學系出身的學者，則傾向於從西洋哲學的角度，對《周易》進行「解剖」。例如〈《周易》之道德哲學研究〉㉓、〈《易傳》道德的

㉒　還有《《易經》原理》、《《周易》新解》、《《易經》淺註》、《《易》辭衍義》、《《周易》淺釋》等書，其實也都是《周易》的註釋和翻譯而已。

㉓　呂依靜撰，輔仁大學哲學研究所碩士論文，1995年。

形上學〉❻、〈〈《易傳》的倫理道德思想〉〉❻、〈〈《易經》倫理思想研究〉〉❻等學位論文，都是「中學西用」極典型的例子。

學位論文之外，探討《易經》哲理的專書，數量上也十分驚人。不論概論、宇宙論、人生哲學、知識論、倫理思想，都有專文予以討論。❻至於「比較哲學」的路線，在晚近則有愈來愈多人開始嘗試，像唐力權的〈《周易》與懷德海之間——場有哲學序論〉（臺北：黎明文化事業公司，1989年6月，423頁）、孔令信的《柏格森生命哲學與易經生命哲學比較研究》（中國文化大學哲學研究所博士論文，1989年）、黃振華的《康德哲學與易經》（「國際東西哲學比較研討會」論文，臺北：中國文化大學哲學系所主辦，1989年8月16-18日），都是此類的著作。

五、占　卜

晚近臺灣所出版的《易》學著作中，「占卜」的主題是一大主流。大體說來，學院出身的學者較少言及占卜❻，而一般社會大眾倒是非常熱衷。《周易》的本質固然是占卜，但受到孔子所言：「善為《易》者不占」的影響，在大學院校裏講授《周易》的諸位先生們，即使個人對占卜也有一些興趣，也不會在課堂上以此為題，做為授課的主要內容，更別說是出版專書予以討論了。

恰恰相反的，民間人士對此議題卻始終保持著高度的興趣。但看

---

❻　范良光撰，臺灣大學哲學研究所碩士論文，1980年。

❻　李增城撰，中國文化大學哲學研究所碩士論文，1984年。

❻　黃成權撰，中國文化大學哲學研究所碩士論文，1982年。

❻　參閱《經學研究論著目錄》正、續編「《周易》類」。

❻　但看〔附錄〕中的論文，沒有一篇是以「占卜」獲得學位，便可以證明這個說法。

《六爻卦下看愛情》（黃傑、非靖編，臺北：立威出版公司，1996年5月）、《易經卜卦新論》（鍾易遠，臺北：商鑑文化公司，1996年）、《易經卜卦應用篇》等書如雨後春筍般的出現，就可見出端倪。

六、文字學、聲韻學、文法、修辭學

傳統的經學研究，一向是從文字學、聲韻學、訓詁學的角度入手。但是由於《易經》一書的多元性，自古以來，專門以「小學」的方式研治《易經》的《易》學家，就一直屬於「相對性的少數」。在研究方法受到西學衝擊的今天，仍然僅守著這條老路的學者，更是屈指可數。

林政華的《易學新探》（臺北：文津出版社，1987年5月），是這少數著作中令人耳目一新的一部。作者在〈緒言〉中指出：

> ……古今人對《周易》本義及其哲學思想的掌握，到底得到幾分？深入多少？如果不能忠實的透過對經傳原文的形、音、義以及語句組織、修辭方法等的探討，只作字面的解釋，甚或訴諸自由心證的附會，那對《周易》的了解，可以說是隔鞋搔癢，無補於事。（林政華：《易學新探・緒言》，頁1）

因此他從文字學、聲韻學、句法的角度出發，完成了〈諸卦之名義〉（頁1-53）、〈卦爻辭之諧聲現象〉（頁57-80）、〈經傳之倒裝句法〉（頁141-159）、〈經傳之省略修辭〉（頁161-185）、〈經傳之成語〉（頁187-229）等文，其中有不少論點的確是發前人所未發，值得參看。但是，從研究方法來說，書中有一大部分採用的是被過去學者捨棄不用的「舊方法」（即小學），而在多數學者轉從「議論」的角度研析《易經》的今

日,「舊」方法搖身一變,成為「新」學 (所謂「新探」是也) ,有一部分恐怕不盡合理。當然,書中也有從文法及修辭學的角度所做的分析,這在方法上的確是較新的,但如何讓名實完全相符,恐怕還可以再商榷。

《易學新探》之外,戴璉璋有從「詞類」和「語法」的角度所撰的〈周易經傳詞類研究〉 (國科會研究獎助論文,1973年、1975年) 、《周易經傳語法研究》 (國科會研究獎助論文,1974年、1976年) ,劉君祖有從「表達手法」所撰的〈具象抽離:易經表達手法初探〉 (《中國文化月刊》,50期,頁86-102,1983年12月) 、黎凱旋有從修辭角度所撰的〈周易疊字的深遠意義〉 (《中華易學》,7卷7-8期,計5頁,1986年9-10月) ,都是比較少人觸及的議題。

參、《易》學界大事記

一、成立「易學研究中心」

1989年11月,臺北成立了「《易》學研究中心」。該中心由成中英教授籌畫,臺大教授黃沛榮擔任主任。除了決定加強聯繫海內外《易經》學者,推動大型研究會議外,並計畫與《國文天地》雜誌社合作出版《周易天地》,開設《易經》講座課程,以使《易》學研究蓬勃發展。 (簡訊:〈臺灣「易學研究中心」成立〉,《周易研究》,1990年第1期,頁103,1990年)

二、召開國際《易》學大會

1993年7月，中華民國《易經》學會在臺北市舉行「第十屆國際《易》學會議」。有不少來自世界各地的《易》學團體共襄盛舉。會中共發表論文80篇，會後並結集成冊，定名為《第十屆國際易學大會大會論文集》（中華民國易經學會編印，臺北：中華易學月刊社，1993年7月）。

「中華民國《易經》學會」並不是一個完全學術性的組織，從大會論文編委員會遴選的72篇論文所區分的六大類：「易經與世界新秩序」（12篇）、「易經文史哲」（31篇）、「易經數理與科學」（7篇）、「易與中醫、針灸」（3篇）、「易與藝術」（2篇）、「易與術數」（17篇）可以看出《易經》研究在臺灣普及的情形。

肆、結　論

五十年來臺灣的《易》學研究，是從最初的「一片貧瘠」，逐漸走向現在蓬勃發展的境地。從本土／外來二元化的思考角度來說，《易經》所代表的是不折不扣的「中國傳統文化」；換句話說，它並不是臺灣本土既有的一門學問。然而五十年來，在渡臺人士的穿針引線下，不但有愈來愈多的臺灣民眾認識了《易經》這本書，而且在不同的領域都取得了相當不錯的研究成果。這說明《易經》一書成功的扮演了「中國文化使者」的角色；說它是中國傳統文化在臺灣札根的重要媒介，並不為過。

中國文化具有頑強的生命力，據此又可以得到一次印證。但是在

著眼於這樣的事實時，其背後的成因，也是不容忽視的：

在國民政府播遷來臺的初期❻，《易經》一書是以「傳遞中國傳統文化命脈」的姿態，輾轉被介紹到此地的。由於最初負責「引進」《易經》一書的學者，多半是具有強烈文化使命感的「中土人士」❼，因此他們在推介《易經》一書時所採取的說辭，對於那些不願接受中共統治而遷居來臺的大陸人士，特別具有強大的吸引力。於是，在「反共」的號召之下，《易經》先是在這批「新移民」中獲得迴響，久而久之，讀者逐漸擴散到不同的層面，所謂「《易經》的普及」，就是從這個時候開始的。

但是在六十年代初期（1952年），由於中國傳統的經書被臺灣的當政者附予過多的角色期待和社會功能，因此曾經引發一些在文化態度上較為激進的自由主義學者的質疑。這些學者認為，國家所迫切需要的人才，並不一定要具有解讀中國傳統經典的能力，因此並不贊成考試院將「四書五經」納入國家考試的命題範圍中。❼這樣的論點並不是站在「臺灣本位」的立場發出的，而是從整個「新」時代的觀點，對中國傳統文化的再省察。

毫無疑問的是，「讀經爭議」對長期以來一直被視為「立國根本」的經書具有相當大的殺傷力，而這對於《易經》一書在臺的普及，也間接造成了影響。但是，換個角度看，一直難以搖撼的經書地位在這樣的過程中，有了重新被審視的機會；而這對於破除國人對經書所抱

---

❻　本書界定在1949年到1968年。

❼　此處意指1949年前後由大陸遷徙來臺的人士。

❼　詳見本文「讀經問題爭議下《易》學的發展」一小節，頁5-10。

持的「信仰」態度，無疑具有正面的意義。

　　當任何一部書成為眾人的「信仰」時，其實也正是它不幸的開始。五、六十年代提倡讀經者對於經書的捍衛，不就是基於「信仰者」的立場對「異議分子」所提出的還擊嗎？基於「信仰」的緣故，這些《易經》研究者可以孜孜矻矻的在《周易》、《經》、《傳》的字裏行間尋繹對抗馬克斯主義的理論基礎；基於「信仰」的緣故，明明是「涉大川」時自身安危仍然取決於命運的遠古時代的產物，卻被拿來做為「國家朝向現代化」的指導方針；基於「信仰」的緣故，凡是涉及到與《周易》經義有關的負面評價，都不免被評為「對這方面的學問不夠」❼❷，基於「信仰」的緣故，《周易》成為解決一切疑難雜症的的「十全大補湯」。

　　時移勢遷，臺灣目前對於《周易》一書仍然抱持著「國故」信仰的學者，雖然還是大有人在，不過顯然已經不是主流了。取而代之的是一股與其他領域相結合的新學風。但看臺灣以《易經》研究獲得碩、博士學位的學者，其出身從早期單純的非中文 (國文) 研究所即哲學研究所，到現在的含蓋了教育、政治、事業經營、工業設計、音樂、三民主義、公共行政……等領域，❼❸就可以看出臺灣從事《易經》研究者的層面擴大了，不僅不再侷限於過去的文史工作者，而且有朝向與尖端科技相結合的趨勢。❼❹身為一名《易經》的研究者，筆者自然

---

❼❷　陳立夫：〈《中華易學》的發展方向〉，《中華易學》，第3期，頁4-6，1980年5月。

❼❸　參看本文〔附錄〕。

❼❹　有愈來愈多的學者喜歡將《易經》的二分法和電腦原理相結合，這是十分有趣的一個現象。

樂於見到有愈來愈多的同好一起來參與研究，但是心中不免會浮現
「《易經》研究究竟適不適合從這麼多角度去詮釋」的疑慮。

「替舊典籍注入新生命」是現在臺灣出版界（或學術界）非常流行
的一句口號。在這樣的觀念底下，古典小說《三國演義》及《水滸傳》
可以衍生成《三國人才學──商用中國式用人藝術》（霍雨佳著，臺北：
遠流出版社）、《三國亂世經營學》（林國輝著，臺北：遠流出版社）以及《水
滸傳的組織謀略》（王北固著，臺北：遠流出版社）等書，那麼一向被視爲
「無所不包」的《易經》，搖身一變，成爲「《易經新解縱橫股市》」、
「《易經的成功法則》」，似乎就更不足爲奇了。

舊典籍之所以要注入新生命，就某一個層面來說，是因爲舊典籍
已經面臨到新時代的威脅，不再具有那麼大的吸引力了。爲了避免該
典籍淪落到「乏人問津」，乃至於「聲消匿跡」的地步，有心人士以
此對策力挽狂瀾，是可以理解的。然而不論這是本著「學術良心」、
「文化使命」、或者只是基於商業利益所做的「因應之道」，我們同
樣感到困惑的是：注入了新生命的舊典籍，固然延續了它的生命，但
終究已經不是舊典籍的本來面目了。「《易經》研究」的最終目的如
果只是在傳遞或延續中國文化的香火，這種「勇於發掘《易經》不同
面象，並與各學科廣爲結合」的研究方式或許並無不妥；但如果只是
站在「史料」的角度去進行分析，就沒有所謂「合不合時宜」的問題。
就筆者個人的認知來說，無疑是傾向後者的，而這也是本文對於所謂
「新式」的解《易》法，有較多批判的原因。

附　錄

臺灣五十年來 (1949－1998) 研究《周易》的碩、博士論文書目

一、周易古經部分

馬光宇　《周易》經文注疏校證　臺灣師範大學國文研究所碩士論文
　　1961年　蔣復璁指導

高懷民　大《易》思想之演變暨其體系之完成　中國文化大學哲學研
　　究所碩士論文　1967年　南懷瑾指導

朱俊麟　從《易經》致用的觀點看《後漢書》儒學教化的思想　輔仁
　　大學中國文學研究所碩士論文　202頁　1995年　趙中偉指導

李相碩　《易經》傳憂患意識之研究　中國文化大學哲學研究所碩士
　　論文　297頁　1991年　黃慶萱指導

劉慧珍　《周易》人文精神　輔仁大學中國文學研究所碩士論文　226
　　頁　1989年　曾春海指導

方中士　《周易》「元亨利貞」四德說研究　高雄師範學院國文研究
　　所碩士論文　1987年　劉文起指導

楊遠謀　論《易經》乾坤之作用　文化大學哲學研究所碩士論文　1986
　　年　高懷民指導

謝綉治　《周易》憂患九卦之研究　高雄師範學院國文研究所碩士論
　　文　1986年　黃慶萱指導

楊陽光　《易經》憂患意識研究　臺灣師範大學國文研究所碩士論文
　　1986年　黃慶萱指導

李志勇　《易經》的中道思想研究　中國文化大學哲學研究所碩士論
　　文　1985年　高懷民指導

朱介國　《易》卦六爻取象指例研究　臺灣師範大學國文研究所碩士
　　論文　1985年　黃慶萱指導

劉遠智　《易》數研究　中國文化大學中國文學研究所博士論文　1986
　　年　胡自逢指導

趙中偉　《易經》〈乾〉卦研究　輔仁大學中國文學研究所碩士論文
　　1975年　王靜芝指導

鄭榮煥　《易經》「對象」之研究　臺灣大學哲學研究所碩士論文　1983
　　年　鄔昆如、高懷民指導

二、易傳研究

㈠通　論

陳蘭行　《易傳》之解經學研究　國立中央大學中國文學研究所碩士
　　論文　1993年　曾昭旭指導

千炳敦　《易傳》之天人合德研究　東海大學哲學研究所碩士論文
　　170頁　1989年　程石泉指導

林文欽　《易傳》之變易思想研究　高雄師範大學國文研究所碩士論
　　文　1984年　林耀曾指導

李增城　《易傳》的倫理道德思想　中國文化大學哲學研究所碩士論
　　文　1984年　高懷民指導

千炳敦　《易傳》道德形上學研究——並省王弼與朱子之《易》學　東
　　海大學哲學研究所博士論文　1992年　蔡仁厚指導

范良光　《易傳》道德的形上學　臺灣大學哲學研究所碩士論文　1980
　　年　牟宗三指導

張彬村　《易傳》與《莊子》的現實世界觀與理想世界觀　臺灣大學
　　中國文學研究所碩士論文　1976年　屈萬里指導

㈡繫辭傳

楊百菁　《易》爻義例之研究——以下卦各爻爲例　國立臺灣師範大
　　學國文研究所碩士論文　莊耀郎指導

陳韻如　《易‧繫辭傳》之思想體系試詮　國立臺灣大學中國文學研
　　究所碩士論文　1993年　古清美指導

王新華　《周易‧繫辭傳》疏證　中國文化大學哲學研究所博士論文
　　1990年　胡自逢指導

戴嫣兒　《周易‧繫辭傳》集釋（宋代）　中國文化大學中國文學研
　　究所碩士論文　1979年　胡自逢指導

㈢文言傳

許曉雯　〈文言傳〉思想研究　國立政治大學哲學研究所碩士論文
　　1995年　高懷民指導

三、卦　象

南基守　《易經》卦象初探　臺灣師範大學國文研究所碩士論文　1986
　　年　黃慶萱指導

四、分類研究

㈠哲　學

呂依靜　《周易》之道德哲學研究　輔仁大學哲學研究所碩士論文
　　1995年　張家焌指導

張銀樹　《易傳》哲學思想析論　輔仁大學中國文學研究所博士論文
　　1994年　王靜芝指導

李增城　《易傳》的倫理道德思想　中國文化大學哲學研究所碩士論
　　文　1984年　高懷民指導

千炳敦　《易傳》道德形上學研究──並省王弼與朱子之《易》學　東
　　海大學哲學研究所博士論文　1992年　蔡仁厚指導

范良光　《易傳》道德的形上學　臺灣大學哲學研究所碩士論文　1980
　　年　牟宗三指導

賴錦綾　《易經》哲學的自然觀　文化大學哲學研究所碩士論文　1984
　　年　高懷民指導

沈珮君　《易經》《傳》吉凶哲學之研究　臺灣大學哲學研究所碩士
　　論文　1986年　黃振華指導

尹任圭　《周易》吉凶思想的研究　輔仁大學哲學研究所碩士論文
　　1990年6月　羅光指導

尹任圭　《易經》之「生生」思想研究　輔仁大學中國文學研究所博
　　士論文　1992年　羅光指導

歐惠文　《易》理哲學闡微　國立中興大學中國文學研究所碩士論文
　　359頁　1995年　徐芹庭指導

李淑子　《周易》之「時中」思想研究　輔仁大學哲學研究所碩士論
　　文　1991年　高懷民指導

彭涵海　《周易》時間觀　國立臺灣大學哲學研究所碩士論文　1996
　　年　關永中、郭文夫指導

李寶勝　《周易》「時空」觀之研究　臺灣大學哲學研究所碩士論文
　　1973年　謝幼偉、孫智燊指導

林文欽　《周易》時義研究　國立高雄師範大學國文研究所博士論文
　　354頁　1996年11月　張子良指導

鄭炳碩　《易經》哲學中人與道德理念之研究　中國文化大學哲學研
　　究所博士論文　1990年6月　高懷民指導

金學權　《易經》之天人關係研究　中國文化大學哲學研究所博士論
　　文　1989年　高懷民指導

趙中偉　《周易》「變」的思想研究　輔仁大學中國文學研究所博士
　　論文　1993年　王靜芝指導

馮滬祥　《周易》「創造無己論」之哲學精神及其現代意義　臺灣大
　　學哲學研究所碩士論文　1973年　方東美指導

朴正根　《易經》之人生哲學研究　輔仁大學哲學研究所博士論文
　　1987年8月　羅光指導

金聖基　《易經》哲學中人之研究——以人之自律擴大過程為中心　中
　　國文化大學哲學研究所博士論文　1992年　高懷民指導

孔令信　柏格森生命哲學與《易經》生命哲學比較研究　中國文化大
　　學哲學研究所博士論文　1989年　羅光指導

　　㈡美　學

戴妙全　《周易》美學觀探微　國立臺灣師範大學國文研究所碩士論
　　文　1998年　黃慶萱指導

㈢**教 育**

周甘逢 《周易》教育思想研究 國立高雄師範大學教育研究所博士
論文 1995年 胡自逢、陳迺臣指導

㈣**政 治**

郭冠廷 《周易》的政治思想 國立政治大學政治研究所碩士論文
1987年 蔡明田指導

㈤**文 學**

張貞海 《周易》文學性質的探索 中國文化大學中國文學研究所碩
士論文 1988年 黃慶萱指導

游志誠 《周易》之文學觀 高雄師範學院國文研究所碩士論文 1983
年 胡自逢指導

㈥**倫理思想**

黃成權 《易經》倫理思想研究 中國文化大學哲學研究所碩士論文
1982年 羅光指導

林文欽 《周易》時義研究 國立高雄師範大學國文研究所博士論文
354頁 1996年11月 張子良指導

五、易經與其他學科

黃素怡 《易經》管理哲學 國立中央大學哲學研究所碩士論文 104
頁 1998年 朱建民指導

管偉宏　以《易經》為理論架構探討組織氣候之衡量　大葉大學事業
　　經營研究所碩士論文　1997年　劉原超指導
林金祥　爻變導入御制設計進程　國立成功大學工業設計研究所碩士
　　論文　99頁　1996年　陳連福指導
鄭雅芬　「象」—論美學在音樂創作上之應用　國立臺灣師範大學音
　　樂研究所碩士論文　1994年　陳茂萱指導
蘇凡凌　混沌理念在音樂創作中的運用　國立臺灣師範大學音樂研究
　　所碩士論文　1994年　陳茂萱、潘皇龍指導
黃淑梅　《周易》與國父進化思想之比較研究　國立臺灣師範大學三
　　民主義研究所碩士論文　1991年　崔垂言指導
鄭志宏　《周易》原理領導思想之探究　國立政治大學公共行政研究
　　所碩士論文　1991年　顏良恭指導

六、周易研究史

㈠先　秦

趙鏡中　論先秦儒家形上思想之中道觀——《易》、《庸》之中道思
　　想研究　輔仁大學哲學研究所碩士論文　1985年　羅光指導

㈡秦　漢

徐芹庭　漢《易》闡微　臺灣師範大學國文研究所博士論文　1972年
　　陳立夫指導
江婉玲　《易》緯釋《易》考　臺灣師範大學國文研究所碩士論文　1990
　　年　黃慶萱指導

胡自逢　《周易》鄭氏學　臺灣師範大學國文研究所博士論文　1966年　高明指導

劉慧珍　漢代《易》象研究　輔仁大學中國文學研究所博士論文　633頁　1997年6月　王金凌、曾春海指導

(三)魏　晉

黃慶萱　魏晉南北朝易《學》書考佚　臺灣師範大學國文研究所博士論文　1972年　林尹指導

林麗眞　王弼及其《易》學　臺灣大學中國文學研究所碩士論文　1973年　戴君仁指導

吳曉青　王弼言意之辨研究　政治大學中國文學研究所碩士論文　1992年　呂凱、曾春海指導

蔡振豐　王弼的言意理論與玄學方法　國立臺灣大學中國文學研究所碩士論文　1992年　林麗眞指導

周芳敏　王弼及程頤《易》學思想之比較研究　國立臺灣大學中國文學研究所碩士論文　1992年　林麗眞指導

金周昌　王弼《易》研究　中國文化大學哲學研究所博士論文　1988年　高懷民、金忠烈指導

蔡月禎　王弼《易》學研究　中央大學中國文學研究所碩士論文　1998年　岑益成指導

侯秋東　王弼《易》學之研究——又名《周易略例》疏證　政治大學中國文學研究所碩士論文　1971年　高明指導

徐正桂　王韓《易》注及朱子《本義》之比較研究　高雄師範學院國文研究所碩士論文　1982年　徐芹庭指導

千炳敦　《易傳》道德形上學研究——並省王弼與朱子之《易》學　東海大學哲學研究所博士論文　1992年　蔡仁厚指導

　㈣隋　唐

王忠林　《周易正義》引書考　臺灣師範大學國文研究所碩士論文　1958年　高明指導

郭文夫　孔穎達《周易正義》質疑——第一部：論評〈周易正義・序〉之哲學思想　臺灣大學哲學研究所碩士論文　1973年　方東美指導

龔鵬程　孔穎達《周易正義》研究　臺灣師範大學國文研究所碩士論文　1979年　黃錦鋐指導

　㈤宋　元

劉瀚平　宋象數《易》學研究　政治大學中國文學研究所博士論文　1987年　呂凱指導

江弘毅　宋《易》大衍學研究　臺灣大學中國文學研究所博士論文　1990年　黃沛榮指導

黃忠天　宋代史事《易》學研究　高雄師範大學國文研究所博士論文　1994年　應裕康指導

王基西　北宋《易》學考　臺灣師範大學國文研究所碩士論文　1978年　余培林指導

張新智　邵康節先天《易》學之歷史哲學研究　政治大學中國文學研究所碩士論文　1992年　董金裕指導

周林靜　邵雍《易》學之研究　中國文化大學哲學研究所碩士論文

1978年　高懷民指導

江超平　伊川《易》學研究　臺灣師範大學國文研究所碩士論文　1985年　戴璉璋指導

陳正榮　張載《易》學之研究　臺灣師範大學國文研究所碩士論文　1979年　朱守亮指導

周芳敏　王弼及程頤《易》學思想之比較研究　國立臺灣大學中國文學研究所碩士論文　1992年　林麗眞指導

林麗雯　李光「史事《易》」研究　臺灣師範大學國文研究所碩士論文　1994年　黃慶萱指導

江弘毅　朱文公《易》學研究　臺灣師範大學國文研究所碩士論文　1985年　胡自逢指導

朴京炬　朱熹《周易本義》釋法研究　東吳大學中國文學研究所碩士論文　1998年　林益勝指導

張朝南　《周易本義》與《朱子語類》《易》論比較　臺灣師範大學國文研究所碩士論文　1992年　黃慶萱指導

千炳敦　《易傳》道德形上學研究——並省王弼與朱子之《易》學　東海大學哲學研究所博士論文　1992年　蔡仁厚指導

金尚燮　朱熹以理學詮釋《易》學之研究　國立臺灣大學哲學研究所博士論文　1991年　張永指導

林秀菱　《古易音訓》疏證　中興大學中國文學研究所碩士論文　544頁　1988年6月　徐芹庭指導

黃忠天　楊萬里《易》學之研究　高雄師範大學國文研究所碩士論文　1987年　黃慶萱指導

賴貴三　項安世《周易玩辭》研究　臺灣師範大學國文研究所碩士論

文　1990年　黃慶萱指導

林文鎮　俞琰及其《易》學研究　臺灣師範大學國文研究所碩士論文
　　1991年　黃沛榮指導

涂雲清　吳澄《易》學研究　國立臺灣大學中國文學研究所碩士論文
　　1997年　何澤恆指導

　　㈥明　清

徐芹庭　《易》來氏學　臺灣師範大學國文研究所碩士論文　1968年
　　程發軔指導

陳竹義　來氏《易經》理數思想之研究　中國文化大學哲學研究所碩
　　士論文　175頁　1987年　高懷民指導

曾春海　王船山《易》學闡微　輔仁大學哲學研究所博士論文　1977
　　年　羅光指導

杜保瑞　論王船山《易》學與氣論進路並重的形上學進路　臺灣大學
　　哲學研究所博士論文　1992年　張永儁指導

高志成　皮錫瑞《易》學述論　逢甲大學中國文學研究所碩士論文
　　1994年　簡博賢指導

耿志宏　惠棟之經學研究　政治大學中國文學研究所碩士論文　1985
　　年　李威熊指導

江弘遠　惠棟《易》例研究　國立臺灣師範大學國文研究所碩士論文
　　1987年　黃慶萱指導

王宏仁　胡渭經學研究　高雄師範大學國文研究所碩士論文　1983年
　　應裕康指導

㈦民　國

李慈恩　高亨《易》學研究　中央大學中國文學研究所碩士論文　187
　　頁　1997年　岑溢成指導

王汝華　熊十力《易》學思想之研究　臺灣師範大學國文研究所碩士
　　論文　1990年　黃慶萱指導

七、周易圖書學

許維萍　歷代論辨〈太極圖〉之研究　東吳大學中國文學研究所碩士
　　論文　368頁　1995年6月　黃慶萱指導

許朝陽　胡渭《易圖明辨》之研究　中央大學中國文學研究所碩士論
　　文　1995年　岑溢成指導

陳進益　清焦循《易圖略》、《易通釋》研究　中央大學中國文學研
　　究所碩士論文　1993年　龔鵬程指導

王宏仁　胡渭經學研究　高雄師範大學國文研究所碩士論文　1983年
　　應裕康指導

《尚書》研究

蔣秋華*

一、前　言

　　經學在古代中國的學術史上，占有相當重要的地位，自漢代與「利祿之途」相結合以來，即成爲絕大多數出仕者必須研治的一門學問。這種居於主流優勢的局面，一直維持到清末廢除科舉制度以後，才有很大的轉變。

　　在經學當道的兩千年間，研究的人與著作，數量之多，實在難以估算，只要稍微翻檢一下朱彝尊《經義考》的著錄情況，或核驗古代的公私書目，即可知其梗概。至於未受注意而遺漏著錄者，亦所在多有。因此，實際的研究成果應更加豐富。經學風行的主要因素，是能切合實用，然而自從廢除科舉之後，經學失去「進身之階」的誘因，雖仍有研究者，但與往昔的盛況相比，顯得沈寂多了。

　　由於近代西方文明的興盛，不斷向外擴張，使得世界各地的政治、經濟、教育等方面，都受到十分深遠的影響。尤其學制的訂立，以及

＊　中央研究院中國文哲研究所副研究員。

教授的課程內容，幾乎每個國家都仿襲西洋模式，致使許多傳統的學術，逐漸沒落了。屬於中國傳統文化主流思想的經學，也在這股變遷的潮流當中，散失了原本的吸引力，退居一旁，淪為一般的學科，成為少數學者專家研究的對象，甚至還不時遭受其他領域學科的質疑、打壓。回首往昔，真是不勝欷歔！

民國三十八年，國民政府遷至臺灣，不僅帶來了眾多的移民，同時也將中國古老的傳統文化，大量移植過來。隨國民政府來臺的大陸學者，不乏具有深厚國學底子的，他們除了任教於大專院校，繼續從事相關的研究與指導、培育新的研究者外，也有一些因個人的學養及興趣，投入傳統學術的研究行列。後來在政府強力的倡導下，推行復興中華文化的運動，鼓勵傳統學術的研究，企圖重振已然衰頹的局勢。雖然所收到的功效，究竟有多大？難以評估，但是在如火如荼的活動過程中，透過種種的鼓勵、獎掖，確實出現一陣研習的熱潮。這段時期的經學研究，亦有相當豐碩的成果。然而經學這一門古老的學問，由於所需具備的相關知識較為廣博，以及多數經書的不易理解，學習者往往望而生畏，這也導致研究人數的縮減，逐漸成為一門偏枯的學問，日益式微了。

臺灣經學的發展，受到時代思潮的影響，有其困境，但也曾獲政治力量的贊助，就整體環境而論，還算差強人意。臺灣地區在高中以前，除了「中國文化基本教材」講授《四書》外，並無其他專設的經學課程，到了大學以後，也僅有中文或哲學系所，可能開設幾門經學的課程，而且多半未能開足所有經書。儘管如此，有關經學的研究，絕大部分還是出自大學的教授和研究生，換言之，臺灣經學的發展，與大學中文系所的關係，牢不可分，甚至可說是研究的重心。

　　對於臺灣經學的發展情況，大約在民國六十年，爲了慶祝建國滿一甲子，曾由程發軔先生主編一套《六十年來之國學》叢書，其中經學部分，分別邀請專家撰述各經的研究成果。當時雖設定建國以來的六十年，但在敘寫時，亦將一些清末的著作列入，體例不純；又所述及的學者，乃包括全國，範圍較大。時至今日，又過了將近三十年，且接近二十世紀末，對於臺灣地區的經學研究發展及成果，可以再做一次回顧，同時對新世紀的研究發展，提出一些指引的方針。

　　本文擬就臺灣近五十年（1949-1998）來，有關《尚書》研究的成果和發展情況，予以介紹、分析。所擇取的時間段落，始自國民政府遷臺的民國三十八年，至八十八年止，主要對臺灣學者在上述時間內，從事《尚書》研究的成果考察。至於海外或大陸學人所發表的論著，則不在討論之列。希望透過本文的說明，可以對五十年來臺灣學者研究《尚書》的實際貢獻，有較爲明確的認識。

　　對於國人《尚書》研究的考察，有許錟輝先生撰寫的〈六十年來之尚書學〉❶，這是程發軔先生主編《六十年來之國學》的一部分，主要是民國六十年（1912-1971）裡，中國學者的《尚書》研究成果的介紹。許文主要包括兩部分：一是書目，著錄民國以來有關研究《尚書》的著作，共三百八十四種，並依其內容性質，分成考據、義理、注釋、序跋、翻譯五類；一是名著內容述要，選擇二十七家，四十六種，羅列立說相異者，摘錄其要旨，比較其異同，可以略見當時研治《尚書》學的成就。根據許先生的考察，此一時期《尚書》學的特別成就，有

---

❶　見程發軔主編：《六十年來之國學》㊀（臺北：正中書局，1972年5月），頁211-304。

三項：其一、疑《今文尚書》二十九篇，並辨明其著作時代；其二、運用地下史料，駁正《書序》之誤說；其三、運用甲骨彝器之史料，說解《尚書》，不囿於家法門戶之見。❷這些特點，後來在臺灣學者的研究中，也都承襲了下來。

除了上述許文之外，似乎尚無學者就臺灣地區的《尚書》研究情況，撰文探討。由於本文論述的範圍，與許文有部分重疊，撰文時曾予參考；林慶彰先生主編的三本《經學論著目錄》❸，則是本文主要參考資料之一。

二、成果統計分析

臺灣近五十年來《尚書》學的研究成果，根據筆者初步的統計，共有單篇論文四百八十九篇、學位論文四十二篇、專著三十七部，合計共五百六十八條目，參予撰述的學者，共二百二十七人。❹

學者個人發表條目的數量，超過四十條以上的，有程元敏（42條）、朱廷獻（42條）、李振興（41條）等三位；超過二十條以上的，僅有屈萬里（21條）一位；超過十條以上的，有許錟輝（16條）、古國順（12條）、陳鐵凡（11條）等三位；超過五條以上的，有戴君仁（10條）、王保德

---

❷ 見〈六十年來之尚書學〉，程發軔主編：《六十年來之國學》（一），頁213-214。

❸ 林慶彰主編：《經學研究論著目錄（1912-1987）》（臺北：漢學研究中心，1989年）、《經學研究論著目錄（1988-1992）》（臺北：漢學研究中心，1995年）、《經學研究論著目錄（1993-1997）》（臺北：漢學研究中心，2002年）。

❹ 這只是初步的統計數據，未必精準無誤，因為還牽涉許多問題，尚待更詳細深入的考察。

（10條）、黃彰健（10條）、尙逵齋（8條）、戴璉璋（8條）、黃忠慎（8條）、許華峰（8條）、成惕軒（7條）、吳璵（6條）、蔣秋華（6條）等十位。以上十七位學者，撰述的條目高達二百六十六條，將近總條目的一半，足見研究集中於少數的專家。

表一　研究成果統計表

階段	年　　　份	單篇論文	學位論文	專著	合　計
(1)	1949-1958	27	0	2	29
(2)	1959-1968	75	2	3	80
(3)	1969-1978	130	10	15	155
(4)	1979-1988	169	15	17	201
(5)	1989-1998	88	15	0	103
合　　　計		489	42	37	568

　　若以十年爲期，將五十年分作五個階段，可以發現：⑴單篇論文方面，第一期僅有二十七篇，第二、三兩期分別有七十五篇、一百三十篇，均大幅成長了一倍，第四期有一百六十九篇，幾乎沒有什麼成長，第五期則大量萎縮了將近一倍。⑵學位論文方面，第一期無人撰寫，第二期僅有兩篇；第三期有十篇，可算是大幅成長；第四、五期均爲十五篇，成長幅度不大，維持了穩定的情況。⑶專著方面，第一、二期分別有二部、三部，數量不多；第三、四期各有十五部、十七部，成長幅度頗大；第五期竟然沒有任何專著出版，這種斷絕的情形，令人相當訝異。

民國四十五年，臺灣師範大學首先設立研究所碩士班，次年又設立博士班，其後各校也紛紛設立研究所，培育博、碩士學生。自研究所設立以來，到八十七年止，選擇和《尚書》相關的論題，撰寫學位論文的，共有九校，十一個所的碩士生、四個所的博士生，完成九篇博士論文、三十三篇碩士論文。其中中文或國文研究所有三十篇碩士、八篇博士論文，哲學研究所有二篇碩士論文，歷史語言研究所有一篇碩士論文，三民主義研究所有一篇博士論文。

表二　學位論文統計表

學　校	所別	總篇數	博士	碩士	指　　導　　教　　授
1.師大	國文	12	4	8	許世瑛、魯實先、高明、熊公哲、許鋑輝(6)、于大成、張建葆
2.臺大	中文	11	2	9	屈萬里(4)、許世瑛、程元敏(5)、梅廣
	哲學	11		11	張永儁
3.政大	中文	4		4	胡自逢(2)、李振興(2)、簡宗梧（共同
4.文化	中文	3	2	1	潘重規、胡自逢、吳璵
	三民	1	1		翁之鏞
5.中正	中文	4		4	莊雅州(4)
6.輔大	中文	1		1	王靜芝
	哲學	1		1	羅光
7.東吳	中文	2		2	劉兆祐、林慶彰
8.成功	史語	1		1	宋鼎宗
9.中央	中文	1		1	岑溢成
合　計	12	42	9	33	24

臺灣近五十年來，以研究《尚書》而取得學位論文的，共有四十二篇，其中博士九篇，碩士三十三篇。以學校而言，師大與臺大最多，均有十二篇；其次爲政大、文化、中正，均有四篇；再次爲輔大、東吳，各有二篇；成功、中央則各有一篇。以指導教授而言，師大許錟輝教授最多，有六篇；臺大程元敏教授居次，有五篇；再次爲臺大屈萬里教授、中正莊雅州教授，各有四篇；中央胡自逢教授有三篇；臺大許世瑛教授、政大李振興教授各有二篇；指導一篇的有：魯實先、高明、熊公哲、于大成、張建葆（以上師大）、梅廣、張永儁（以上臺大）、簡宗梧（共同指導，政大）、潘重規、翁之鏞、吳璵（以上文化）、羅光、王靜芝（以上輔大）、劉兆祐、林慶彰（以上東吳）、宋鼎宗（成功）、岑溢成（中央）。跨校指導的，有許世瑛（師大、臺大）、胡自逢（政大、文化）。以所別而言，中文或國文研究所有三十八篇，哲學研究所有二篇（臺大、輔大），歷史語言研究所有一篇（成功），三民主義研究所有一篇（文化）。

指導教授大致可分爲二代，起初是大陸來臺的教授，如許世瑛、魯實先、高明、熊公哲、屈萬里、潘重規、王靜芝、羅光、翁之鏞等九位，接著是他們指導、培育的弟子，如許錟輝、于大成、張建葆、程元敏、梅廣、張永儁、胡自逢、李振興、簡宗梧、吳璵、莊雅州、劉兆祐、林慶彰、宋鼎宗、岑溢成等十五位。

三、《尚書》學史的研究

臺灣學者對於《尚書》學史的研究，投入了相當大的心力，成果斐然。概述部分，有李振興〈尚書流衍述要〉綜述自漢至清各代的《尚

書》學研究發展的概況，是一篇簡明的《尚書》學史，初入門者可藉此篇，獲致《尚書》研究史的粗淺印象。

以下分成先秦、兩漢、六朝、隋唐五代、宋代、元代、明代、清代、民國九個階段，敘述研究當時《尚書》學的成果。

(1)先秦《尚書》學

先秦的《尚書》學研究：有許錟輝的博士論文《先秦典籍引尚書考》，考察先秦諸書引用《尚書》的情形；朱廷獻〈先秦典籍引尚書二十八篇經文考〉也是類似的撰著，不過只探究今文部分。儒家方面，有方東美〈原始儒家思想——尚書部分〉探討原始儒家的《尚書》學，程發軔〈仲尼祖述堯舜憲章文武上律天時下襲水土〉，高明〈論語中之書教〉、〈孔子的書教〉，李振興〈尚書與孔子〉，朱廷獻〈孔孟與詩書〉、〈論孟引詩書之探討〉，吳清淋〈荀子與書經〉，則分別探討孔子、孟子、荀子的《尚書》學。

(2)兩漢《尚書》學

兩漢的《尚書》學研究：這一階段研究的成績，十分可觀。通論部分，姜文奎〈漢代尚書之研究〉相當簡略的介紹漢代《尚書》研究的情形。李漢三〈陰陽五行對於兩漢經學的影響（書經部分）〉，探討陰陽五行對於漢代《尚書》學所產生的影響。戴君仁〈兩漢經學思想的變遷——書經部分〉列舉了十幾條例證，說明漢代《尚書》學的思想變遷，乃由怪異而帶神話的經說，轉變成平實無奇的經說。李偉泰《兩漢尚書學及其對當時政治的影響》採取歷史的敘述方式，客觀

的說明漢人闡釋《尚書》意義的一些學說；文中敘述了兩漢《尚書》學的特色及發展情形，也探討了《尚書》學對當時政治、官制、法律的影響。屈萬里《漢石經尚書殘字集證》根據漢石經殘字，考證得知：漢石經《尚書》確為二十九篇，其中〈康王之誥〉是與〈顧命〉合一的；也有後出的〈泰誓〉，而且〈泰誓〉和〈盤庚〉都合算成一篇；偽古文本〈舜典〉的確自〈堯典〉析出，而又妄增二十八字，偽古文本〈益稷〉的確自〈皋陶謨〉析出；復就石經經文及敘之殘字，證知漢石經《尚書》所據者，係小夏侯本。此外，朱廷獻〈由漢石經殘字看今文尚書〉、周鳳五〈新出熹平石經尚書殘石研究〉也都探究漢石經中的《尚書》。林政華〈漢人知見尚書篇目考〉綜考漢人知見的《尚書》篇目，發現絕大部分在《書序》百篇之中，在百篇之外的，只有二、三篇。

研究與《史記》關係的，有古國順《史記述尚書研究》，黃盛雄〈史記引尚書文考釋〉，卓秀巖〈史記殷本記尚書義考徵〉、〈史記周本紀尚書義考徵〉。研究與《漢書》關係的，有駱文琦《漢書尚書說考徵》、周少豪《漢書引尚書研究》。研究與《後漢書》關係的，則有蔡根祥《後漢書尚書考辨》。

個人部分，研究伏生的，有朱廷獻〈由孔壁古文百篇書序看伏生所傳尚書〉，程元敏〈漢代第一位經學大師伏生〉，丁亞傑〈伏生尚書大傳的解經方法與思想內容〉；研究夏侯、歐陽的，有施之勉〈兩夏侯解〉、〈夏侯勝太子太傅〉，程元敏〈歐陽容夏侯勝未曾身為尚書博士考〉。針對司馬遷的研究，有譚固賢《太史公尚書說》、古國順《司馬遷尚書學》、李周龍〈司馬遷古文尚書義釋例〉、洪安全〈司馬遷之尚書學〉。有關王莽的《尚書》學，程元敏撰有〈莽誥註釋〉、

〈莽誥大誥比辭證義〉、〈莽誥商價〉等文，並指導傅佩琍撰成碩士論文《王莽之尚書學與行政》。研究許慎的，有許錟輝〈說文引尚書例述〉；研究鄭玄的，有陳品卿《尚書鄭氏學》；研究趙岐的，有洪順隆〈尚書趙氏義〉。

(3)六朝《尚書》學

六朝的《尚書》學研究：投入者甚少，通論部分，有歐慶亨《三國尚書學考述》考索三國時期的《尚書》學，以察見經學轉變的情況，並探尋《書》亡的先兆。程元敏〈南北朝尚書學〉對南北朝時期的《尚書》學，有相當深入且完整的考述。石經部分，有朱廷獻〈由魏石經殘字看古文尚書〉，據魏石經殘字考察《古文尚書》的相關問題；邱德修〈魏三體石經尚書考述〉，詳細考證魏石經的名稱，經目、卷數，淵源，書石者，碑數、字數、字體，《古文尚書》之篇目及其次第，碑之遷徙及其存廢，碑之出土、傳拓及其著錄等情形。許春雄〈王肅之尚書學〉是針對王肅《尚書》的研究。王更生〈文心雕龍述書經考〉根據劉勰在《文心雕龍》一書中，一百二十四條引用《尚書》以說理的部分，徵經驗傳，以考其源而會其用；其次第，先《文心》正文，次錄經傳，末殿案語。

(4)隋唐五代《尚書》學

隋唐五代的《尚書》學研究：有陳鴻森〈隋志所載劉先生尚書義作者考〉考證《隋書・經籍志》所著錄的「劉先生《尚書義》」，認為劉先生應是劉軌。簡博賢〈孔穎達尚書正義補正〉探究與《尚書正

義》有關的幾個問題，如今古文《尚書》之興廢暨孔穎達《尚書正義》之定撰、孔穎達承詔爲疏不免有亂眞爲假之過、《正義》考證之疏忽、《正義》多割裂舊疏致前後枘鑿、《正義》瑕瑜互見當分別觀之、梅氏僞書不可輕廢。林國鐘《尚書正義對鄭玄王肅之取捨研究》探討《尚書正義》中採用意見最多的鄭玄與王肅二家，孔穎達對他們的取捨情形。葉程義《文選李善注引尚書考》考察李善注釋《昭明文選》時，徵引《尚書》的情形。

(5)宋代《尚書》學

宋代的《尚書》學研究：通論部分，有蔡根祥《宋代尚書學案》通考宋代學者的《尚書》研究成果；宋鼎宗〈宋儒尚書學之寓作於述〉考察宋儒《尚書》著作寓作於述的撰寫方式，〈漢宋書經學〉則比較漢、宋兩代《尚書》學的異同；汪惠敏〈宋代之尚書學〉、〈宋儒尚書學在政治上的運用〉，前者介紹宋儒研治《尚書》的成果，後者則考述《尚書》在宋代的致用情形；蔣秋華《宋人洪範學》考述宋人對〈洪範〉的字義、圖書、錯簡、思想的研究；梁世惠《宋明人論危微精一執中十六字及其證僞》探究宋、明人對〈大禹謨〉「道心惟微，人心惟危，惟精惟一，允執厥中」十六字心傳的闡釋及運用於理學思想的情況。

個人部分，研究王安石的有程元敏《三經新義輯考彙評(一)——尚書》(1986.7)、蔡根祥〈王安石之尚書學〉；研究程顥、程頤的有蔣秋華《二程詩書義理求》；研究蘇軾的有林麗眞〈東坡書傳之特色及其對蔡沈書集傳之影響〉、〈東坡書傳之疑古精神〉，蔡根祥〈蘇軾之尚書學〉；研究林之奇的有林登昱《林之奇尚書全解研究》；研究

袁爕的有莊進宗《尚書袁氏學記》；程元敏〈書疑考〉、〈王魯齋之
洪範說〉則研究王柏的《尚書》學。

朱熹與蔡沈是此一時期研究的重點，研究朱熹的有錢穆〈朱子之
書學〉、劉人鵬〈論朱子未嘗疑古文尚書僞作〉、蔡根祥〈朱熹之尚
書學〉；研究蔡沈的有：宋鼎宗〈尚書蔡傳匡謬篇〉、古國順〈蔡沈
書集傳之研究論著述評〉、程元敏〈朱熹蔡沈師弟子書序辨說版本徵
孚〉、游均晶《蔡沈書集傳研究》、許華峰〈朱子學的尚書學研究
——朱熹與蔡沈尚書學的比較〉。

(6)元代《尚書》學

元代的《尚書》學研究：關心者並不多，惟近年來則較受注意，
如黃忠慎〈通志堂經解所收元儒尚書學要籍評介〉探討清人納蘭容若
刊刻的《通志堂經解》裡，所收錄元人有關《尚書》的論著；蔣秋華
〈王充耘的尚書學〉考述王充耘的生平、著作與其《尚書》學要旨；
陳恆嵩〈董鼎書蔡氏傳輯錄纂注對蔡沈書集傳的態度〉考察董鼎《蔡
氏傳輯錄纂注》一書，纂輯時對蔡《傳》取捨的態度；許華峰〈從陳
櫟定宇集論其與董鼎書傳輯錄纂注的關係〉、〈陳櫟書傳折衷與書蔡
氏傳纂疏的疏釋〉探討陳櫟、董鼎二家有關《尚書》著作所牽扯的一
些問題。

(7)明代《尚書》學

明代的《尚書》學研究：研究者不多，陳恆嵩〈書傳大全取材來
源探究〉探討《五經大全》當中的《書傳大全》編纂時所依據的資料

來源；蔣秋華〈明人對蔡沈書集傳的批評初探〉探討明代學者對蔡沈《書集傳》的批評；程元敏〈讀鄭端簡批本書纂言〉則是對鄭曉批寫吳澄《書纂言》的研究。此外，研究的焦點在梅鷟，如戴君仁〈第一個蒐輯證據證明僞古文尚書的人——梅鷟〉、劉文起〈梅鷟尚書考異述略〉、林慶彰〈梅鷟尚書譜研究〉、許華峰〈尚書譜尚書考異成書先後的問題〉。傅兆寬的博士論文《明梅鷟郝敬尚書古文辨之異同》比較梅鷟、郝敬二人考辨僞古文方法的異同，又有專著《梅鷟辨僞略說及尚書考異證補》，也是針對梅氏《尚書》學的考述。梅氏之所以受到重視，一則因爲他是較早蒐羅僞《古文尚書》作僞的證據，對後來辨證僞書有成的閻若璩頗有影響，成爲研究閻氏者必須提及的人物；二則因其《尚書譜》重新刊行，增加了研究的資料，可以重新評判其學術成就。

(8)清代《尚書》學

清代的《尚書》學研究：投入者較多，通論全代者，有古國順的碩士論文《清代尚書著述考》，其中部分曾以〈清代尚書著述考序例〉、〈清代古文尚書學述評〉、〈清儒校勘尚書之成績〉、〈清儒輯佚尚書之成績〉分篇發表。關心最多的，爲閻若璩與《古文尚書》的辨僞，專著即有戴君仁《閻毛古文尚書公案》，以及劉人鵬的博士論文《閻若璩與古文尚書辨僞——一個學術史的個案研究》、〈詮釋與考證——閻若璩辨僞論據分析〉和許華峰的碩士論文《閻若璩尚書古文疏證的辨僞方法》、〈四庫提要評述尚書古文疏證按語支蔓立論前後不一致之商榷〉、〈論尚書古文疏證與古文尚書冤詞尚書考異的關係〉；甚至還引起論戰，詳見下文。此外，與閻氏同時學者的研究，也是被

關心較多的課題，有戴君仁〈古文尚書冤詞再平議〉考探毛奇齡，蔣秋華〈馮景淮南子洪保評議〉探討馮景，張曉生《姚際恒及其尚書禮記學》探究姚際恆的《尚書》學，又有〈古文尚書通論輯本〉輯錄姚際恆的《尚書》說。許華峰〈朱鶴齡尚書裨傳的特色〉探察朱鶴齡的《尚書裨傳》，吳國宏《孫星衍尚書今古文注疏研究》研究孫星衍的《尚書今古文注疏》，周鳳五〈讀牟默人同文尚書〉介紹牟庭的生平、《同文尚書》出版的經過及書中的內容；賴貴三〈焦循手批尚書正義釋文校案〉抄錄中央研究院歷史語言研究所傅斯年圖書館所藏焦循寫於《尚書正義》的批語，並予校勘、評議；陳慶煌〈論左盦之尚書學〉評論劉師培的《尚書》研究。

⑼民國《尚書》學

民國的《尚書》學研究：宋承書《尚書思想新論──對國父思想之影響》研究國父孫中山先生的思想所受《尚書》的影響；張在雲〈詞詮談引誤注尚書文句勘正〉對楊樹達《詞詮》中一些引用注解《尚書》的文句，予以勘正；梁子涵〈評師大國文研究所集刊裡的兩篇論文──補梁書藝文志和今文尚書指稱詞探究〉評論第一位以研究《尚書》而獲得學位的戴璉璋先生的碩士論文；吳文蔚〈閻伯川先生釋惟精惟一與允執厥中〉評述閻伯川「惟精惟一」和「允執厥中」的說法；黎建寰〈魯先生的尚書講義〉整理魯實先先生教授《尚書》課時，所編寫的講義；李維棻〈屈萬里教授著尚書今註今譯評介〉與胡一貫〈書評書介──尚書今註今譯〉都是對屈萬里先生《尚書今註今譯》的評介；章中行〈沉晦六百年文獻──三經新義之復現：三經新義輯考彙評簡介〉稱揚程元敏先生輯考王安石《尚書新義》的貢獻；許政雄〈訪

尚書學家劉起釪先生〉是對顧頡剛的弟子、《尚書》學專家劉起釪先生的專訪報導；黃彰健〈劉著尚書學史讀記〉乃針對劉起釪《尚書學史》中與己意見不同的部分，予以辨駁；李振興〈尚書學述的一些問題〉談其自著《尚書學述》中的幾個問題；許錟輝〈六十年來之尚書學〉考察民國建立六十年來的《尚書》學研究成果。

四、有重要貢獻的學者

臺灣學者當中，對於《尚書》學研究，成果較豐富的，以及影響較大的，特別介紹於下。

⑴戴君仁

戴君仁先生是早期研究《尚書》的學者，主要的著作爲《閻毛古文尚書公案》，乃針對閻若璩與毛奇齡爭辯《古文尚書》眞僞的問題，重新予以考察。本書旨在稱頌閻氏著書的方法，書中指出他所運用的方法有五項：一曰客觀的求證、二曰超俗的觀察、三曰科學的證據、四曰測情的研究、五曰本源的探討，大都給予極佳的評價。對於毛氏，則嚴屬批駁，指出他的誤謬有八點：一曰誤據、二曰臆說、三曰強辯、四曰曲解、五曰游離、六曰誣矯、七曰顚倒、八曰矛盾，全力批判其疏失。本書同時論及僞古文二十五篇的著作時代及其作者，參考劉師培《尚書源流考》的說法，考定僞孔《傳》有二僞本：一出魏、晉之間，一出晉、宋之間。❺戴先生此書是臺灣出版的第一本考辨古文眞

---

❺　參見許錟輝〈六十年來之尚書學〉，程發軔主編：《六十年來之國學》㈠，頁301-302。

偽的撰著，對於往後研究相關課題者，頗有啓迪的作用。

(2)屈萬里

屈萬里先生是著名的經史學、文字學及目錄版本學家，於《尚書》一經，著述頗多，專書部分有《尚書釋義》、《尚書集釋》、《尚書今註今譯》及《漢石經尚書殘字集證》、《尚書異文彙錄》等五部，是臺灣學者當中，研究《尚書》而撰成專著最多的一位；單篇論文部分有〈論禹貢著成的時代〉、〈尚書甘誓篇著成的時代〉、〈尚書文侯之命著成的時代〉、〈尚書皋陶謨篇著成的時代〉、〈今本尚書的真偽〉、〈尚書中不可盡信的材料〉、〈以古文字通證尚書訛字及糾正前人誤解舉例〉、〈周誥十二篇中的政治思想〉等，多收入《書傭論學集》與《屈萬里先生文存》中。屈先生因精於古文字學，往往運用出土的甲骨刻辭及鐘鼎銘文資料，對於前人爭辯不休的疑題，提出新佐證，重做論斷。由於考辯精密，迭出新見，甚受學界重視。屈先生所撰《尚書釋義》、《尚書集釋》、《尚書今註今譯》三書，是解說《尚書》的著作，然注釋不主一家之言，博採漢人、清人和近人的說法，因而成為許多大學《尚書》課程的教科書，足見其影響非常廣泛。屈先生又曾執教於多所大學，尤其在臺灣大學，指導了四篇碩士論文，對於研究《尚書》的培育工作，實在是功不可沒。

(3)程元敏

程元敏先生是臺灣鑽研《尚書》成果最多的一位，專著有《三經新義輯考彙評(一)——尚書》，是輯錄王安石《三經新義》系列中的一

部，對於研究王安石及宋代的《尚書》學，提供了絕佳的參考資料。單篇論文方面，有四十餘篇，所涉層面極廣，如屬於通論性質的，有〈尚書通說〉；考證著成時代的，有〈尚書廿八篇之作者與著書時代〉、〈尚書多方篇著成於多士篇之前辨〉、〈尚書呂刑篇之著成〉；關於《古文尚書》的，有〈古文尚書之壁藏發現獻上及篇卷目次考〉、〈說僞古文尚書經傳之流傳〉；研究《書序》的，有〈論書序之著成年歲〉、〈書序之價值〉；經學史的研究，有〈南北朝尚書學〉、〈朱熹蔡沈師弟子書序辨說版本徵孚〉、〈書疑考〉、〈王魯齋之洪範說〉、〈讀鄭端簡批本書纂言〉；考證周公稱王問題的，有〈論尚書大誥諸篇王曰之王非周公自稱〉、〈周公旦未稱王考〉；對漢代經學家的研究，撰有〈漢代第一位經學大師伏生〉、〈歐陽容夏侯勝未曾身爲尚書博士考〉，針對王莽的研究，有〈莽誥註釋〉、〈莽誥大誥比辭證義〉、〈莽誥商價〉；字義考辨的，有〈尚書寧王寧武寧考前寧人寧人前文人解之衍成及其史的觀察──併考周文武受命稱王〉、〈尚書君奭篇在昔上帝割申勸寧王之德其集大命于厥躬新證〉；注釋方面，撰有〈洪範註釋〉、〈尚書洪範皇極章義證〉、〈尚書周書金縢篇義證〉、〈尚書周書四篇義證〉、〈尚書周誥義證〉、〈尚書無逸篇義證〉、〈尚書周誥梓材篇義證〉、〈尚書召誥篇義證〉、〈尚書君奭篇義證〉、〈尚書呂刑篇義證〉；還有〈尚書三科之條五家之教稽義〉探討「三科之條」、「五家之教」的意旨；〈尚書輯逸徵獻──併論輯逸書非始於唐宋〉考證有關《尚書》輯逸的情形。另外，程先生執教於臺灣大學中文系，指導四位弟子，撰寫了五篇學位論文，對《尚書》學的研究及傳授，貢獻良多。

⑷許錢輝

　　許錢輝先生是第一位以研究《尚書》獲得博士學位的，其指導教授為高明先生，所撰題目為《先秦典籍引尚書考》。其後則專研〈泰誓篇〉，先後撰有：〈泰誓疏證〉、〈泰誓疏證之一——先秦泰誓〉、〈今文泰誓疏證〉、〈偽古文泰誓疏證〉、〈王先謙伏尚書二十九無太誓說衍義〉等文；此外，又撰有多篇通論性的文章：〈研讀尚書的方法與途徑〉、〈書經導讀〉（與張建葆合撰）、〈尚書述要〉、〈尚書與文學〉、〈尚書的文學價值〉、〈誓以訓戒辨〉、〈尚書的經學要義與史學價值〉、〈說文引尚書例述〉，以及綜述民國六十年來《尚書》研究成果的〈六十年來之尚書學〉。許先生執教於臺灣師範大學國文系，指導五位弟子，撰成六篇學位論文，對《尚書》學的傳播、學生的培育，頗有貢獻。

⑸李振興

　　李振興先生撰有專著《華夏的曙光：尚書》、《尚書流衍及大義探討》、《尚書學述》三部；另有將近四十篇的單篇論文，主要是探討《尚書》研究中的一些疑點，如〈試釋尚書康誥：元惡大憝矧惟不孝不友〉、〈堯典象以典刑辨〉、〈禹貢山水〉、〈洪範皇極中的福義及其所謂錯簡的商榷〉、〈尚書康誥酒誥梓材中的王若曰辨〉、〈尚書洛誥篇辨疑——兼談何尊惟王五祀〉、〈我讀尚書君奭篇的兩點淺見〉、〈尚書費誓篇著成時代的再檢討〉。有關經學史的研究，有〈尚書與孔子〉、〈尚書大小序辨疑〉、〈古文尚書辨偽述略〉。李先生又撰〈尚書流衍述要〉，歷述自漢至清各代的《尚書》研究概況；對

《尚書》各篇的大義探討，則撰有〈尚書堯典大義探討〉、〈尚書皋陶謨大義探討〉、〈尚書五誓大義探討〉、〈尚書盤庚篇大義探討〉、〈尚書盤庚微子金縢大誥無逸篇大義探討〉、〈尚書高宗肜日及西伯戡黎大義探討〉、〈尚書微子篇大義探討〉、〈尚書洪範及呂刑篇大義探討〉、〈尚書洪範篇大義探討〉、〈尚書金縢篇大義探討〉、〈尚書大誥篇大義探討〉、〈尚書康誥酒誥梓材大義探討〉、〈尚書召誥大義探討〉、〈尚書洛誥篇大義探討〉、〈尚書君奭篇大義探討〉、〈尚書立政篇大義探討〉、〈尚書顧命康王之誥大義探討〉、〈尚書呂刑篇的刑罰大義淺探〉、〈尚書文侯之命大義探〉，後來這些單篇都收入《尚書流衍及大義探討》。李先生也撰有一些通論性的文章，如〈尚書堯典中的民主意識〉、〈皋陶——尚書中的仁臣〉、〈尚書文體的商榷〉、〈從周書看周代文化的成長〉、〈尚書中的政治思想〉、〈尚書學述的一些問題〉。李先生執教於政治大學中文系，指導了兩位學生，撰成兩篇有關《尚書》研究的學位論文，在傳授方面，亦頗有成績。

(6)陳鐵凡

陳鐵凡先生專研敦煌本《尚書》，自民國四十九年起，至六十年，先後撰有九篇相關論著：〈敦煌尚書隸定古文考〉、〈敦煌本尚書述略〉、〈敦煌本虞書校證〉、〈敦煌本夏書校證〉、〈敦煌本商書校證〉、〈敦煌本虞夏書斠證補遺〉、〈敦煌本易書詩考略〉、〈敦煌本尚書十四殘卷綴合記〉、〈尚書敦煌卷序目題記〉。陳先生之前，潘重規先生撰有〈敦煌唐寫本尚書釋文殘卷跋〉，對其或有所啓迪。此外，陳先生又撰〈日本古鈔本尚書考略〉、〈宮崎本尚書發微〉二

文，研究日本所藏古本《尚書》，這些也與他的敦煌本《尚書》研究，
有十分密切的關係。陳先生可謂是敦煌《尚書》研究的權威。

(7)戴璉璋

戴璉璋先生是第一位以研究《尚書》獲得碩士學位的，其指導教
授許世瑛先生，爲文法學專家，戴先生在其指導下，撰成《今文尚書
指稱詞探究》碩士論文，探討今傳二十九篇《尚書》中的指稱詞。其
後戴先生又撰〈尚書語氣詞研究〉、〈尚書關係詞研究〉、〈尚書句
首句中句末語氣詞探究〉、〈尚書判斷句準判斷句探究〉、〈尚書介
繫詞探究〉、〈尚書連接詞複句關係詞探究〉等文，都是沿續其碩士
論文，專門探究《尚書》的語法。戴先生的撰著，在臺灣《尚書》研
究中，是屬於較冷門的，甚少有人投入。戴先生任教於臺灣師範大學
國文系，可惜沒有指導學生延續其《尚書》研究的課題。

(8)朱廷獻

朱廷獻先生也是研究《尚書》成果最豐碩的一位，撰有專著《尚
書虛字集釋》、《尚書異文集證》、《尚書研究論集》、《尚書研究》
四部，前兩書是有關《尚書》虛字、異文的考證，後兩書則大都是單
篇論文的合集。有關《尚書》字義的考辨，朱先生撰有〈尚書正訛〉、
〈尚書通假字考〉；運用出土資料所做的考釋，有〈地下資料與周書
研究〉、〈康侯簋與酒誥篇之研究〉；關於《書序》的探討，有〈由
孔壁古文百篇書序看伏生所傳尚書〉、〈百篇書序考〉；關於經學史
部分，有〈尚書探源〉、〈先秦典籍引尚書二十八篇經文考〉、〈孔

孟與詩書〉、〈論孟引詩書之探討〉。朱先生對《尚書》諸篇，分別
撰有考釋，如〈尚書禹貢篇考釋〉、〈尚書盤庚篇考釋〉、〈尚書洪
範篇考釋〉、〈尚書金縢篇考釋〉、〈尚書大誥篇考釋〉、〈尚書康
誥篇考釋〉、〈尚書酒誥篇考釋〉、〈尚書梓材篇考釋〉、〈尚書洛
誥篇考釋〉、〈尚書多士篇考釋〉、〈尚書無逸篇考釋〉、〈尚書君
奭篇考釋〉、〈尚書多方篇考釋〉、〈尚書立政篇考釋〉、〈尚書顧
命篇考釋〉、〈尚書費誓篇考釋〉、〈尚書呂刑篇考釋〉，這些篇章
後來都收入《尚書研究》一書的下篇，同時也補上其他篇章的考釋。
其他尚有〈尚書疑義考辨〉、〈尚書考證〉、〈尚書堯典篇著成之時
代考〉、〈尚書堯典及益稷二篇質疑〉、〈尚書各篇錯簡之考訂〉、
〈泰誓真偽辨〉、〈漢泰誓之流傳及其著成之時代考〉、〈康誥康叔
衛君考〉等文。由上所述，可見朱先生所涉及的面向，亦十分廣泛。
朱先生任教於中興大學中文系，因其系成立研究所較晚，所以並沒有
指導學生從事《尚書》學的研究。

五、兩次論戰

　　近五十年的臺灣《尚書》學研究史中，曾經出現了兩次較爲集中
討論的議題，即「周公是否稱王」、「古文尚書的考辨」，以下略予
敘述。

⑴周公是否稱王

　　有關周公稱不稱王問題的論戰，首先是由徐復觀先生發起的，他
針對屈萬里先生的〈西周史事概述〉，當中一些對西周初年歷史的考

述，表示了不贊同的意見，因而撰文反駁。屈先生亦撰文答辨，徐先生未能滿意，再撰文相糾，屈先生亦撰文回覆。其後黃彰健先生亦加入討論，他是支持徐先生的。接著師元敏先生撰文支持屈先生，而杜正勝先生又撰文支持黃先生。

《尚書·周書》中的幾篇誥詞，有「王若曰」的字句，對於「王」字應釋作何人，前人有武王說、成王說、周公說等紛歧看法，這個問題不僅關係各篇的著成時代和作者，更牽涉了對周公的定位和評價。古代文獻對於周公攝政是否踐阼稱王的載記，頗不一致，而近世出土文物亦不乏與此段時期相關的資料，卻因各家的解讀方式不同，使得問題愈益複雜，始終無法獲得令人滿意的答案。

民國六十一年，《東方雜誌》上展開了有關周公是否稱王的論辯。首先是徐復觀先生撰〈與陳夢家屈萬里兩先生商討周公旦曾否踐阼稱王的問題〉❻，針對陳夢家〈西周銅器斷代㈠〉與屈萬里〈西周史事概述〉兩篇有關周初史事的論著，駁斥周公未曾稱王的說法。接著屈萬里、徐佛觀（即徐復觀）兩先生各有一封簡短復函，以〈有關周公問題之商討〉為名，刊載於《東方雜誌》❼，僅就一二問題，略作答辯。

黃彰健先生隨即於《大陸雜誌》撰〈釋周公受命義——並論大誥康誥王若曰的王字應指周公〉❽，謂「予一人」於殷代及西周為天子自稱，因而就「周公受命」這一點，申說周公受命於三王（太王、王季、文王）而踐阼攝政，然「其封爵仍係公，特以『永終是圖』，需踐阼

---

❻ 見《東方雜誌》復刊第6卷第7期，1973年1月，頁38-49。
❼ 見《東方雜誌》復刊第6卷第9期，1973年3月，頁68-69。
❽ 見《大陸雜誌》第46卷第5期，1973年5月，頁48-59。

范政，可自稱『予一人』而已」，所以〈大誥〉、〈康誥〉、〈酒誥〉「王若曰」的「王」字係周公攝行王政時的自稱。周公既自稱「予一人」，「則與王無異」。考其意旨，較近於徐先生稱王之說。

次年，屈先生撰〈關於所謂周公旦踐阼稱王問題敬復徐復觀先生〉❾，詳細答覆徐先生的提問。他直接指出兩人見解不同的關鍵，「是在對於有關資料的解釋方面」，進而對徐先生所提出的疑點，一一辯駁。他認為「從先秦和兩漢的史料看，稱周公踐阼或當國者，固然很多；可是絕沒有說周公『踐阼稱王』的」，所以「周公攝政踐阼是史實，而於『踐阼』下加『稱王』二字，就未免是『空中樓閣』了」。因此，他仍舊主張「王若曰」的「王」為成王。

黃先生讀了屈先生給徐先生的答文後，又撰〈釋周公受命義續記〉❿，續申己意。

徐先生在讀了屈先生的答文之後，再撰〈有關周公踐阼問題的申復〉⓫，予以辯護、反駁。

其後，程元敏先生針對「若干清儒據舊說謂武王崩，成王幼，周公旦攝王位，稱王」，所說「多失其正，近人誤信其說，又從而申之；既淆亂史實，又不免厚誣古人，故不容不辨。茲據周、秦、兩漢文獻及後人論著」，撰〈論尚書大誥諸篇王曰之王非周公自稱〉⓬、〈周公旦未稱王考〉⓭。

---

❾ 見《東方雜誌》復刊第7卷第7期，1974年1月，頁30-39。

❿ 見《大陸雜誌》第48卷第3期，1974年3月，頁43-48；《東方雜誌》復刊第7卷第11期，1974年5月，頁34-39轉載。

⓫ 見《東方雜誌》復刊第7卷第10期，1974年4月，頁31-38。

⓬ 見《孔孟學報》第28期，1974年9月，頁113-138；第29期，1975年4月，頁157-181。

⓭ 國科會獎助研究論文（1975年）。

稍後黃先生再撰〈召誥解——三論周公受命問題〉❶，重申己見。

隨後杜正勝先生撰〈尚書中的周公——兼從周初史實看周公稱王之辯〉❶，謂僅根據周初史實，對周公稱王之辯提出一己之見，支持徐、黃之說。

後來黃先生又撰〈論漢代古文尚書經說謂周公攝政稱王並論此一經說始於劉歆〉❶，再度強調己見。

前後撰成的文章，有很多篇，時間也延續了多年，雖然彼此有時很含蓄的避提對方，似非激烈的論戰，但針對性十分明顯。基本上，周公稱不稱王這一問題，雙方所依據的資料，大致相同，只是各自的解說立場不同，因而形成兩派不同的見解。其實這一問題，亦曾引起大陸及海外學者的論辯❶，而始終無法獲得共識。

(2)古文尚書的考辨

戴君仁先生於民國四十九年撰成〈閻毛古文尚書公案〉一文，獲得國科會獎助。隨後陸續發表〈古文尚書冤詞再平議〉❶、〈第一個蒐輯證據證明偽古文尚書的人——梅鷟〉❶、〈古文尚書作者研究〉❷，並

---

❶ 見《經學理學文存》（臺北：臺灣商務印書館，1976年1月），頁45-73。

❶ 見《大陸雜誌》第56卷第3、4期合刊，1978年4月，頁1-26。

❶ 見《經今古文學問題新論》（臺北：中央研究院史語所，1982年11月），頁9-18。

❶ 如香港學者郭偉川編：《周公攝政稱王與周初史事論集》（北京：北京圖書館出版社，1998年11月），選取近世中外學人有關周公攝政稱王與周初社會制度研究的文章共十一篇，其中觀點迥異，論說不同的，均予收錄。

❶ 見《東海學報》第2卷第1期，1960年6月，頁1-18。

❶ 見《新時代》第1卷第2期，1961年1月，頁28-30。

於民國五十二年三月正式出版《閻毛古文尚書公案》。此後戴先生似乎便不再研究《古文尚書》的真偽問題了。

民國五十八年，王保德先生撰〈閻若璩尚書古文疏證駁議〉❷，連續刊登於《中華雜誌》上。他認為《古文尚書》就是今日通行的《書經》，原經得自孔子宅中壁藏，後來亡佚，直到東晉初，始由梅頤獻於政府，立於學官，傳至今日。自宋以後雖有疑其偽作者，但要到清初閻若璩著《尚書古文疏證》一書，列舉一百餘條證據，證明《古文尚書》確屬偽作，偽書之說才為多數學者所接受。接著有很多學者加以發揮，使「偽《古文尚書》」之說成為「定讞」。對閻若璩的《尚書古文疏證》中所謂最重要的「證據」，王先生提出反駁的意見。文章刊出後，胡秋原先生撰〈關於古文尚書孔安國傳之公案〉❷、〈書經日食與中國歷史文化之天文學性──論閻若璩之虛妄與李約瑟中國科學史天文篇〉❷，聲援其說，甚至說「此一問題之重要性，實不僅一書一篇之真偽，而涉及中國歷史與文化之根本問題」。次年，王保德先生又撰〈閻若璩尚書古文疏證駁議續論〉❷、〈古文尚書非偽作的新考證〉❷等文，反駁閻若璩。民國六十七年，王保德先生又撰〈從

---

❷ 見《孔孟學報》第1期，1961年4月，頁35-46。

❷ 見《中華雜誌》第7卷第9期-12期，1969年9月-12月，頁30-38、39-42、20-22、24-29。

❷ 見《中華雜誌》第7卷第9期，1969年9月，頁35-38。

❷ 見《中華雜誌》第8卷第1期，1970年1月，頁30-46。

❷ 見《中華雜誌》第8卷第10期，1970年10月，頁39-41。

❷ 見《文壇》第124期-129期，1970年10月-1971年3月，頁16-23、14-18、17-22、9-17、20-28、18-26。

編訂年曆總譜：再論古文尚書非僞作的新考證〉**㉖**，再從曆法的重新
編定，考證古文非僞作。此外，王先生還在《學園》上發表幾篇短文：
〈古文尚書旅獒篇鄭註西戎無君的意義〉**㉗**、〈閻若璩妄證德乃降鬱
陶係僞竄〉**㉘**、〈閻若璩證壁中書出景帝初的無據〉**㉙**、〈閻若璩不
了解同德度義的意義〉**㉚**，駁斥閻書的幾個小問題。

　　王保德先生本是研究化工的，爲了證明《古文尚書》非僞作，毅
然退休，從事國學的研究。他先用了整整三年的時間，尋找不是僞作
的新考證、新證據。他說：「我所用的考證方法，是化驗室研究所用
的化學分析方法。那又是我採用定性及定量而從事研究的老本行。這
個方法一旦用到儒學經典的考證上，就要從『正名』的訓詁學開始，
而又要計算年代，從事曆法的研究，以及史事年代上的重新考訂，其
範圍的廣泛，眞是怕人。三年的時間，使我滿頭生出白髮，日夜的在
苦思，在查書，在計算，總算有個新的結果。」可見其用心的勤苦。

　　同一時期，劉善哉先生也先後撰寫：〈對閻若璩疏證古文尚書道
統的反考證〉**㉛**、〈對閻若璩古文尚書疏證的反考證：旅獒篇〉**㉜**、
〈閻若璩攻擊大禹謨皋陶邁種德之評議〉**㉝**、〈閻若璩疏證攻擊胤征

㉖　見《建設》第26卷第8期-第27卷第3期，1978年1月-8月，頁23-34、23-32、24-32、
　　29-31轉20、31-36、26-36。

㉗　見《學園》第5卷第10期，1970年6月，頁15。

㉘　見《學園》第6卷第1期，1970年9月，頁13-14。

㉙　見《學園》第6卷第4期，1970年12月，頁13。

㉚　見《學園》第6卷第7期，1971年3月，頁13-14。

㉛　見《學園》第5卷第4期，1969年12月，頁14-15。

㉜　見《學園》第5卷第9期，1970年5月，頁15轉12。

㉝　見《學園》第5卷第12期，1970年8月，頁15-16。

的評議〉**㉞**、〈閻若璩以孔傳尚書用七世廟爲僞文的反考證〉**㉟**，也呼應王先生的辨駁，批判閻氏。劉先生是基於復興民族文化的立場，出而護衛《古文尚書》的，他說：「復興道統文化必須重視往聖所留的經著，尤其孔傳《古文尚書》，因爲它是三代人所留給的大訓，是心法之本，是孔、孟學說的根。《學》、《庸》之旨，即虞廷十六字的闡明，須揭穿邪說，則經尊而道行。」

有關閻若璩對《古文尚書》的辨僞成績，自民國初年即備受稱道，認爲是科學的考證。由於清人喜用「鐵案如山」來強調自家說法的確切可靠，無法更易，因而張蔭麟先生曾撰〈僞古文尚書案之反控與再鞫〉**㉟**一文，再次評議古文考辯。戴君仁先生撰《閻毛古文尚書公案》，即再度肯定閻氏的功績。不過，不認可閻氏功績者，亦大有其人，如胡秋原、劉善哉、王保德等人，即大量撰文駁斥。他們所用的方法及所持的理由，有些在今日看來，或許可笑，卻可代表當時社會風氣的一個面向。

六、結　語

本文簡要介紹了臺灣地區近五十年來有關《尚書》學的研究情形，對於幾位大家，做了較詳細的介紹，也敘述了一兩件的較集中論辯，藉此可以瞭解此一時期的研究概況。

㉞　見《學園》第6卷第3期，1970年11月，頁16。
㉟　見《學園》第6卷第5期，1971年1月，頁16-17。
㉟　見《燕京學報》第5期，1929年6月，頁755-810。

　　臺灣研究《尚書》的人，主要是大學中的教授及研究生，早期還有一些對國學有興趣的私人研究，後來便較少了。這也反映時代的變遷，是阻擋不了的趨勢。艱深難懂的《尚書》，終究是不易讓人人通曉的，研究者的卻步，似乎是無可厚非的。

　　臺灣學者的相關研究，就面向而論，可說十分廣泛，面面俱到，尤其基本的議題及經學史的研究，成果豐碩。然而利用新出土的考古成果，從事研究的，相較於大陸學者而言，似乎較爲稀少；而且臺灣學者還缺少一部通代的《尚書》學史的著作，即如劉起釪先生所撰寫的《尚書學史》，雖然其書未能盡如人意，畢竟是至今爲止，較完整的一部通代史著，對研究《尚書》的人，仍有相當重要的參考價值。

《詩經》學研究概述[1]

楊晉龍[*]

一、前 言

　　本文從「文獻目錄學史」的角度，以瞭解臺灣近五十年來「詩經學」發展的實況，及促成詩經學發展的背景和主要因素，又觀察其特點與問題，最後分析影響未來發展的相關事項。研究的主旨重在成果的認識、介紹，故對「詮釋研究史」重視創見、或「傳播研究史」重視流傳和承先啓後關係等的研究成果，均加以必要的分析探討，有別於僅主觀選擇幾家符合自己立論假設而作臧否的傳統研究方式。

[1]　本文曾以《臺灣近五十年（1949-1998）詩經學研究初稿》爲名，於2000年1月24日在中研院文哲所發表，蒙金春鋒、戴璉璋、李明輝、劉述先、林慶彰、李豐楙等諸先生；暨王愛玲、衣若芬、劉苑如等同仁，提供甚有價值之高見，部分意見已表現在本文中，謹此致謝。李明輝先生建議將標題之「詩經學研究」改爲「《詩經》研究」，就較嚴格之「學」的意涵要求言，李先生之言可從。唯本文乃取比較寬鬆之意義，故未從命，謹此說明，並感謝李先生惠賜之卓見。又本文的初稿曾登載於《漢學研究通訊》第20卷第3期（2001年8月），頁28-50，其中部分訛誤及缺漏，已在本文中儘量予以修訂。

[*]　中央研究院中國文哲研究所副研究員。

　　「臺灣」一詞為學者身分之限制詞：或出生在臺灣且在臺灣長期從事學術活動者、或長期居住臺灣且學術活動主要在臺灣地區進行者（包括退休後歸化為外國人者）、或非出生與長期居住而在臺灣接受高等教育之際發表論文者、或身居域外而未歸化為當地人且在臺灣地區發表論文者、或出國後又回台任教而在臺灣發表論文者。依此原則：香港、大陸、亞歐美地區等華人學者，雖在臺灣出版、發表論著，皆不列入；身分限制前兩項之學者則無論在何處發表，皆列入（唯在國外留學時的學位論文不計入；譯成中文在臺灣發表則計入）；外國留學生在臺灣完成的論著亦列入。「五十年（1949-1998）」是時間限制詞，在此時限外發表的，均不列入討論。因主旨重在「研究的發展」，故舊作新刊者，亦排除在外。「詩經學」係「經學」之分支，「經學」的定義與研究範圍，自可適用於「詩經學」。李威熊師說：「凡成系統，有修貫之學術，即皆謂之學，因此，把諸經看成一門學問，作系統研究，如經傳的名物訓詁，或剖析其義理，或探討群經源流發展歷史，以及經書上種種問題的研究等，都包括在經學的範疇」❷；程元敏師在「中國經學史」課堂上說：「凡歷代學者依傍經書整理、選擇、解釋之外，又以自己的思想增益、減省、發揮諸經的學說等相關著作，均屬經學研究的對象及範圍」❸；林慶彰「經學史」的觀點是：「一部經典形成後，後人一切相關研究的成果，包括經典的注釋，個別字義、典章制度、思想內容的探討，和相關論著目錄、論文集、叢書等的編輯，

---

❷　李威熊師：《中國經學發展史論》（臺北：文史哲出版社，1988年），頁3。
❸　程元敏師1989年9月25日下午臺大文16教室上課筆記。

都可以說是該部經典研究史探討的對象」❹；岑溢成謂：「從研究對象來看，『經學』的性質十分單純，專指研究《四書》、《五經》或《十三經》等經書的學問。可是經籍的內容卻很複雜，於是由文字訓詁、典章制度，到經國濟世、天人性命的道理，無不包羅在『經學』的範圍之內。……對於相同的經文，不同時代、不同的經學家，都可以根據自訂的研究立場、目標、課題、方式，形成不同的經學觀，並在這基礎上，進行不同的探討，獲得不同的成果」。❺這些觀點已與「傳統經學」專重倫理教化的內涵和實踐要求的意義有別，是為「現代經學」的意義與範圍。本文不僅注重「傳統經學」意義的「詩經學」，也重視「現代經學」意義的「詩經學」，故將內涵訂為：整理或發揮與《詩經》相關的種種問題之系統研究，包括詩教、名物、文法、文字、聲韻、訓詁、義理、史實、賞析、註譯、目錄、版本、源流、發展等等的研究，探討的內容則是上述研究「發展」的狀況，屬「經學史」內之「詩經學史」研究。

回顧臺灣學術的研究成果，以及對臺灣學術發展的期望，並不是一件新鮮的創見，在筆者寫作此文之前，與臺灣詩經學回顧和展望相關的研究，至少有下列七篇論文，依序是：(1)張學波〈六十年來之詩學〉❻；(2)林慶彰〈詩經學史研究的回顧與前瞻〉❼；(3)林慶彰〈臺

---

❹ 林慶彰：〈詩經學史研究的回顧與前瞻〉，鍾彩鈞主編：《中國文哲研究的回顧與展望論文集》（臺北：中央研究院中國文哲研究所籌備處，1992年），頁349。

❺ 岑溢成：《詩補傳與戴震解經方法》（臺北：文津出版社，1992年），頁3-4。

❻ 張學波：〈六十年來之詩學〉，程發軔主編：《六十年來之國學》（臺北：正中書局，1972年），第1冊，頁305-361。

灣近四十年（1953—1992）詩經學研究概況〉❸；(4)夏傳才〈繼往開來把現代詩經學提高到新水平〉；(5)王麗娜〈《詩經》在海外〉❾；(6)張啓成〈海外與臺灣的詩經研究〉❿；(7)夏傳才〈二十世紀《詩經》研究的發展〉等。⓫張學波之文討論中華民國成立六十年（1912—1971）來的詩經學成果，因此包括早期大陸地區學者的論著，唯此文介紹說明非常簡略，未能較深入分析相關背景，指出比較重要的特點與問題。林先生兩篇論文，分析探討戰後臺灣四十年（1992年以前）來詩經學的特點、缺失、與未來的展望，研究成果較爲深入確實，這與林先生長期注重文獻目錄學和經學的研究，尤其編輯經學目錄的背景有絕對密切的關係，這與某些研究者毫無目錄整理的背景，純任想像主觀而大作回顧性研究者不同，蓋此種無目錄整理背景的研究，容易受主觀感覺意見的左右，故臆測性高而實證性弱。由於林文實證性較強，以及兩岸猶存在時空隔絕的因素，因此三位大陸學者的論述皆受到影響，僅在枝節上稍有異見，唯夏先生稍補入近年（1993—1998）的研究成果，

---

❼　林慶彰：〈詩經學史研究的回顧與前瞻〉，同註❹，頁349-382。

❽　林慶彰：〈臺灣近四十年（1953-1992）詩經學研究概況〉，中國詩經學會編：《1993詩經國際學術研討會論文集》（保定：河北大學出版社，1994年），頁27-41。

❾　夏傳才與王麗娜二文均見《河北師院學報（社會科學版）》1993年第2期（1993年6月），夏文見頁50-54、王文見頁63-70。

❿　張啓成：〈海外與臺灣的詩經研究〉《貴州大學學報》1995年第2期（1995年4月），頁49-53。

⓫　夏傳才：〈二十世紀《詩經》研究的發展〉，「第四屆詩經國際學術研討會」（山東濟南，1999年8月）。收入《思无邪齋詩經論稿》（北京：學苑出版社，2000年），頁342-422。

然不免存在一些小問題。考察以上諸文，多從宏觀鳥瞰的角度入手，較無法照顧學術相關背景的說明，也缺乏實際統計的資料支持，在取證的要求上稍有不足，本文乃在前述諸文的基礎上，承繼其成果而稍補其所略，以比較確實的統計資料，儘可能地呈現臺灣近五十年來詩經學的成果，並論其良窳及前瞻焉。

　　研究進行的方式，首先分析臺灣五十年來影響學術研究的相關背景：政治、經濟、教育等因素的變化；其次統計研究成果的數量，然後按照時間先後，以十年為期，觀察其數量上的變化；再分析影響其變化的相關因素；最後回顧研究成果的內容，指出其特點、問題，以及在各研究領域內比較有貢獻和發展的學者，並在「反思與瞭解」的大原則下，提出繼續發展時影響的事項。

　　取用的資料，除前述七篇文章之外，有關論著的書名、標題及內容大要，主要取自：林慶彰主編的《經學研究論著目錄 (1912-1997)》等三本書；朱守亮主編的《詩經論著目錄》⓬；及中研院圖書查詢系統、臺北國家圖書館、國科會科學資料中心、大陸委員會等網站，臺灣各大學及圖書館搜尋系統及日本《東洋文獻類目》搜尋網站等。歷史及教育、經濟、人口等背景資料，參考臺灣中央研究院臺灣史研究所籌備處「臺灣研究網路化」、國科會、教育部、主計處等相關網站；及大陸學者劉國新主編《中華人民共和國歷史長編 (1949-1994)》。⓭

⓬　林慶彰主編：《經學研究論著目錄 (1912-1997)》（臺北：漢學研究中心，1989年、1995年、2002年）；朱守亮主編：《詩經論著目錄》（臺北：洪葉文化公司，2000年）。

⓭　劉國新主編：《中華人民共和國歷史長編 (1949-1994)》（南寧：廣西人民出版社，1994年）。

又以「詩經」為題，進入「蕃薯藤」、「雅虎」等網路搜尋系統進行搜尋。

二、臺灣學術發展的背景

　　影響臺灣學術發展的主要因素，包括內在的：文化傳統、學術思潮、社會評價、及學者個人選擇等等；外在的：執政者的政治思想和教育文化政策、以及整體經濟發展的狀況等。本文的背景指外在諸相關因素而言，這些因素誠然不僅僅影響「詩經學」而已，但相對於大陸對「經學」的蔑視破壞，討論「詩經學」在臺灣的發展，這些因素還是具有重要的意義。以下即討論影響臺灣學術發展的大環境因素。

㈠政治的影響

　　一九四五年八月日本軍國政府懾於「原子彈」的威力，宣佈無條件投降，臺灣重回中國的統治，但由於主政的國民黨政府在大陸地區敗給共產黨而失去政權，於是退守到臺灣，為有效保持其政權的延續，鞏固其反攻最後基地的安全，遂於四九年五月在臺灣地區頒布《戒嚴法》，實施「戒嚴」❶，執行嚴格的思想和出版品檢查，制定《臺灣地區戒嚴時期出版物管制辦法》，管制人民的言論自由和學術研究的自由，同年十一月即有查禁「反動書刊」之事，五三年十月更出現通令各機關學校圖書館審查藏書，將「反動書刊」銷毀的「焚書事件」。所謂「反動書刊」並不一定與政治思想或主張有關，只要是作者的政治立場與國民黨不同，或是沒有跟隨國民黨到臺灣而滯留在大陸者，

---

❶　以下年代皆以西元為準，故省略「一九」兩字。

多數均被列入黑名單中，於是大陸學者的舊著與新作，從此無法在臺灣公開傳布，只能在少數單位或地下流傳，兩岸學術的交流因而被政治截斷。

七九年元旦大陸政權主動發表〈告臺灣同胞書〉，表達「通商、通航、通郵」等「三通」的意願，臺灣政府隨即以「三不」政策回應，不過兩岸「漢賊不兩立」的敵我關係卻也逐漸獲得改善。於是七九年六月開始籌設，而於八一年九月成立的「漢學研究資訊中心」，乃允許學者與研究生在館內閱讀收藏的大陸出版品。八六年三月國民黨十二屆三中全會決議：有限度允許大陸出版品在臺灣流傳、及兩岸學術文化交流活動，大陸出版品纔獲得有限度公開閱讀或引用的認可，各大學圖書館開始購藏，且允許學生借閱大陸出版品。八七年七月正式解除「戒嚴」，八八年七月新聞局制定新的「大陸出版品管理要點」，允許學者私人購藏大陸圖書，大陸學者的著作纔獲得自由流傳收藏的認可。這是政治影響學術比較負面的實例，其作用則在兩岸學術的傳承與交流上。

蔣介石是這五十年內影響臺灣政策走向最重要的人物，他的思想觀念對臺灣學術發展因而具有非常大的影響力。蔣介石發表於五二年十月的〈反共抗俄基本論〉中，特別強調共產黨對民族文化的破壞：「倫理道德，亦將被其毀棄盡淨」❺；五三年十一月發表的《民生主義育樂兩篇補述》中也譴責共產黨「破壞國民的美感和倫理觀，達成

---

❺　蔣介石：〈反共抗俄基本論〉，《先總統蔣公言論選集：反共復國的理論與實踐》（臺北：中央文物供應社，1984年），頁6。

他毀滅中國民族文化的目的」。⑯相對於共產黨的破壞毀滅中國傳統民族文化，蔣氏強調他繼承的是：「用孔子的理想」為理想的「三民主義的思想」⑰；還特別指明三民主義的精神是：「我們歷史文化的正統，歷數千年一直傳下來的」、孫中山的基本思想則「完全淵源於中國正統思想」，是「孔子以後中國道德文化上繼往開來的大聖」。⑱根據蔣氏自認為是孫中山正統傳人的論述，則他自然也就成為中國文化「正統」的傳承者，蔣氏沒有直接說出，蔣經國乃代其父說出，謂其父之思想：「繼承了堯、舜、禹、湯、文、武、周公、孔子以至國父這一脈相承的思想」。⑲於是國、共兩黨的政權之爭，儼然成為中國傳統文化生死存亡的鬥爭：共產黨是破壞與毀滅中國傳統文化的罪魁禍首；蔣氏則成為中國文化正統的傳人與最高的維護者。蔣氏既然以「正統學術思想的維護者」自居⑳，強調「繼承了堯、舜、禹、湯、文、武、周公、孔子以至國父這一脈相承的思想」，「這一脈相承的思想」當然是與儒學相關的思想㉑，儒學思想的核心是經學，詩經學

⑯ 蔣介石：《民生主義育樂兩篇補述》，中國國民黨中央委員會編訂：《國父全集》（臺北：中國國民黨中央委員會黨史委員會，1973年），第1冊，頁277。
⑰ 蔣介石：〈反共抗俄基本論〉，同註⑮，頁88。
⑱ 國防部總政治作戰部編：《領袖政治思想》（臺北：國防部總政治作戰部，1966年），頁27。
⑲ 蔣經國：《蔣主席言論集：勝利之路》（臺北：中央文物供應社，1983年），頁235。
⑳ 《領袖政治思想》，同註⑱，頁78-79。
㉑ 國民政府自居為儒學文化的維護與傳承者，一直影響到前總統李登輝，李前總統在1999年12月4日出版的《哈佛國際評論季刊》（*Harvard International Review*）所發表的〈儒家的民主：東亞政治現代化〉一文中，即特別肯定儒

為經學的一支，在政治強力干涉學術的戒嚴時期，無形中也受到「肯定」，相對的也比較容易受到支持，臺灣最早的一本詩經學專著：屈萬里的《詩經釋義》，即由與政府關係密切的「中華文化出版委員會」出版；成立於六七年七月大力推動「古籍今註今譯」的「中華文化復興委員會」更是半官方性質的機構。這是政治影響學術比較正面的例證，其作用是政府對所認可的學術思想之推動與發展，給予政策和經費上的支持。

臺灣近五十年來政治影響學術有：一則阻絕兩岸學術交流，兩岸研究成果無法有效的傳布、討論，學術上應有的瞭解和互動受到嚴重的影響。再則蔣介石以重視文化傳統作為和共產黨鬥爭的手段之一，傳統文化核心的經學研究，在「戒嚴時期」執政黨自居於「傳統文化繼承者與維護者」的前提下，無形中也就相對的擁有比較大的自由研究空間，以及獲得比較多的資源。

㈡教育政策的影響

國民黨政府以中國傳統文化的傳承者與維護者自居的立場，也在其教育政策中顯現，蔣介石就一再強調「教育」要「恢復中國固有高尚的倫理道德」❷，在課程內容的設計上：中、小學有「公民與道德」的課程，高中有「國學概論」與以《論語》、《孟子》為主的「中國

家在「尊重個人」、「主張人治與法治應互相配合」、「提出一套以教育為核心的價值理念」等三方面：「對民主制度提供助益」。可見國民黨自蔣介石以來重視儒學傳統的立場。文見《中央日報》1999年12月8日第2版朱駿剛、涂志堅譯文。

❷ 見《先總統蔣公言論選集》，同註❶，頁72；頁125、頁181近似。

文化基本教材」的課程，大學院校與中國傳統文化相關的系所，除中文系、語教系、國文系之外，如歷史系、哲學系或比較文學系等，也多開與傳統文化相關的課程；由小學到大學必修的「國文」和「歷史」相關課程的取材與敘述上，更貫徹著執政黨維護傳統文化的主要政策。這些對傳統文化正面肯定與評價的論述，對一般學子具有引發興趣、產生瞭解期望等正面鼓勵的作用，在普及教育的潛在功能上，也有一定的效用，這或許是臺灣長期以來，民間一直不斷有「讀經」活動，和出版經學相關「善書」，甚至連流行歌曲〈在水一方〉，也由〈秦風·蒹葭〉改寫而成的原因。

蔣介石不但重視傳統文化的發揚，也瞭解「教育」的重要性。他認為：「教育為立國根本，也就是國家和政府對下一代的責任」；又說「心理建設為一切建設之母」，而「心理建設之方法為教育」；更強調「教育的優劣成敗，即國家民族興亡盛衰最大的關鍵」❷，這些觀點或如龔鵬程師所云，係在政治指導原則下的「文化工具性價值的利用」，而非對於文化具有「真切的興趣與理解」❷，不過無論蔣氏的居心如何，然對教育發展的確起了正面積極的功用。四九年臺灣省主席陳誠即宣佈「普及國民教育」為政府主要的施政方針，六八年更實施九年國民義務教育。兒童就學率由光復初期的近百分七十一，到五四年的超過百分之九十；七五年的超過百分之九十九；八六年以後更接近百分之百。學校數量亦由四六年的一一三〇所小學、二一四所中學、四所大專院校，至九八年的二五五七所小學、七一五所國民中

---

❷ 見《先總統蔣公言論選集》，同註❶，頁249、頁124-125。

❷ 龔鵬程師：《四十自述》（臺北：金楓出版公司，1996年），頁406。

學、二四二所普通高中、二〇一所高級職校、五十三所的專科學校、四十五所學院、二所空中大學、三十九所綜合大學,而高等教育(大專院校)包括八四一個研究所、一八四二個系、一二七二個科。大專院校學生由五〇年代的六六六五人,成長到九八年的三六一八〇〇〇人。高等教育的發展狀況是:學校數量成長三四·三五倍、學生人口增長五四二點八四倍。若以總人口中就讀高等教育的人數來看,五一年每千人僅一點〇四人、九八年則有四〇點六六人,成長三九點一〇倍;而自然人口的增長則自四九年的七〇二六八八七人,到九八年的二一九二八五九一人,僅成長三點一二倍,可見臺灣教育大幅度發展的實情。與學術研究關係最直接的大專院校教師,專任教師從五一年的一一一八人,增加到九八年的四〇一四九人,成長了三五點九一倍;九八年的專兼任教師共有六三一〇二人(兼任有二二九五三人),這龐大的教師群,也包括了詩經學的研究者在內。

和詩經學發展關係比較密切的中文相關系所,五一年以前僅有臺灣大學與省立師範學院(臺灣師範大學前身)兩系,九八年則有:大學部五十八系、碩士班二十所、博士班十三所。中文系所多開有《詩經》的課程,研究所考試也有將《詩經》列為選考科目之一者,中文系所大幅度的成長,對《詩經》的研究與傳播當然具直接促進的作用。

傳統文化的重視、課程內容的相關設計、教育的重視與擴充、就學人口的增加、各級學校的增長、尤其高等教育的發展,均直接或間接的影響詩經學的發展。除中文相關系所直接的影響外,各級學校的「國文」教師多出自中文相關系所,學校增加,國文教師需求跟著增長,大學院校的班級和學生加多,接觸《詩經》的人口跟著增多,研究或對《詩經》有興趣的人口跟著增加,必然影響到詩經學的發展。

(三)經濟因素的影響

　　教育是「百年樹人」的工作，是無法馬上回收的投資，因此與經濟狀況的良窳關係密切。黃俊傑曾舉傳統中國科舉考試中舉的前三名多出自「經濟繁榮的江南地區」；與美國大學多分布在經濟精華地區的實例，認爲「教育與文化發展的水準，與經濟的繁榮一直有著千絲萬縷的關係」、所以說「教育的發展與經濟的繁榮實有其深刻之相關性」❷；林玉体更明白的說：「教育本來就是有閒階級的專利品，有『閒』階級就是有『錢』階級」❷，這可以看出教育與經濟的密切關係。

　　教育既然與經濟關係密切；學術發展又與教育脫離不了關係，因此經濟影響學術也就不言可喻了。人文學術研究比教育投資更難見具體的回收效果，如果經濟發展欠佳，國民收入太低，社會資源不足，就很難有餘力支持人文學術的研究。經濟狀況如果太差，教育投資就會減少，學校的硬體設備不足，受教育的人也少，投入研究的人自然不多，研究群體就太小，從經濟的因素分析，購買出版品者少，出版單位自然不樂意出版，論著的發表與流通就受到限制；再者沒有經費的支持，需要的書籍或設備無法獲得，不但研究計畫無法推展，學術會議的召開和參與、論著的出版都會受到影響，可見經濟影響學術之

---

❷　黃俊傑：〈從當前臺灣高等教育脈絡論大學與產業界之關係〉，《大學通識教育的理念與實踐》（臺北：中華民國通識教育學會，1999年），頁390-391。
❷　林玉体：〈教育與人類進步〉，《教育與人類進步》（臺北：問學出版社，1978年），頁16。

一般。臺灣的教育與學術發展，與臺灣經濟的發展脫離不了關係，以下即論述臺灣經濟發展的情形，及與教育發展的關係。

臺灣經濟發展的奇蹟，是世界公認的事實，哪些因素影響經濟發展與教育、學術之間的關係呢？林向愷曾分析衡量國家經濟實力的指標因素，認為「衡量一國經貿實力，不僅在它的國內生產毛額，而是它的每人平均所得水準。也就是說，國民的購買力纔是經濟實力的表現」，[27]影響教育投資與學術研究的經濟因素，應該就是代表國民財富的「每人平均所得」。臺灣的「國民每人平均所得」在五一年僅有一三七美元、七六年為一○四一美元、九七年則為一三二三三美元、九八年為一一三○六美元，已超出發展中國家九六○○美元的標準，若以五一年和九八年比較，國民每人平均所得增長八二點五三倍。與學術研究關係較密切的家庭電腦普及率，八七年僅為百分之三點六、九八年為百分之三二點三，十年間成長八點九七倍，從這些數據可看出臺灣經濟發展的傲人成果。于宗先研究臺灣經濟成長後和教育的關係，他發現「在臺灣經濟快速的發展過程中，最明顯的現象乃一般家庭的成員都受了相當高的教育，而且教育水準還繼續地在提高。一般中等所得的家庭都有能力將子女送進大專院校去讀書」；[28]孫震的研究也認為改善了所得分配之後，「使很多貧窮家庭的子女和富有家庭的子女有同樣受教育的機會。教育普及使潛在的能力得以發展，使社會流動性提高」，孫先生更以為「對教育和知識的熱烈追求」，是臺

---

[27] 林向愷：〈由政治經濟觀點看兩岸經貿活動是否應予規範〉，《現代學術研究》專刊9（1999年6月），頁46。

[28] 于宗先：〈經濟轉型期的家庭關係〉，《經濟發展啟示錄》（臺北：三民書局，1990年），頁326。

灣居民共有的「內在特質」❷，這些相關而互相影響的因素，促使臺灣的教育持續發展，並影響到整個學術的發展。另外臺灣為求長期科技與經濟之發展，政府成立了推動「科技發展」的專責機構，自五九年的「國家長期發展科學委員會」，到六七年的「國家科學委員會」、六九年的「行政院國家科學委員會」（簡稱「國科會」），均編列預算獎助學術研究，開始雖以獎助理、工、農、醫等科技類為主，後來擴及人文學科，尤其自六九年起的「國科會」，對論文的獎勵、研究計畫、國際性會議的召開或參與等經費的補助，對人文學術研究發展的幫助相當大。這些政策若無充裕的經費，政府即使有心也無法順利推行，這也是經濟影響學術研究的另一項例證。

　　政治、教育、經濟等三項因素，互相作用、互相配合、互相影響的結果，成為促進臺灣學術發展的重要契機，臺灣五十年來的詩經學即在此一大環境下，獲得一個相對上比較優良、而可以正常成長的研究發展空間。在整個學術研究的重視與投資的關注程度上，前教育部長毛高文就坦承「政府在教育、研究各方面施政的推動，多少偏重在科技方面的發展，而比較忽略人文社會這方面的整體發展規劃」，❸不過也必須客觀的承認在四九年以後的五十年間，人文學術的研究固然受到不該有的歧視，在經費投入和關心重視的程度上無法與科技實用類相比較，但人文研究的學者在實際的表現上，仍然有長足的進步，

---

❷　孫震：〈臺灣經濟發展的經驗與啟示〉，《邁向已開發的國家》（臺北：三民書局，1990年），頁111、〈向已開發國家邁進〉，頁100。

❸　毛高文：《專題演講》，國立臺灣大學文學院編：《大學人文教育的回顧與展望：大學人文教育教學研討會論文集》（臺北：國立臺灣大學文學院，1992年），頁1-3。

研究成果也相當輝煌而具有自己的特色，詩經學的表現自不例外，這就是下文要繼續探討的主題。

三、「數量」的統計與分析

臺灣近五十年來詩經學的研究成果，根據前述資料的「初步」統計，❸相關數據如下：單篇論文2412篇、學士論文11篇、碩士論文99篇、博士論文17篇、專著（含專書與論文集，以下皆同）175部、卡帶3捲、CD 一片（魏子雲：《詩經吟誦與解說》附），全部論著係由12個編輯單位與754位學者完成。

學者個人發表「條目」的數量❸，二十條以上依次是：劉明儀（江宵，234條）、許世瑛（212條）、吳宏一師（120條）、裴溥言與糜文開（113條）、李辰冬（104條）、趙制陽（75條）、王禮卿（46條）、林慶彰（34條）、張過（28條）、黃忠慎（26條）、林耀潾（25條）、潘重規（24條）、屈萬里（22條）、程元敏師及黃振民和季旭昇（皆21條）等17位；投入研究超過四十年者僅龍宇純一人；超過三十年者：趙制陽、王禮卿、程元敏師、余培林、王靖獻、劉明儀等六位；超過二十年者：林慶彰、文

---

❸ 稱「初步統計」乃因有下列幾項問題還未解決：㈠單篇論文散見各處，難免有遺漏；㈡博碩士論文交出版社出版，算一書或二書？㈢學士論文無法收集完整；㈣「導讀」、「概論」等一類相關書籍中《詩經》的部分，是否要列入計算？㈤博碩士論文中有關涉到《詩經》的章節，又要如何處理？㈥電腦網站中的文章是否要收錄的問題；㈦作者身分猶無法完全的確定；㈧計入的論著或難免有重複計算的問題。所以僅能稱初步不精確的統計。

❸ 所謂「條目」指無論是單篇論文、學士論文、碩士論文、博士論文、論文集或專著，均以「一條」計算之，以下皆同。

幸福等二人；超過十五年者：吳宏一師、洪國樑、陳新雄、黃忠慎、林耀潾、季旭昇、江乾益、朱守亮等八位。以上這些發表數量較多、及投入研究時間較長的二十二位學者，對臺灣詩經學的發展，具有比較大的影響與貢獻。近來投入研究而較有成績者有：竺家寧、藍若天、林明德（輔大）、蔣秋華、林葉連、黃肇基、呂珍玉等七人；在八六年獲得博碩士學位後至今猶繼續不斷發表相關論文者有：陳昀昀、陳文采、張寶三、趙明媛、歐天發、侯美珍、彭維杰、楊晉龍等八人。這些新投入者與前述學者、加上其他有興趣的研究者，共同成就了臺灣詩經學發展的實貌。

　　為瞭解這五十年來臺灣詩經學的變化，今以每十年為一期，觀察不同階段論著數量的多寡。論著中有一本書和一捲卡帶出版時間無法確定，故不列入計算。其他論著分布的情形如下：㈠四九至五八年：單篇論文104篇、學士論文2篇、碩士論文2篇、專著8部；共116條條目。㈡五九至六八年：單篇論文206篇、學士論文6篇、碩士論文8篇、博士論文1篇、專著17部；共238條條目。㈢六九至七八年：單篇論文746篇、學士論文3篇、碩士論文17篇、博士論文2篇、專著39部；共807條條目。㈣七九至八八年：單篇論文696篇、碩士論文28篇、博士論文2篇、專著有64部；共790條條目。㈤八九至九八年：單篇論文662篇、碩士論文44篇、博士論文12篇、專著49部；共768條條目。從論著數量消漲的情形，可以看出幾個特點：㈠學士論文甚少，第四期後即絕跡；㈡博碩士論文呈成長趨勢，尤以碩士論文為甚，博士論文第五期為第二期的12倍，碩士論文成長22倍；㈢單篇論文成長驚人，第三期為第一期的三·五倍、第五期增加為八點二〇倍；㈣專著數量第三期為第一期的五倍、第四期暴增至七點五八倍。整體呈現持續增長

的趨勢，就全部條目而論，第三期以後平均爲第一期的七倍左右，可見成長幅度之大。

分析前述現象，學士論文主要是各校未認眞保存；作者未重視，也無機會發表；再則教育制度改變，取消學士論文，數量因此不多。六六年到七七年的十年間，正是大陸以「破四舊、立四新」爲主旨的「文化大革命」時期，國民黨政府爲凸顯其捍衛文化傳統的地位和決心，在六七年成立「中華文化復興運動委員會」，全力推動傳統學術的研究。如前所述，六八年實施九年國民義務教育，中學師資多來自大專院校，間接促成高等教育的發展，大專院校教師大量增加；六九年「國科會」改組後對人文學科經費的補助增加，刺激研究者提出更多的研究計畫；教育部在七五年施行「大學評鑑制度」，教師發表論文的數量爲評量的項目之一，其結果影響到經費補助的多寡，學校因而獎勵教師發表論文；七七年以後臺灣國民個人平均所得已超過一千美元，且持續增長到超過一萬美元的水準，圖書館和學者個人購買出版品的經濟能力因而大增；八二年起政府爲鼓勵研究，給予大專院校研究成績優良教師每月兩萬元之獎金；八六年以後兩岸開始學術交流活動，學術會議的召開非常熱絡。這些相關因素即促成第三期以後論著數目大量增長的原因。

影響臺灣詩經學的發展，比較直接的因素，應該是中文相關研究所的設立，培養博碩士研究《詩經》相關的論題。自臺灣師範大學在五六年設立碩士班、五七年設博士班後，至九八年止，總共有十六校二十五所的碩士生、六所的博士生曾選擇《詩經》相關的主題撰寫論文。依其論文數量的多寡排列是：師大（博：5篇；碩：16篇）、臺大（博：2篇；碩：17篇）、文化（博：3篇；碩：12篇）、政大（博：4篇；碩：9篇）、

東吳 (碩：11篇)、輔大 (碩：7篇)、東海 (博：2篇；碩：5篇)、中央 (碩：5篇)、中正 (碩：5篇)、高師大 (博：1篇；碩：3篇)、逢甲 (碩：3篇)、臺北大學 (碩：2篇) 和成大、中山、中興、政戰學院 (四校均碩：1篇)。前面十一校《詩經》相關論文出現後就持續不斷；論文數量較多的前七校除東吳外，均與研究所成立時間的早晚成正比；其中十一篇碩士論文出自歷史、哲學、外文、翻譯、藝術等所；政戰學院與輔大翻譯所兩篇論文係以英文寫作。

中文相關研究所增加，固然有可能促進詩經學的發展，但也僅是有可能而已，因為還牽涉到研究生的意願，研究生的選擇多與教授開課、和指導教授的專業研究相關。教授對詩經學的態度、及在詩經學專業上的成就，影響到研究生的選擇。教授指導論文數量的多寡，及所指導研究生分布之情形，也可據以推論其影響的大小，這是指導教授對詩經學發展的作用，以下即統計詩經學相關論文指導教授的指導情形。

以單一學校指導的論文數量而論，㉝指導超過兩篇者：「臺大」：張以仁師 (5篇)，程元敏師 (4篇)，戴君仁 (3篇)、屈萬里和裴溥言 (均2篇)。「師大」：汪中 (5篇)，余培林 (4篇)，高明 (3篇)，王熙元師和劉正浩 (均2篇)。「政大」：朱守亮 (4篇)，李威熊師 (3篇)，熊公哲 (2篇)。「中央」：岑溢成 (3篇)。「中正」：莊雅洲 (4篇)。「東吳」：裴溥言、朱守亮、林慶彰 (均2篇)。「輔大」：王靜芝 (3篇)。臺北大學：江乾益 (2篇)。「東海」：楊承祖 (3篇)；龍宇純 (2

㉝ 指導教授有兩位者，其數量均分別計算之。以下跨類條文之數量亦同樣分別計算統計。

篇）。「文化」：于大成（3篇）、李威熊師與陳新雄和楊家駱（均2篇）等。以個人指導的論文數量而論，超過兩篇者依次爲：李威熊師和朱守亮（均6篇）；張以仁師、王靜芝、汪中等（均5篇）；程元敏師、于大成、裴溥言、余培林、岑溢成、林慶彰、莊雅洲等（均4篇）；屈萬里、王熙元師、高明、陳新雄、楊承祖等（均3篇）；楊家駱、王忠林、熊公哲、劉正浩、周何、顏崑陽師、簡博賢、龍宇純、江乾益等（均2篇）。以指導學校的分布而論，超過兩所學校者：屈萬里（臺大、東吳）；王忠林（文化、高師大）；陳新雄（文化、輔大）；王靜芝（文化、輔大、政大）；于大成（師大、文化）；朱守亮（政大、東吳）；裴溥言（東吳、臺大）；周何（師大、政大）；李威熊師（政大、文化、逢甲）；王熙元師（師大、東吳）；顏崑陽師（高師大、中央）；岑溢成（中央、政大）；簡博賢（東吳、逢甲）；林慶彰（中央、東吳、政大）等。以上這些指導教授在臺灣詩經學的傳播與發展上，具有比較重要的貢獻。

經由上述個人論著數量的多寡、投入研究時間的久長、新投入研究的新血、分期論著數量的變化、各校教授指導論文的數量、教授個人指導論文的數量、指導學生的學校分布等等相關因素的統計分析，可以比較清楚的瞭解，影響臺灣近五十年來詩經學發展比較重要的學者，與其他諸相關的因素。除數量外，在詩經學實際的表現上，有哪些特別受到關注的議題？研究的特點如何？這就是下一節要探討的問題。

四、「內容」的量化分析

論著數量的多寡、分配和變化情形、參與研究的人數、投入的時

間、參與的情形等等，固然可以幫助瞭解詩經學發展、流衍、傳播的情況，卻無法得知研究成果的特點，也無法瞭解這段期間《詩經》學者關注的重點，只有將研究的內容加以分析，纔有可能獲得答案。以下「略依」林慶彰《經學研究論著目錄‧詩經》的分類方式❹，就其「大類」統計論著內容分布的情形、再就「小類」分別析論之。

根據呈現的內容，依其條目多寡的次序排列如下：「內容價值類」約九百條、「語譯賞析類」九百多條、「基本問題類」五百多條、「經學史類」四百多條、「文獻學類」近八十條、「其他類」近一百條。「文獻學類」最少，主要是臺灣學界多數不承認這類「犧牲小我；完成大我」，為學術服務的相關研究，投入者自然少；臺灣中文相關系所也不承認單純語譯為學術研究，故「語譯賞析類」沒有學位論文。更詳細的分類析論如下：

「內容價值類」可以再細分以下幾類討論。「文字學類」（文字、音韻、訓詁、文法、句法等）有六百條左右：文字學類數量較多，表示臺灣學者對基礎研究的重視，同時也表現臺灣文字學相關研究發展的盛況。句法研究以許世瑛完成近兩百篇論文貢獻最大；戴璉璋除研究《詩

---

❹ 謂之「略依」者乃因以下諸條件不同故也：一、「大類」全依之，「小類」則不全依之；二、風、雅、頌內賞析之文，本文歸入「語譯賞析類」；三、各篇與文法、句法、訓詁、聲韻、文字等相關的研究，本文一律歸入「內容價值類」的小類「文字學類」；四、「詩教」相關的研究，本文在「內容價值類」下，另立小類「倫理學類」；五、「通論類」本文歸入「基本問題類」；六、「詩經反映之文化風貌類」，本文則依其性質散入相關類目中；七、《左傳》、《論語》、《孟子》、《石經》、讖緯等研究，涉及《詩經》者，本文亦加蒐錄並散於各相關類目下；八、「札記」一類，本文則列入無法歸類的「其他類」中。

經》詞類之外，也依據語法的認知修正前賢訓詁詮解上的訛誤，更以現代語法學知識，分別從構詞與造句兩方面歸納《詩經》的語法規律，用心最多；音韻則許世瑛、龍宇純、陳新雄、竺家寧等貢獻較多。「史料學類」（民俗研究：神話、風俗、民謠等；歷史研究：史實、典章制度、天文地理、動植物等；社會研究：政治、思想、感情、經濟等）二百多條和「文學藝術類」（修辭、表現的技巧等）一百多條：史料與文學兩類的相關研究，與「語譯賞析類」同是五四以來多數學者研究的重點，研究者多且論題分散，呈現比較普及的狀態。東海大學高葆光指導的學士論文有四篇與「社會研究」相關。「倫理學類」（詩教相關問題）七十條左右：倫理學相關的研究是「傳統經學」的核心，「傳統意義」下的經學乃實踐之學，「詩教」呈現的倫理道德內容即實踐的要求，唯自民初「反傳統」思想成爲大多數人的「共識」以後，有關「詩教」的研究，已成爲那些不自覺的「西洋殖民學術思想者」揶揄嘲弄的對象，後學者在此種氣氛與趨勢下，除非對舊傳統有比較深刻的理解或堅強的信念，自不願投入這類研究，因之論著甚少，不過也表示「傳統經學」猶有生機，其中以戴君仁、陳新雄、文幸福、林耀潾、林葉連等的研究較值得注意。

「語譯賞析類」係五四以後較受重視的項目，由於排斥「詩教」觀點，《詩序》受到漠視，對《詩經》內容的詮解缺乏共識，人人均可隨意發表私見，自由自在的各說各話、自說自話；此類作品也是推廣普及個己觀點的重要管道，有異見或新想法的學者，可以透過此類研究傳達或發揮其觀點；初入門者也以此類習作來提昇程度；此類研究又可以單獨成文，研究範圍縮小，容易成篇，到一定數量又可以集結成書，一舉數得。相對於其他經書，《詩經》不但是傳統意義下的

「經」；同時也是現代人習知的西洋文化概念下的「文學」作品，還具有「民謠」的性質，五四以來對「文學」和對「人民性」的高度重視，無形中提昇了《詩經》的價值。民初以來「反經風潮」對《詩經》的影響，主要在《詩序》和「詩教」的爭論，並無礙於《詩經》為「中國最早詩歌選集」的共識，「語譯賞析」因而可以正常發展。因有上述諸原因，故出現了近千篇的「單篇譯文」、十六部註解本、二十八本「選譯本」、三十三本「全譯本」、「中文翻外文」者三本、「外文翻中文」者四本、討論語譯內容的單篇論文近六十篇。「語譯賞析類」較有貢獻的學者是：屈萬里、裴溥言和糜文開 (合著)、王靜芝、王禮卿、宋海屏、賴炎元、吳宏一師、藍若天、余培林、黃忠慎、劉明儀等，其中劉明儀女士為一高中教師，自六七年到九八年間以「江甯」之名發表二百三十多篇之譯文，並集結有一本書，且至今猶在繼續發表，如此專注之精神，值得欽佩，以上諸人對臺灣詩經學的發展或傳播，具有比較重要貢獻。另外董同龢翻譯瑞典高本漢《詩經注釋》、杜正勝翻譯日本白川靜《詩經研究——中國古代歌謠》，對中外詩經學的交流亦具有重要的貢獻。

　　「基本問題類」有近三十篇論文討論《詩經》作者問題，主要是師大教授李辰冬利用所謂「科學統計方法」，發現《詩經》是尹吉甫「自傳式」的私人作品，因而引發熱烈討論的結果。李氏之論當然無法成立，不過經由他的「新說」之刺激而引發一陣詩經學的研究熱，至少促成四本專書、八十多篇相關論文的出現，李氏的影響並非全屬負面。有關「篇名」的討論糜文開有五篇。《詩序》的研究：張成秋有單篇論文七篇、碩士論文一篇、專著一本；趙制陽有四篇論文。「賦比興」相關問題則：趙璧光、趙制陽、施炳華各有一本專著；蘇伊文

一篇碩士論文、林奉仙一篇博士論文。「詩樂問題」有：白敦仁專著三本、論文一篇；何定生三篇論文。「淫詩問題」有陳茂進《鄭聲研究》；林保淳論證「淫詩」與「淫書」的關係；文幸福辨證孔子「放鄭聲」之義，與朱子「淫詩說」之誤解。「研讀和研究的問題」：除傅斯年、楊承祖、鍾克豪、胡安德、裴溥言、李辰冬、黃振民、周次吉、蘇雪林等人均有專著外，其他「經學」和「國學」一類之「概論」、「導讀」，以及不少單篇論文，也多有類似的內容；季旭昇則謂近代研究《詩經》有經學、文學、歷史語言學等三種觀點，以為歷史語言學之方法較其他兩種方法客觀、無成見、無爭議。以上即在「基本問題類」的討論上，比較突出的幾位學者。

「經學史類」可再細分為通代、斷代（包括專家與專書），依研究冷熱的狀況，可以排列如下：通代研究僅有七條；斷代研究依次則：先秦（約300條）、兩漢（100多條）、民國（100多條）、宋代（近100條）、清代（70條）、明代（50條）、六朝（20多條）、隋唐五代（約20條）、元代（近20條）、域外研究（近20條）等。「專家與專書」的研究超出十條者，依次序排列是：孔子（77條）、《詩序》（56條）、朱子（52條）、李辰冬（49條）、毛《傳》（42條）、《左傳》（24條）、尹吉甫（22條）、孟子和《韓詩外傳》（均19條）、《楚辭》（18條）、鄭《箋》（15條）、《毛詩正義》（13條）、王安石（13條）、高本漢（12條）、姚際恆（11條）、裴溥言和糜文開（均10條）、荀子（10條）等。從這些資料可以看出較被重視的與較受忽略的議題。學者個人的成就則：程元敏師對宋代王安石與王柏的研究最精；賴炎元對《韓詩外傳》的研究最專；裴溥言對宋代歐陽修的研究投入較多；許世瑛對朱子《詩集傳》音韻與句法的研究最用力；黃忠慎對宋代的研究較注意；張易克（張喆）對李辰冬

最爲迴護；趙制陽對歷代名著有個人式的主觀評介；潘重規對敦煌本《毛詩》的研究最重要；林慶彰、蔣秋華、楊晉龍等三人對明代研究的推廣最用心。這些即在「經學史類」相關研究上較有貢獻者。

「文獻學類」指有關目錄、輯佚、斠讎、版本、彙編等一類的研究。如前所述，早期臺灣學界不太承認這類工作的學術性，且這類研究的基本條件亦較特別，因之投入者不多，不過還是有不錯的成績：林明德有〈周南〉資料的彙編；陳文采有宋代、周浩治有魏晉南北朝的《詩經》著述考；程元敏師有《三經新義·詩經》、黃美瑛有漢《石經·詩經》殘字的輯佚；賴炎元、瞿紹汀均有《韓詩外傳》的斠讎；裴溥言、楊子青、伊凡、朱守亮等皆有詩經學書目；前舉的林慶彰《經學研究論著目錄》、朱守亮《詩經論著目錄》和圖書館或單位「目錄檢索」的相關網站，均對臺灣詩經學的發展具有不可忽視的貢獻。

經由上述條目內容表現的論證分析，可見臺灣五十年來詩經學較受重視和某些被忽視的議題，以及各議題中成果比較可觀的學者，這些成果當有助於更深入瞭解臺灣詩經學發展的實情。

五、研究的成果與貢獻

經由前述統計資料數量與內容的分析後，下文即更進一步的探討臺灣近五十年在詩經學個別議題上，學者研究的成果、貢獻。本節就以前舉七篇論文爲主，增補必要之資料，再加以說明分析，以見學者在整體發展中之表現，唯爲節省篇幅，故上節已較詳細析論者，本節則從略焉。

㈠就培養和推動臺灣詩經學發展的動力言

以培養基本研究人才言,有臺大的屈萬里;師大與政大的高明、林尹;輔大的王靜芝等三大學術系統。以各校開課或影響而言,除前述指導教授外,臺大另有何定生、楊承祖、洪國樑、張寶三;師大有賴炎元、黃振民、文幸福、季旭昇;政大有程發軔、熊公哲、朱守亮;文化有糜文開、裴溥言、潘琦君、許端容;東海有高葆光、趙制陽;興大有江乾益;輔大有林明德;成大有蘇雪林、趙璧光、施炳華;逢甲有黃忠慎等等,均曾在過去或現在講授過《詩經》相關課程。

㈡就《詩經》註譯的成果言

以其書設定的閱讀對象與目的,及表現的內容而論,可以分成下述幾類加以討論。

1.綜合諸說予以淺顯說明翻譯者

這類著作的解說力求簡單明瞭,以普及爲目的,而非以研究爲目的。如:裴溥言《先民的歌唱:詩經》以適合中小學程度的淺近文筆,解說翻譯;與糜文開合著的《詩經欣賞與研究》,以西洋文學概念下的文藝觀點,深入淺出的賞析解說,亦以適合一般人士閱讀爲主。鄭毓瑜《少年詩經》以眞實活潑之情感,帶領青少年共享《詩經》中人類喜怒哀樂的心情故事。宋海屏《國風新譯》、《詩經新譯》及張壽平《詩經韻譯》以簡單之文字說明篇旨,並以韻文翻譯本文。馬持盈《詩經今註今譯》;張允中《白話註解詩經》;紀敦詩《國風淺釋》;

蔡信發《詩詞曲賞析》；李一之《詩三百篇今譯》；陳清凌《詩經白話譯註》；賴炎元《韓詩外傳今註今譯》等均強調「白話」語譯。朱令譽《詩經讀本》、李農《詩經選讀》、黃錦堂《詩經今釋》、鄭昆《國語注音詩經》、梁養元《注音詩經白話讀本》、陳美燕《詩經讀本》和《詩經選集》，世一書局《詩經白話讀本》等，除強調「白話」語譯外，更加註「注音符號」。屈萬里《詩經選註》，選擇適合青少年興趣的詩篇，以較簡略之文字註解說明，並於艱澀之字予以國語注音，亦可見普及性之考慮。這些著作的共同點，除普及教學的考慮外，對詩旨之詮解，多不從「詩教」的觀點，而從現代人「直接閱讀」的認知角度立論。

2.發揮「詩教」之義理者

張元夫《詩經述聞》與甯榮璋《詩經新義與人生哲學之研究》、張淵量《易貫詩經》等，強調「詩教」為《詩經》大意所在，以為研究者不應脫離發揮倫理教化之主旨。傅隸樸《詩經毛傳譯解》和黃漢宗《詩經新探》兩書，肯定《詩序》為孔門大義所在，不得另作他解。黃氏更極盡曲解之能事，以強調《詩序》為唯一之確解。王禮卿《四家詩恉會歸》謂「不敢廢《序》言《詩》，妄逞肊說」，❸是亦不廢「詩教」者也。丁惟汾《詩毛氏傳解故》亦屬此類之作。

---

❸ 王禮卿：《四家詩恉會歸·凡例》（臺中：青蓮出版社，1995年），第1冊，頁5。

3.標榜「純文學」精神之賞析者

高葆光《詩經新評價》、周錦《詩經的文學成就》、林振輝《關關雎鳩：詩經精華賞析》（即《青青子衿：詩經選》）、劉明儀《詩經欣賞選例》、符顯仁《詩經欣賞》、吳步江《詩經義韻臆解》等書，均特別注重「文藝」欣賞的內容與原則。

4.突顯「愛情」主題之內涵者

這類著作不但強調「文藝性」，更特別將他們認爲與「情愛」有關的詩篇單獨選出翻譯解說，例如：黃錦堂《二千五百年前的愛情歌唱》、符顯仁《詩經裏的情歌》、黃朝仁《詩經婚前情詩》、藍若天《國風情詩辨義》等。這些著作多先肯定〈國風〉具有「民歌」的性質，且規定民歌「僅能」表達男女的感情，所以〈國風〉是歌詠古代男女愛情生活的實錄。他們所選的篇章也都在〈國風〉中，蓋〈雅〉與〈頌〉中較難找到符合他們既定觀點的篇章故也。

5.突顯音樂功能的著作

《詩經》具有音樂性係學者的共識，雖無法恢復古樂的原貌，然歷代均有譜曲之事。以現代音樂知識爲《詩經》譜曲者有：金湘《詩經五首》、錢南章《詩經五曲》、劉德義：《中國音樂文化之回顧：風雅十二詩譜研析》、魏子雲《詩經吟誦與解說》等。劉氏除回顧歷代譜曲之事外，還爲部分篇章語譯譜曲，以便演奏歌唱；魏氏則以探討《詩經》之音樂美學爲主，並附有吟誦之 CD 一片。

臺北市立國樂團則有實際演奏的《詩經新樂舞》樂曲錄音帶；臺

灣電視公司有《溫柔敦厚話詩經》的錄音帶，也都是以聲音爲主而表現《詩經》音樂功能的讀本。陳玉秀主持的〈雅樂舞身體實驗〉探討「雅樂舞」動態的藝術風格，論證其與舞蹈、戲曲、南管、書法等中國傳統藝術，在身體運作方式上，可能存在的共通性，這也可以歸入屬於突顯《詩經》音樂功能的研究。王財貴爲教學方便而請人錄製的閩南語《詩經》錄音帶雖不符合狹義的歌唱意義，不過就其實際「朗誦」的情況論，似也可歸入此類。

6.融貫諸說而正以己意者

這類作品在解說翻譯之際，先審愼分析前人詮解的意見，研判其說與詩文符應的程度，再提出個人之觀點。就比較寬鬆的範圍言，所有現代人的詮解作品均可歸入此類，尤其和第一類最爲接近。不過這裡重視的是在詮解過程中，明確表明「不專主一家」、及「直探《詩經》本義」爲旨，而特別凸顯己見者。此類著作有：屈萬里爲初步研究《詩經》學者而寫的《詩經釋義》（擴充後改稱《詩經詮釋》），此書出版最早，是影響臺灣詩經學發展最重要的著作。其他如：王靜芝《詩經通釋》「不拘一家之說，惟採其是者；或別具愚見，總以實事求是爲主」❸；朱守亮《詩經評釋》「爲集解性質，惟是是從」、「撮取各家最精當之……解說於一書」、「要以就三百篇本文，以探求其本義旨歸」❸；余培林《詩經正詁》與黃忠愼《詩經簡釋》二書亦持此態度而吸收前賢之成果以解《詩》，黃書解說稍簡略，又認爲「《詩

---

❸ 王靜芝：《詩經通釋・凡例》（臺北：輔仁大學文學院，1968年），頁3。
❸ 朱守亮：《詩經評釋・凡例》（臺北：臺灣學生書局，1984年），頁1。

經》兼具經學與文學雙重身分與價值，有此認知，始可與之言詩」❸，是亦不廢「詩教」者；余氏在「興」義與字詞解說上頗有特見。李辰冬的《詩經通釋》則以《詩》文來為其「《詩經》三百零五篇都是尹吉甫的作品，也都是他的自傳」的「駭人聽聞的發現」，「一字一句作證明」❸，其論固謬，然亦自以為是「實事求是」、「直探《詩經》本義」者。特別值得提出的是吳宏一師詮解《白話詩經》與《詩經與楚辭》的態度，兩書以商榷舊說入手，既不抹煞《詩經》之文藝性；亦不排斥《詩經》具有教化功能，以為「不必以今天大家通行的想法，來否定古代崇尚禮教的社會規範」。❹純就詩文可能之本義與寓意、及當時的歷史情境，考察分析，以定詩篇之旨意，並從文藝鑑賞的角度加以分析，比較持平的挖掘出古人的情感和思想的面貌，這是比較適當的研究態度。

7.中外文翻譯的著作

將《詩經》譯為外文者有：閻景銘《詩經英語釋義》，不僅翻譯並加以解說；陳慧文和石敏均有「選譯本」；康華倫（Castellazzi, V.）的 Translation of the 詩經 Shijing into Western languages 一書，是最近的作品。

翻譯外文作品除前述高本漢《詩經注釋》、白川靜《詩經研究─中國古代歌謠》外，洪順隆翻譯吉川幸次郎《詩經國風》，似未受到

---

❸ 黃忠慎：《詩經簡釋·自序》（臺北：駱駝出版社，1995年），頁1。

❸ 李辰冬：《詩經通釋·自序》（臺北：水牛出版社，1996年），頁1。

❹ 吳宏一師：《白話詩經·蝃蝀》（臺北：聯經出版事業公司，1993年），第1冊，頁326。

注意。題馮作民編著的《詩經》，內容文字與杜正勝所譯白川靜《詩經研究》，雷同之處，不勝枚舉，筆者懷疑係抄襲杜氏譯作而成。

(三)就基本問題的研究而論

《詩經》的作者，除非有新資料出現，難有突破性的發現。《詩序》作者猶不出是否「衛宏」的爭論上；《詩序》淵源內容之研究，張成秋以為《詩經》「純係文學作品」，《詩序》是後世應用、曲解以發揮儒家「德化政治」思想的產物；陳新雄、戴君仁的觀點比較接近，以為《詩序》乃漢儒倫理道德教化下的產物，不但於文、於人、於事無礙，且有實際的社會功能，實不必非滅之而後快纔可；龍宇純更以為《詩序》的價值，並不因今人的同不同意而定，主張要廢置一篇《序》之前，應充分為其設想，不能純任主觀的標準：「本文看不出」，就斷言其鑿空胡說❹；吳宏一師以為漢儒之說不免迂曲，然於世道人心自有裨益，唯人亦是情感動物，自有愛與情之表現、流露，也不必把愛情的解詩方法，盡斥為離經叛道❷，這應該是比較正確的態度。「編者」的問題，戴君仁以為係樂師所編；一般的共識是周代確有蒐集民歌之事，孔子曾整理過《詩經》。「風雅頌」的問題，屈萬里謂「雅」即「夏」，「大、小雅」即周人之樂歌。一般多以為「風」係各地民謠；「雅」「頌」多為士大夫所作；「雅」係宴飲慰勞之中原正聲；「頌」則是歌舞樂三合一的祭祀歌。「賦比興」的研究，「賦」

---

❹ 龍宇純：〈詩序與詩經〉，編輯委員會編：《文史論文集：鄭因百先生八十壽慶論文集》（臺北：臺灣商務印書館，1985年），上冊，頁19-35。

❷ 吳宏一師：《白話詩經·關雎》，同註❹，第1冊，頁8。

的問題最單純，「比」也比較容易瞭解，「興」的問題較複雜。趙壁光、施炳華、趙制陽均有專書討論。屈萬里等主張「興」不取義的觀點，經由徐復觀、蘇伊文、余培林、文幸福、林葉連、吳宏一師等研究分析，已經被排除，可以比較確定的說：「興」兼「不取義」與「取義」，且意義複雜。「比、興」之別，吳宏一師認為「比，是並列關係，是心中已有主意，而另外選擇形象相似的事物，來作喻體，來作比方，因此是以物喻物」；「興，則是前後關係，是由眼前的事物引起對另一事物的回憶或感觸，喻體和本體不必有密切的關係，因此是觸物起情」❹，此說對比、興分別的瞭解大有幫助。討論「正變」則有崔文娟碩士論文《中國詩學正變觀念析論》一文。「詩樂關係」除前述金湘、錢南章、魏子雲、劉德義等著作外；何定生析論《詩》與樂由合一而走向分途的緣由；白敦仁有三本專著，最為用心；李婧慧《詩經曲譜研究》也注意到《詩經》譜曲演奏的問題。

㈣就「文字學」相關之研究而言

這類研究在現代的意義上，是屬於「語言文字學」的研究，現代「文字學」的研究，已經失去傳統「經學」的意義，僅是為語言文字而研究，不必然與經學發生關聯，目的不一定是經學的，但某些研究對詩經學還是有相當的助益。相關成果可以分成幾方面來說：

1.就字詞考釋言

汪中訓「展」為「蹇」、「寥」為「聊」；屈萬里訓「孺」作「濡」

---

❹ 吳宏一師：《詩經與楚辭》（臺北：臺灣書店，1998年），頁111。

義爲「滯久」、「徂」作「且」義爲「多」、「罔極」義爲「缺德」、「兕觥」爲「角形酒器」……等等；林慶彰、龍宇純、余培林、季旭昇等釋「彼其之子」的「其」爲名詞，或以爲「姬」、或以爲「冥」；洪國樑謂「況也永嘆」之「況」當作「茲」，義爲「茲益」，即「一再長嘆」❹；吳宏一師謂「于以」爲「於何」即「在哪裡」之義，「可能是召南地區當時特有的語法」❺；余培林以爲「于邑于謝」二「于」字皆作「於也、在也」、「于疆于理」二「于」字則作「於是」解❻；龍宇純謂《詩》中十個「于以」句爲「疑問句」，當作「于何」解❼，以上諸人係在訓詁上較有成績者。趙汝眞、趙海金、李三榮與史玲玲等亦從事《詩經》假借字之研究，探求其「本字」，以杜絕望文生訓之誤說爲目的，其中史氏較有成果。許玲、陳應棠、李雲光、劉光義等亦有字詞訓詁之作。季旭昇《詩經古義新證》從古文字學的觀點，對十九篇《詩經》字詞的訓釋，重新加以檢討，得出不少比較可信的解說，如：「以」字有「提挈」、「夾帶」義；〈王風·采葛〉之「彼」義爲「那」而非「他」、「采」義爲「茂盛」；〈豳風·破斧〉之「四國」僅能釋爲「四方」；〈大雅·江漢〉之「求」字當作「征伐」解等等❽，夏傳才以爲此法豐富了于省吾以甲、金文考訂訓詁的方法；

---

❹ 洪國樑：《詩經訓詁之「亦通」問題：屈翼鵬《詩經釋義》、《詩經詮釋》「亦通」例釋》（臺北：學海出版社，1995年），頁25-35。

❺ 吳宏一師：《白話詩經·采蘋》，同註❹，第1冊，頁101。

❻ 余培林：〈詩經複字句研究〉，中國詩經學會編：《第二屆詩經國際研討會論文集》（北京：語文出版社，1996年），頁225-234。

❼ 龍宇純：〈詩經于以說〉，《（東海大學）中文學報》第12期（1998年12月），頁13-18。

❽ 季旭昇：《詩經古義新證·自序》（臺北：文史哲出版社，1994年），頁7-20。

也把創自聞一多的現代《詩經》詮釋學的方法論向前推進一步，亦即把樸學「廣徵博引、精密求證的方法，與現代語言學的概念和邏輯推理相結合，以古文字學和考古學為主導，仔細而條理分明地來考證字句的古義，求得確解」❹，頗推崇其成果。

2.就音韻研究而言

這類研究主要在探討《詩經》表現的押韻、或語音現象，實以《詩經》為材料的音韻學研究，研究目的音韻學的成分高；詩經學的成分較低。研究者除前述許世瑛、龍宇純、陳新雄、竺家寧外，謝信一從朱子《詩集傳》「叶韻」說研究當代的語音現象；賈禮研究《毛詩》的用韻現象；符濟梅糾正段玉裁《詩經》十七部分韻之誤；鄭寶美補正孔廣森《詩聲類》分例之不足。許美齡有《詩經韻部說文表》；江舉謙有《詩經》韻譜之作；張允中和馬輔則為《詩經》標注出韻部。

3.就文法、句法等研究言

除前舉許世瑛、戴璉璋外，杜其容有「連綿詞」研究；張鍔鋒有「指稱詞」研究；歐秀慧研究「擬聲詞」；黃章明有「疊字」研究，這些研究對古代語法、修辭和《詩經》賞析的深入、情意的瞭解，均有莫大的助益。

(五)就思想性的研究而論

陳鼓應分析詩篇反映的情境，得出當時民眾對政治敗壞與道德墮

---

❹ 夏傳才：〈書評：《詩經古義新證》〉，《漢學研究》第16卷第1期（1998年6月），頁379。

落、兵役勞役頻繁等的憤怒心情；林慶彰發現從〈周頌〉的「頌天」、
〈大雅〉的「疑天」、〈小雅〉的「咒天」、到〈國風〉的「不理天」，
只關心「自身」問題的詩篇內容之變化；鍾洪武分析探討詩篇中的男
女情感問題；林佳蓉討論〈雅〉、〈頌〉中表現的周人之德治思想；
朴忠淳分析詩篇中表現的人生觀；劉慶順比較伊利亞得（The Iliad）與
《詩經》中表現的英雄主義。這些著作比較深入探討了詩篇表現的情
感、人生觀、政治思想等，有助於對周代社會與個人思想的瞭解。

㈥就與周代歷史相關的研究論

以詩篇的記載論證周代的史實，李辰冬《詩經通釋》即錯誤的認
定《詩經》一書，係尹吉甫一生參與周代政治、征伐等史事的紀錄。
葉達雄《詩經史料分析》；洪素娥《從詩經研求周代的史實》；劉逸
文《詩經與西周史關係之研究》等均以《詩經》為「史料」，從中推
求周代之史實；潘秀玲《詩經存古史考辨—詩經與史記所載史事之比
較》，比較《史記》和《詩經》相關史實記載之差異，以窺古史較信
實可靠之面貌；鄭建忠探討詩篇反映的戰爭；任遵時《詩經地理考》
研究詩篇中的地望，亦牽涉到周代的地域與爭戰諸事。

探討《詩經》表現的周代社會組織，有李義雄、陳妙、藍麗春、
許詠雪等之學士論文；鄭均討論周代之農業；黃春臨、劉靜怡、金恕
賢等探討周代婦女之婚姻與生活；季旭生研究《詩經》中的吉禮；孫
述山則蒐集《詩經》中的民俗資料。

㈦就傳統經學「詩教」相關研究言

「詩教」之發揮已非「現代詩經學」之主流，然除非完全否認中

華文化之存在價值，否則傳統經學所具的「經世教化」之本質，恐亦無法完全拋棄，探討發揮《詩經》所具道德教化功能者，固非大眾卻也非毫無其人，戴君仁、唐海濤、洪龍秋、以及張元夫、甯榮璋、傅隸樸、黃漢宗等學者，均有相關論著；由於近年社會道德墮落的情況日趨嚴重，肯定傳統道德功能之論，稍有復興之勢，「詩教」之說在此大環境中，似亦有逐漸受重視之趨勢，除吳宏一師、王禮卿、黃忠慎等學者外；陳新雄、文幸福、林葉連、林耀潾、彭維杰等均有探討或同意「詩教」價值、內容之篇章。此外；曾勤良《左傳引詩賦詩之詩教研究》探討「《詩經》與史傳間，人倫教化之關係」。❺⓿彭武順從傳播學的角度，論證《詩經》政治性媒介的性質，具有「負載先王道德教訓訊息之媒介角色」的功能。❺❶其實「詩教」乃《詩經》所以為「經」之本質，肯定其具此本質，並不意涵其無現代西洋文學概念下之「純文學」涵義，肯定「純文學」的研究者實不必有「唯我獨尊式」的非理性之過度排斥意識。

㈧就文藝賞析或寫作技巧等相關研究言

此類研究是五四以來的主流，成績亦最為可觀，除前述語譯賞析諸作外，如裴祥瑞通論《詩經》的文藝性；朱孟庭研究《詩經》重章的藝術表現；周玉琴、文鈴蘭、林佳珍、陳靜俐等從文學角度，論析《詩經》中天文地理、草木鳥獸等意象傳達的感情；古添洪、劉儀芬、

---

❺⓿　曾勤良：《左傳引詩賦詩之詩教研究·自序》（臺北：文津出版社，1993年），頁1。

❺❶　彭武順：《詩在周代政治傳播中之應用》（臺北：國立政治大學新聞研究所碩士論文，1987年），頁114-115。

林奉仙、洪湘卿、蔡賽瑛、彭麗秋等研究探討〈國風〉之文藝性、民謠性及寫作、修辭、藝術、表現的技巧；蘇慧霜比較而辨別〈二南〉與屈〈賦〉之異同；孫小玉探討四本英譯《詩經》的譯文，保持了多少《詩經》原有的詩學本質與效果；簡良如《從「言志／言情」論詩經詩學》討論言志與言情二說的轉變過程，及對創作主體、創作形式與內容的影響；古添洪的《國風解題》強調沿著「民俗歌謠、里巷歌謠的態度」，「脫離《詩序》的諫書態度」；❺張學波《詩經篇旨通考》亦「以文理爲歸」、「求得古人作詩之本意」；❺施炳華《毛詩興義研究》在「揭示興的創作技巧」。❺王瑞蓮《詩經秦風篇研究》、吳萬鍾《詩經關雎篇之研究》、譚莉萍《詩經中三篇「揚之水」之研究》，雖綜合探討詩旨、訓詁、音韻、思想、文學技巧等問題，實以文學態度爲主的研究者。宋瑞和王國瓔分析《詩經》中「棄婦詩」解讀紛歧的現象與可能之緣由。紀懿珉結合文字訓詁、古代禮儀與現代生物學知識，探討〈召南・鵲巢〉之內涵，以爲主張「夫人有德」者，較具深刻之寓意。顏元叔以西洋「新批評」理論分析〈關雎〉篇寫作技巧，結果固有爭議，然學習瞭解西洋文學批評理論，以研究《詩經》諸相關問題，應是此後詩經學發展必須面對的問題。

㈨就《詩經》博物學研究言

這類著作旨在探討詩文中出現的動植物與器物，器物如陳溫菊《詩

---

❺ 古添洪：《國風解題》（臺北：輔仁大學中文研究所碩士論文，1972年），頁254。

❺ 張學波：《詩經篇旨通考・自序》（臺北：廣東出版社，1976年），頁1。

❺ 施炳華：《毛詩興義研究》（高雄：前程出版社，1990年），頁329。

經器物考釋》論述《詩經》中出現的器物、鄭建忠則討論《有瞽》一詩的樂器；動物方面有屏東野鳥學會網站〈詩經中的鳥〉一文（http://wildmic.npust.edu.tw/bird/article14.htm）；植物有耿煊《詩經中的經濟植物》、劉志清《詩經植物圖解》、潘富駿與趙婉茹的〈古老詩歌裡的花草樹木—詩經植物〉、及置於「臺灣林業試驗所網站」未署名的〈古文學裡的植物—詩經植物〉一文（http://www.tfri.gov.tw/book/plant/1-3.htm），臺北植物園另闢有「《詩經》植物園區」，此其較可觀之成果。

㈩就經學史之研究言

　　此類相關議題中，討論整體詩經學衍變者，有楊承祖的〈與時俱進讀詩經：詩經學嬗變的歷史文化意義〉和林慶彰的〈詩經學史研究的回顧與前瞻〉二文。討論研究範圍者，有姬周〈詩經兩千年來的研究範圍及其書目〉。討論區域研究者有王萬福的〈嶺南學者的詩經研究〉及林慶彰討論臺灣地區的詩經學之文。討論詩經學通史性質的研究，除公方苓〈宋元明詩經學〉、劉兆祐〈歷代詩經學概說〉和朱守亮《詩經評釋・緒論》、蔡信發〈歷代詩經的研究〉等文中的一般性簡略通說之文外，比較專門的大約僅有林葉連《中國歷代詩經學》一書，從社會概況、經學背景、學術取向、經學流派、代表作家及其學說入手，希望幫助讀者迅速進入詩經學的領域，因強調《詩序》不可廢，故批判朱子「淫詩說」最力，對具有宋學傾向者之評價，頗有違公平客觀之正常態度。趙制陽對歷代相關論著評介的《詩經名著評介》，雖非嚴格意義下的詩經學史之作，然實亦相相近之處，故或可列於此類中。關於斷代（專家、專書）的研究如下：

　　「先秦」：余培林《群經引詩考》蒐集論析諸經引《詩》之情形；林耀潾研究先秦儒家「詩教」之內涵。專家則多重在孔子、孟子與《詩》的關係；何定生論《詩經》與孔學的關係；文幸福論孔子之「詩教觀」；張亨師從美學觀點討論《論語》論《詩》的涵義。論析《左傳》賦詩引詩者，有白中道、楊向時、奚敏芳、張素卿、曾勤良諸人，曾氏重在「詩教」的發揮、張文則以《左傳》為材料，以探析春秋時代的《詩》學相關活動，故謂之「稱詩」，以為從「聲曲」角度論，《詩》皆入樂，所論較有新意。

　　「兩漢」：研究四家詩除王禮卿外，賴明德師《毛詩考異》考訂四家之異文、異訓及《傳》、《箋》之異同，並考核前賢論說之是非；施炳華有〈兩漢四家詩盛衰綜論〉。葉國良有〈詩三家說之輯佚與鑑別〉之作；林耀潾研究三家詩，謂其特色有「重視通經致用、多用正字正義、保存神話傳說、保存民俗風情、深具神秘色彩」等項。❺徐復觀、賴炎元、瞿紹汀、龔鵬程師等分從校勘、疏證、思想內涵等方面研究《韓詩外傳》，賴氏更有「今註今譯」之作。糜文開和林金泉，江乾益等論析《齊詩》相關問題。王令樾討論《詩經》與「詩緯」的關係；林金泉論「詩律」的來源與思想；徐富美探討「詩緯」的音韻現象。

　　毛鄭的研究：《毛傳》：施炳華有釋例；趙逸文有訓詁條例的研究；傅隸樸有譯解；史玲玲有音訓辨證；丁惟汾有解故；杜其容有引書考；潘重規、蘇瑩輝與林平和有敦煌卷子本的研究；文幸福論證古《序》出現在毛公之前，三家詩不如《毛詩》；魏培泉和盧國屏比較

---

❺　林耀潾：《西漢三家詩學研究》（臺北：文津出版社，1996年），頁327-335。

《爾雅》與《毛傳》,盧氏謂兩書性質有別,《爾雅》或早於《毛傳》成書;彭維杰探索《序》《傳》《箋》「溫柔敦厚」之義理,以爲統攝於「倫理思想與教化觀二大端」;車行健借西洋「詮釋學」方法,以闡釋《傳》《箋》之間的互動關係;彭美玲以爲鄭玄「以禮說詩」乃借禮教以發揮美刺、正變的詩教思想,過信《周禮》則其一短;賴炎元析論《鄭箋》解《詩》之條例;裴溥言與江乾益整理探析鄭玄《詩譜》。黃美瑛爲《漢石經·詩經》的殘字作集證;何志華考高誘引用《詩經》之情形;文幸福有阜陽漢簡《詩經》家派的討論。

「六朝隋唐五代」:康義勇蒐集考論王肅的《詩》注、及與鄭玄之異;簡博賢論證王肅詩經學之內涵;鄒純敏謂王肅以「人文思想」取代鄭玄的「神權思想」,係兩者解《詩》最大的不同;楊晉龍〈神統與聖統—鄭玄王肅「感生說」異解探義〉論證鄭、王同爲兼綜「今古文」,兩者之別在鄭以「今文」爲主,而王以「古文」爲宗。張寶三比較《經典釋文·毛詩》與《毛詩正義》在文字、釋義、詩學觀念的得失與異同;又考論束皙〈補亡詩〉之意義;探討權德輿〈明經策問·毛詩問〉重「類」與「命」的觀點,及其蘊涵之經學和科舉的意義。邱惠芬分析《正義》處理《傳》、《箋》詮釋觀點差異的問題;許麗芳歸納《正義》詮釋鄭《箋》的特點,以論證《正義》的詮釋觀點;康秀姿分析《正義》的解經方法;黃錦鋐說明《正義》的特點。蔡信發評介《毛詩草木鳥獸蟲魚疏》、侯美珍研究成伯璵《毛詩指說》、丁亞傑探析齊己《風騷旨格》的詩論內容特點。丁履有《文選李善注引詩考》之作;蒙傳銘與田博元亦有論述《文選》與李善《詩經》相關問題之作;王更生、古添洪探討《文心雕龍》的詩經學概念;董挽華與李正治則論《詩品》的詩經學觀點。

「宋代」：通論一代有黃忠慎《宋代詩經學》，唯僅及歐陽修、蘇轍、鄭樵、程大昌、朱子等五家，其後依此文而有《南宋三家詩經學》，專論鄭樵、程大昌、朱子等詩說之內涵與特點，以爲諸說於當時已爲說《詩》主流，然此說作者其後已有修正；陳文采蒐集論析宋代詩經學著作。蔣秋華論析二程子理學思想於詮解《詩》、《書》時之影響。賴炎元有通論歐陽修詩經學之文；趙明媛探討歐陽修《詩本義》之詮釋觀、詩意觀，謂該書以《詩序》爲標準，發揚「詩教」爲主，並首度發覺到作品的語文意義；裴溥言以表格方式比較《詩本義》與朱子《詩集傳》之異同，論證歐陽修對朱子之影響；車行健則探討《詩本義》的版本問題。程元敏師除對王安石《詩經新義》輯佚的重大貢獻外，對王柏「刪《詩》」的原因、解《詩》的態度和方法，及宋代「淫詩說」的淵源與發展和影響，均有超出前賢的深入分析和貢獻。陳明義透過詮釋發展、著作內容，肯定蘇轍《詩集傳》在《詩經》詮釋學史上的價值與地位。戴君仁論析發抒朱子《詩集傳》的微旨；汪中斠補朱《傳》文字、說解之訛誤者；何澤恆分析朱子前後期說《詩》之差異；賴炎元亦有通論朱子詩經學之作；王春謀論朱子「淫詩說」於今人以文學觀點直解詩文之貢獻；陳美俐有《朱子詩集傳釋例》；許英龍討論《詩集傳》之成書經過、說詩手法與「淫詩說」的特點；李再熏疏通證明朱子詩經學之要義，並論其於中國與韓國之影響；林慶彰探討朱子說《詩》態度及其轉變之故，發現朱子之創見並不多；楊晉龍論述朱子《詩序辨說》之內容、意義及價值；謝信一有《由詩集傳叶韻說看朱子時代的語音現象》之作。郭麗娟探討呂祖謙《呂氏家塾讀詩記》之成書、內容及對前人詩說之批評，進而論其書之成就與疏失。林惠勝、洪春音均比較朱子與呂祖謙說詩之異同，林文以爲

出身、詩教觀、情詩觀點等之不同,導致兩者解說分歧;洪文謂朱「變古」而呂「折衷」,朱在通假、虛詞、名物上多有創獲,呂在名物與典章制度上成就較大,以影響論,宋代朱不如呂、元代以後呂不如朱。陳昀昀從生平、撰著經過、內容體例等探討王質《詩總聞》,謂其書具有「因人情求意」與「以賦體直解」的特點。李莉褒分析《詩緝》的內容與貢獻;程克雅比較朱子、嚴粲兩家「比興觀」之異同,以爲朱子就詩歌語文形式發掘比興義蘊爲較理想之詮釋型態,然因排斥美刺說,故不如嚴氏之觸類旁通而能發掘更豐富之意涵。

「元明」:明代詩經學研究實由林慶彰所帶動,除早期論證《申培詩說》乃王文祿所僞作的創見外,並探討朱謀㙔恢復漢學,肯定《詩序》的努力;及楊愼重漢學之詩經學研究;又與賈順先合編《楊愼研究資料彙編》,收錄有關楊愼詩經學研究之文;更翻譯日本學者村山吉廣探討鍾惺與郝敬詩經學研究的論文。通論一代的有楊晉龍《明代詩經學研究》打破傳統僅注重在詮釋上有創見者的討論方式,首創從傳播學的角度論證明代詩經學流衍發展的研究方法,進而指出漢學在明代發展的事實;又論析梁寅《詩演義》與朱子《詩集傳》不同之觀點、論證《詩傳大全》與《詩傳通釋》的異同與傳承關係,以見元明兩代詩經學發展的關聯性,並糾正顧炎武以來《大全》全剿《通釋》的誤說,也探討何楷《詩經世本古義》引用《化書》之意義。陳恆嵩亦論及《詩傳大全》與《詩傳通釋》的關係。劉人鵬與竺家寧均有分析陳第《毛詩古音考》成就與貢獻之文。蔣秋華探討郝敬、顧夢麟、陳子龍等在詩經學上的成就,惟誤將吳肅公之《詩問略》誤作陳子龍之作品。陳文采討論鍾惺批點《詩經》之內容與價值。吳春山、周全、杜松伯等則討論《子貢詩傳》和《申培詩說》二本僞書的問題。

「清代」：周浩治《清代詩經學》以胡適「《詩》爲歌謠，決無深意在」一語爲「金科玉律」，觀察清代詩經學演變之情形，謂傳統詩經學至清儒已集其大成，「吾人但述而不作可也」；❺周駿富有未完成之《清代詩經著述考》；李辰冬與何定生則討論清儒在研究上的創獲與限制。孫劍秋探討顧炎武詩經學內涵；張健論毛先舒的詩學觀點。專書則：亡友李光筠《詩經通義研究》，論此書於詩義闡發、援經證史、考訂名物典故之功，及受囿《詩序》等之缺失，並肯定其倡導漢學之影響。郭明華論述陳啓源《毛詩稽古編》之內容及其偏頗之處，又以爲此書優於朱鶴齡《詩經通義》。陳章錫疏解王夫之《詩廣傳》之義理，論證「情」在王氏思想的重要地位，並闡明王氏道德倫理之內涵，以見其內聖外王一貫之經世致用的經學精神；李錫鎮探討王夫之詩論中「興觀群怨」的意涵；曾昭旭師討論王夫之的詩經學思想。文鈴蘭謂姚際恆《詩經通論》反映清初考訂辨僞之風氣，說解重在詩篇與章句間的變化和文藝賞析，雖不囿於前人，然亦有激烈偏頗不實之見；林慶彰與蔣秋華合編《姚際恆研究論集》，收錄姚氏相關研究之文。岑溢成通過《詩補傳》以研究戴震治經、解經的方法，發覺他「始終維持著『會通詩禮』的立場」。❺符濟梅以江有誥、高本漢、陳新雄等之《詩經》韻譜，與段玉裁之古韻「十七部」比較而訂正段氏之訛謬。李景瑜肯定崔述《讀風偶識》就詩言詩，但體貼經文，尋繹本義，求實證於典籍，以駁斥先儒說詩之附會迂曲的方式，反對

---

❺　周浩治：《清代詩經學》（臺北：國立政治大學中文研究所碩士論文，1970年），頁323。

❺　岑溢成：《詩補傳與戴震解經方法》，同註❺，頁213。

其強調詩教、詩用等道德評論的崇經衛道之思想。黃忠慎論惠周惕之
詩說傾向於漢學，故以美、刺分正變之論不無可議，雖有若干創獲，
惟實無前賢所渲染之高明。鄭寶美依陳新雄「古韻三十二部」補訂孔
廣森《詩聲分例》之訛闕。江乾益以陳壽祺、陳喬樅父子蒐集三家詩
輯佚所得，探討兩漢詩經學之內涵，並述陳氏父子抉幽闡微、開闢今
文學之功。林葉連《陳啓源胡承珙詩經研究》之作，論陳、胡二氏之
詩學。劉邦治肯定馬瑞辰《毛詩傳箋通釋》謹慎求實、徵引廣泛、不
囿一家的態度，及以音求義原則、文學的探討等方法；洪文婷探討馬
氏的詮釋態度與方式，謂其重視證據、不黨同伐異，重視政教功能，
其獨到之處為：重視語文的結構意義和詩文脈絡，詮釋皆就作品中的
詞句而解等三點。陳智賢以段玉裁、陳奐、馬瑞辰的著作為例，析論
清儒以《說文》釋《詩》在訓詁上所造成的問題，謂有混淆文字學與
訓詁學、缺乏方法學的反省、浮誇而偏離訓詁目的等三項缺失。張曉
芬謂牟庭《詩切》雖有繁複之累、標新立異之失，然亦有以旁徵博引
之方式考證字義，以俗語說詩、以韻語解詩、以喻意說詩的特點，及
韻隨世變的認知等特色。林美蘭研究魏源《詩古微》之成書、版本及
內容，謂其書旨在發揮今文學諫書傳統，以達通經致用之目的，考證
〈泉水〉、〈竹竿〉、〈載馳〉為許穆所作，〈采薇〉三詩為宣王時
事等為其特見，然以講微言大義，不免有牽強附會、前後矛盾處。李
康範《方玉潤詩經原始研究》謂方氏治詩不顧《序》、《傳》，務求
得古人作詩本意，而刪賦比興三體，以為風雅頌皆因「體」以定名，
以四季分繫風、小雅、大雅、頌，以賦、比和寓言、事實分風雅，以
為頌亦有正變，謂詩無淫詩等，為其書之特點。胡靜君借皮錫瑞《詩
經通論》以窺三家詩遺說，及與毛《詩》之異同和優劣，以為皮氏論

《詩》因囿於門戶，固多偏頗。楊瑞嘉探討龔橙《詩本誼》的內容，並從「讀者反應」的角度，分析其「八重詩義」的意義。另外陳鴻森補正臧庸《韓詩遺說》；賴貴三於焦循；曾美雲於毛奇齡；黃忠慎於朱彝尊；左松超於崔述等，均有探討之文。而葉高樹則比較滿文本和漢文本《詩經》的不同。

「民國」：林慶彰探討民國初年反《詩序》成為「運動」的成因、內容與影響，謂受晚清今文學、西洋文化傳入、新文學運動的影響而起，於是反省《詩經》之本質，整理反《序》諸書，檢討重訂《詩》旨等。吳鳴（彭明輝）討論五四時期民歌採集與《詩經》研究的關係，謂使《詩經》擺脫美、刺的傳統，讓相信其間存有聖道王功之深義者、與視《詩經》為民歌者，均可各抒己見，而開啓研究的另一扇窗。洪國樑研究王國維詩經學，謂其常援禮以說《詩》，多能訂鄭玄之誤；論詩、樂、舞與禮的關係密切，而詩或本不為樂而作；以比較法推釋經義，為《詩》《書》訓詁一大發明；解《詩》《書》成語，旁徵於字形、音韻、文法、辭例而不拘於陳說，故多有勝出毛、鄭之上者；唯論〈商頌〉時代，似未注意後人重編或寫定之可能。季旭昇論聞一多運用古文解說《詩經》的問題；侯美珍謂聞一多以社會學眼光，視《詩》為史料，本著現代人求眞精神以解詩的方式，甚有價值，唯忽略文本而唯援引之西洋理論為準的，頗有穿鑿輕率之弊；又探討其運用佛洛伊德學說解詩的得失。王靜芳研究胡適《詩經》論著，以為胡適承繼反《序》傳統，充滿反省與批判精神，突破單一的詮釋方法，對於《詩經》多元角度與文法的研究，均有首倡之功，其對《詩序》固過分偏頗而缺乏學術尊重，所言亦欠缺完整、或有過於創新之虞，然亦潛藏無限研究的生機。江永川研究顧頡剛的文學史觀，謂其破舊

開新的核心觀念乃樂歌文學史觀,顧氏即以民謠樂歌的觀點解《詩》,
成為最早開拓《詩經》現代研究新方向的學者;丁亞傑謂顧氏從歌謠、
情詩、史料等觀點研究《詩經》的成就,成為爾後研讀《詩經》的基
本論述;洪國樑評論顧氏「重章複沓為樂師申述」觀點在論證上的不
足,以為「重章互足」乃《詩經》重要之藝術手法。陳文采討論傅斯
年的詩經學,謂其從史料考證與歌謠採集的原則出發,加入語言學的
分析歸納,和考古學的史料重建,雖有支離、矛盾、臆說之失,然論
證商周同源與《詩》中「性、命」觀、天命思想的轉變則頗值得注意;
季旭昇論于省吾利用出土文物與古文字為材料的解說方式,開創了另
一新的研究大道。金中樞以《詩經》為錢穆「天人合一觀」的論點作
證。屈萬里之《詩經》學除何定生、張學波、林慶彰突顯其在詩旨、
訓詁、傳播的重大影響外,洪國樑研究其「亦通」二十七例,以見屈
氏治《詩》欲學者「會觀二義以求解」、「需會通數義,方能見其全
貌」之本意;蘇雪林稱美屈氏:「《詩經釋義》考證精審,要言不煩,
嘉惠後學,靡有窮已」;謂糜文開與裴溥言之《詩經欣賞與研究》為
「堂堂乎巨著」、王靜芝《詩經通釋》「精采」、劉明儀之譯作「甚
為優美,且辭句鮮活,情趣溢洋,為《詩經》譯界之翹楚」。[58]夏傳
才以為趙制陽三本《詩經名著評介》以「有理有據」的「堅實基礎」,
心平氣和的商榷諸家論著之是非,在詩經學史上甚有貢獻云。[59]亡友
李光筠則稱美裴溥言諸書,通俗流暢,在傳播上的貢獻甚大。林慶彰

[58] 蘇雪林:《詩經雜俎·自序》(臺北:臺灣商務印書館,1995年),頁2-3。
[59] 夏傳才:〈詩經名著評介序〉,趙制陽:《詩經名著評介》(臺北:萬卷樓圖書公司,1999年),第3集,頁3。

則論朱守亮《詩經評釋》之優缺點。

臺灣詩經學界這段期間最熱鬧的問題，則是有關李辰冬《詩經》為尹吉甫傳記的研究方法和結論的評論，張喆（即張易克）的《詩經論戰：李辰冬的詩經研究》一書，實際上是一面倒的為李氏見解辯護的專書，不過質疑反對者還是站絕大多數。惟就今日所能獲知之資料與研究而論，客觀的觀察李氏的研究方法、取證的資料、論證方式等等，則李氏企圖擺脫束縛的創新心態，固然有其時代的意義和價值，但結論實在難以成立，就其研究的成果而論，最多也只能具有學術史的意義，實在很難說有多高的學術價值。

「域外學者」：呂珍玉檢討高本漢（Bernhard Kanlgern）《詩經注釋》字句訓詁的成績，以為其批評清儒濫用假借與語詞的貢獻最大，然亦有十六項缺失；董同龢、屈萬里、趙制陽等亦曾為文評論高氏在詩經學研究上的成就與缺失；陳新雄則譯介高本漢之《詩經》韻讀與擬音。翻譯問題：韓世芳和鄭臻討論龐德（Ezra Pound）；齊明探討威利（Arthur Waley）；古添洪評介理雅各（James Legge）與 Ezra Pound；孫小玉分析 James Legge、Bernhard Kanlgern、Arthur Waley、Ezra Pound 等四本《詩經譯本》的翻譯，是否能如實的呈現《詩經》的原文意涵，並論因譯生晦等問題；陳慧樺則介紹王靖獻的《鐘鼓集》與「套語詩理論」。韓國則有金基喆〈朝鮮正祖大王與丁若鏞問答詩經之研究〉一文。林慶彰有評介日本村山吉廣與江口尚純合編《詩經研究文獻目錄》之作。

中外比較研究，與西方世界的比較，如：劉慶順《伊利亞得及詩經中的英雄主義》，比較兩書中呈現的不同英雄特質，以見不同文化背景下的英雄樣貌。另外有葉龍的〈國風與雅歌的修辭研究〉、周聯

華的〈詩經與雅歌：抽樣比較欣賞〉、裴溥言的〈詩經比較研究：舊約雅歌篇〉、王臣瑞的〈荷馬與詩經書經中對人之觀念比較〉、大東的〈孔子詩論與亞里斯多德詩學之比較〉、倪樂雄的〈東西方戰爭文化的原型蠡測：荷馬史詩與詩經比較研究〉、康華倫的〈詩經與義大利第九至第十二世紀詩選之比較〉等論著，皆從比較文學的角度，探索中國與希羅文化和基督文化等不同文化背景下，不同文本的呈現方式與內涵之異同。

與東方世界的比較，主要是與日本的對比研究，如：田中久美子的〈由構思動機探索詩經與萬葉集中之戀愛詩〉，以爲兩者形成時期的歷史條件相同，因而從構思動機以探索比較兩書詩篇所表達的生活與心性意志的情況，結論是兩者的動機相似，但性質有別，《詩經》表現了對現實人間的深刻複雜與博大，《萬葉集》則充斥著個人的傷感與詠嘆。吳素珠〈東方古典戀歌：環繞詩經國風與萬葉相聞歌的討論〉，從情歌的角度，比較〈國風〉與日本《萬葉集》內容，來源及表現技巧、功能等的相關問題。翁蘇倩卿《詩經與神樂歌催馬樂梁塵秘抄之比較研究》一書，以《詩經》和日本流傳而深受中國唐代前後音樂影響的民間音樂相互比較，以見其間的關聯性與異同。

「相關研究」：除文獻學相關的研究，因不出前節所論，故不再重複論說，以及上述幾方面的成果外，還有一些未再充分討論，頗值得注意的研究議題與成果，包括：

㈠教學傳播方面的討論，如：客南的〈李辰冬談詩經的研究與作文教學〉、趙友培的〈詩經研究與文史教育〉、蕭麗華的〈以傳統中國文化爲本的教育內涵之研究——《詩經》課程的通識內涵與教學設計〉等文，均與教學的設計相關。丁肇琴討

論戲劇教學之文，以《牡丹亭・閨塾》爲例也涉及《詩經》
教學的功能問題。

㈡以兒童教育爲中心而設計的論著，如：陳照旗的《兒童啓蒙文
學：詩經》陳仁華的《母親的哼唱：沐受詩經的風》、王財
貴的《大字白文注音詩經》、潮流教育委員會編輯的《詩經
童話：兒童著色畫冊》、蔡琨華繪圖的《詩經童話：風的故
事》等，多是著眼於啓蒙教育的立場，思考如何更有效的引
導兒童學習而設計的課本。王財貴等編輯收錄以閩南語朗讀
《詩經》的錄音帶，主要也是爲兒童的學習而設計。

㈢有關教育功能的討論，如：劉德義〈也談詩經：一位音樂教育
工作者的困惑〉、傅佩榮〈詩教的成效〉、鍾吉雄〈詩經的
教育功能〉等，都關心如何使《詩經》的教育，在實際的學
習過程中，獲得有益的教育功效。

㈣討論文學與經學的互動關係，除前述《詩經》與《楚辭》關係
的討論外，還有裴溥言〈詩經欣賞：從經學到文學〉、范麗
珠〈詩經與漢賦之關係〉、潘重規〈詩經文學與唐代社會詩
人〉、楊承祖的〈風詩經學化對中國文學的影響〉、蔡宗齊
的〈詩經與古詩十九首：從比興的演變來看它們的內在聯繫〉、
歐天發〈從歌謠樂舞賦誦看詩與辭賦文學之成立〉等文，主
要在探討中國文學發展的過程中，《詩經》與文學間關聯性
的問題。

㈤論證《詩經》與民俗關係的研究，如：前述日本人白川靜的《詩
經研究》，除以《萬葉集》作爲比較文本外，又以民俗的觀
點詮解《詩經》部分篇章。另外孫述山有《詩經中的民俗資

料》；裴溥言和莊申有討論禊俗演變之文；黃肇基則有一系
列有關《詩經》民情風俗之文章，主要在探討《詩經》表現
的婚姻、歲時及其他日常生活中的習尚。

(六)討論《詩經》詮解方法與理論的問題，除了早期如：李辰冬、
于維杰、宋鐸榮、蘇雪林、費海璣、張健、糜文開與裴溥言、
黃永武、李日剛、趙友培、程榕寧、趙制陽、黃振民等人，
均有傳統研究方法的討論外，另外則是歸納參用現代西洋詮
釋相關理論而寫作的論文，除前述顏元叔之文外，至少有：
車行健的《毛鄭詩經解經學研究》，此文即在詮釋學的意義
下，探討《傳》、《箋》詮解內涵之間的互動關係。林耀潾
的〈詩大序的文學理論與詩經解釋學的建立〉與〈孔子的詩
學理論與詩經解釋學規模的範鑄〉兩文，也是從解釋學的角
度以觀察《詩經》「政教的」詮解之內涵與問題。高莉芬〈論
「詩無達詁」的現代詮釋精神〉一文，借用現代詮釋學的觀
點，論證自董仲舒以來，充分肯定讀者在詮解《詩經》之際
主觀隨意的創造性詮解之合理性，與文本客觀意義存在的有
效性間融合為一的詮解思想，大大的豐富了《詩經》詮解的
多樣性之可能。楊晉龍《明代詩經學研究》，則從讀者接受
的角度，論證《詩經》漢學與宋學在明代傳播消長的情形。
楊瑞嘉《龔橙詩本誼研究》也從「讀者反應」的角度，探討
《詩》義的問題等。

以上六項議題的內容，大約是這五十年間在研究的選題上，比較未受
到充分注意或有待繼續開展的研究課題。

臺灣近五十年來詩經學中，整體所呈現比較重要的內容現象，經

由前述的討論，當可瞭解臺灣詩經學有哪些成果？以及學者在哪一方面的研究較有貢獻？以下即檢討其特點與問題云。

六、結論：研究的回顧與展望

臺灣詩經學的發展，從比較寬廣的角度論，誠如夏傳才所說，是「全方位、多層面」的研究，學者論學之際，多能彼此尊重，意氣之爭較少，表現出：在研究方法上注重證據與邏輯分析；在研究態度上尊重與容忍不同觀點的表達；在學術成果上多元而稍有偏執。至其特點、問題與未來之展望，則如下所述：

㈠臺灣詩經學的特點

臺灣近五十年的詩經學發展，在前述多元發展的基本原則下，呈現以下幾項特點：

1.參與研究者的層面寬

分析前述統計資料，在七百五十四位發表論著的學者中，學、碩士學位論文有一百一十篇，非中文相關系所的學、碩士論文有十二篇，佔一成左右，其中包括社會系、歷史所、哲學所、外（英）文所、翻譯所、藝術所與新聞所。社會系從社會學的角度探討《詩經》表現的社會狀態；歷史所則分析《詩經》中的史料，以見其呈現的時代社會之狀況；哲學所則從倫理學的角度以論禮樂教化之性質；外（英）文所與翻譯所，或研究修辭、或探討英譯《詩經》翻譯過程中產生的「因

譯生訛」的問題、或比較不同文化的文學表現方式和內容的問題;藝術所則討論曲譜的問題;新聞所則從大眾傳播學的角度討論《詩經》的媒介性質與傳播的作用,所用之方法與切入的角度,頗有助於詩經學研究層面的突破。

另外植物學家耿煊、臺北植物園均有《詩經》植物之研究;屏東野鳥學會有關於《詩經》出現的鳥類之研究;理論作曲家劉德義則研究《詩經》曲譜與譜曲;職業醫師黃朝仁、高職教師劉明儀、高中教師甯榮璋、文學工作者李農（李友白）、近現代文學研究者周錦等均有賞析著作;歷史學者杜正勝則有翻譯之作;建築史研究者謝敏聰更背著照相機去尋訪《詩經》的故地;❻在網際網路上亦有高中學生的賞析文章等等,這些不同專長、不同職業、不同身份的研究者,共同構成臺灣詩經學複雜而不侷限於一家的龐大研究群,同時也可看出臺灣《詩經》的普及與喜好者層面之寬廣。

2.研究涉及的內容廣

根據「內容分析」和「成果與貢獻」兩節所述,可見臺灣學者在詩經學內容研究上的廣泛:無論是以倫理教化爲主,而重視實踐要求的「傳統經學的研究」;或有關《詩經》、《詩序》的本質、篇章、作者、編者、詩樂關係、價值等問題探討的「基本問題的研究」;或以現代的美感經驗、藝術賞析、寫作技巧、文學批評等爲主的「文學的研究」;或以《詩經》爲歷史資料而探討有關史實、典章制度、日

---

❻ 謝敏聰:〈周族與西周王朝—《易經》、《詩經》、《書經》故地巡禮〉,《牛頓雜誌》第15卷第7期（1997年12月）,頁108-121。

常器物、社會型態、風俗民情、感情婚姻、地理天文、動植物等相關的「歷史的研究」；或以《詩經》爲素材，探尋古人的生活習俗、儀式祭典、自我定位的「人類學的研究」；或以文字、音韻、訓詁、文法爲內容的「語言文字學的研究」；或以目錄、版本、校讎、輯佚爲主的「文獻學的研究」；或跨文化的翻譯、紹介、比較的「域外的研究」；或針對通代、斷代、地域、學派、專家、專書的內容、特色、優缺點、影響、傳佈、流衍等學術現象加以分析探討的「經學史的研究」等等，均有論著涉及，呈現的狀況是：全面性與多樣性。

3.資料蒐集認眞確實

　　兩岸政治因素隔絕雙方的學術交流，戒嚴時期不但大陸學者的資料不易獲得，引用大陸學者的研究成果，甚至有「入獄坐牢」的危險性，但出版社與學者還是會設法將比較重要的成果以「隱諱方式」出版或引用，如：臺灣商務印書館將《朱熹》一書作者周予同改爲周大同（1968）；高雄大眾書局將余冠英《詩經譯注》作者改成李度、臺北洪氏出版社則改爲陳愼初（1977）；符濟梅論文引用王力諸文則稱「王君」（1976）；屈萬里《詩經釋義》諱稱「近人某氏說」。❻另外博碩士論文的取得不易，即使是設於政治大學的社資中心也無法完整齊全。單篇論文的蒐集更不易，即使到八九年複印大陸刊物，還會蓋上「匪僞資料，不得傳佈」的紅色方塊大印。然而多數研究者多能不辭辛勞的搜羅引用，只要翻閱一下諸家論著，尤其是學位論文的「參

---

❻　屈萬里：《詩經釋義》（臺北：中華文化出版事業委員會，1953年），上冊，頁6、頁15、頁19、頁24。

考書目」，即可見學者蒐集資料之認眞勤勞。

　　兩岸開放學術交流以後，臺灣學者重視相關資料蒐集的態度依然不變，林慶彰二本《經學研究論著目錄》的出版、開放大陸出版品的流通、電腦網站「圖書目錄檢索」、「論文目錄檢索」、「博碩士論文檢索」等系統的普及性、及愈來愈方便的館際合作複印措施之實行等等因素的影響，臺灣學者論著中引用大陸及外國學者研究成果之情形，乃成爲研究者之常態。如黃忠愼《詩經簡釋》引用俞平伯、聞一多、陸侃如、蔣見元、陳子展、高本漢、竹添光鴻、白川靜、高亨、于省吾、程俊英等大陸及外國學者之文；余培林《詩經正詁》引陳子展等十多家大陸學者之成果；張曉芬的碩士論文引用大陸出版或學者的論著七十餘種；韓籍留學生文鈴蘭的博士論文除引有四十餘種大陸學者論著外，還引用了美國、韓國學者的論著；侯美珍研究聞一多的碩士論文因爲涉及民俗學，除大陸學者的資料外，引用的外國相關資料也有十多種。這只是隨手舉出的論著，由此可見臺灣學者蒐集資料認眞、博采的良好態度。

4.研究內容漸趨精細

　　早期學者，可能基於學術推廣的需要，所以好寫一些無所不談而難有創見的通論性文章，這類文章當然有其需要，此後也還會不斷的出現。不過就比較學術性的學位論文觀察，可以發現針對某一特定主題、或某一本專著的論文佔絕對多數。即使單篇論文，從統計資料上也可以看出針對作者、刪《詩》、《詩序》相關問題、比興問題、音韻研究、字詞與文法研究、單篇詩文賞析、專書、專家等較專業問題分析討論的文章，佔有相當大的比重。學位論文中通論上下古今的也僅有

林葉連一人而已；縱論某一個朝代的也不過有周浩治、周駿富、黃忠慎、楊晉龍、陳文采等五人而已；通論兩家以上者也只有林惠勝、林耀潾、陳智賢、洪春音、劉慶順、鄒純敏、程克雅等七篇論文。多數論文則研究諸如：意象、字詞、音韻、專著等較爲單一的主題，至於譚莉萍研究三篇〈揚之水〉、吳萬鍾僅研究一篇〈關雎〉，集中研究的態度更爲明顯。從這些現象可以看出臺灣詩經學逐漸趨於縮小範圍、單一主題的研究傾向。

　　以上四點即臺灣詩經學呈現的特點，這些特點在整個臺灣學術發展史上，因爲同處在相同的時空之中，或許不是詩經學的領域內特有的現象，不過卻不能因此遂認爲共相而置之不論，反可以證明詩經學之發展並未脫離整個臺灣的學術大環境。

㈡臺灣詩經學的問題

　　「多元化」表示學術充分自由，也表示是一個沒有共識、各說各話的時代；由於缺乏學術深度與敬業精神，學者興趣因多元而易變，於是形成熱鬧有餘、深入專精不足的實況，臺灣詩經學在這畸形的現象下呈現的問題，大約有以下幾點：

　　1.專業精神稍有不足

　　觀察全數七百五十四位論著發表者中，僅一條者四百九十九人；二條者九〇人，佔作者總人數百分之七十八。以博、碩士論，除學位論文或摘錄論文發表外，無其他新作者七十七人，佔了博、碩士總人數一百一十六人的百分之六十七，這種專業養成教育無法落實的問題值得深思。另有四十三位單書的作者；四百位獨篇論文的作者，除一

條論著外無相關作品。這種僅有一篇論著者佔全部作者八成左右的情形，實在值得深思檢討。

推求上述現象之原因：一則學者一時興起，於是選取前人合乎己意之說而成文，實無專業之素養，因非興趣所在，遇上比較專業的問題時，只好放棄而不願繼續深入，其中以賞析類最多。再則以《詩經》為史料，此為五四以後多數學者之共見，既然視《詩經》為工具性之材料，而非研究主體，則其轉移研究方向實乃必然之勢，尤以研究史實、音韻或探討修辭、意象等文藝技巧者為多。

以《詩經》為史料的研究者，尚可置之不論，至於一時興起的作者，那種過分輕忽專業能力、及缺乏專業素養認知的心態，倒頗值得玩味。這種怪現象其實長期存在於臺灣學界，有不少人以為只要是中國人、認識中國字，就可以研究中國傳統的學術，不少文章實際上僅在重述或改寫前賢之見，並無任何新意。甚至因為專業精神不足，而出現抄襲之作，學者若一時不察，也就難免受欺了。例如：彭維杰即誤引多抄襲程元敏師《王柏之詩經學》內容之蔣勵材論述「淫詩」之文[62]；謝无量抄襲日本學者諸橋轍次《詩經研究》及江帆《韓詩內外傳的流傳及其淵源》抄襲金德建等事，則至今猶未被揭發。[63]這類論

---

[62] 蔣勵材：〈國風「淫詩公案」述評〉，《東方雜誌》復刊第10卷第11期（1977年5月），頁71-78、第10卷第12期（1977年6月），頁70-76。其文中資料與論點多不出程師大作之外。

[63] 謝无量：《詩經研究》（上海：商務印書館，1923年）；〔日本〕諸橋轍次：《詩經研究》（東京：目黑書店，1912年）。不但書名相同，謝氏第1、2、3、4、5章，依次即約諸橋書之第3、（1與2）、5、4、6章之文而成。另外徐英：《詩經學纂要》（上海：中華書局，1936年），頁87-88所述：敦厚、周慎、克制、勤儉等四端，亦與諸橋書頁189-198之論相似。金文發表於《新

著對詩經學之傳播固有作用，然於《詩經》之研究，如：內容之深入、主題之開發、方法之創新等整體研究水準之提昇，實無任何助益。熱忱有餘而專業瞭解不夠，正是臺灣詩經學界出現的首一問題。

2.研究內容猶有偏向

觀察前述內容的統計和說明，可以瞭解臺灣這五十年間詩經學的研究範圍，固然已經非常廣泛，但如果再進一步對研究主題加以分析，卻還會發現有過度集中的現象，例如：基本問題、語譯賞析、語言文字學、兩漢、先秦、宋代、孔子、毛《傳》、鄭《箋》、朱子等相關議題的研究，論著的數量顯然較多。至於較少人研究的項目，如：㈠有關文獻學的研究；㈡詩教與實踐相關議題的研究；㈢六朝、隋唐、五代、遼金朝、元代、明代等詩經學者，或某些前賢未論及而今存的專書，如明代魏浣初的《詩經脈》、馮元飆兄弟的《詩經狐白》等書的研究；㈣域外相關的研究，如：日本、韓國、越南、亞洲其他地區、俄國、歐洲、美洲等研究的狀況；㈤比較研究，如：不同文化的相似或相同主題的作品；不同時代的作品；不同民族文字，如：滿文、蒙文、回文；相同時代不同地域與不同作者或家派的作品等等的比較研究；㈥外國論著的中譯，除高本漢、白川靜、吉川幸次郎外，末見其他譯本；㈦儒釋道經典註解交流影響的研究，如：《詩經》在道教經典、佛教經典、基督教士作品中的作用與影響，或道教經典、佛教經典、基督教士作品等在《詩經》註解上的作用與影響；㈧教學傳播的

中華》復刊第6卷第7期（1948年4月），頁47-48；江文發表於《新天地》第6卷第8期（1967年10月），頁4-5。有關蔣氏與江氏抄襲諸事，蒙程元敏師賜知，謹此致謝。

研究；㈨文學與詩經學互動關係的研究；㈩詮釋方法與理論的研究；
㈪讖緯與詩經學關係的研究；㈫地域或學派詩經學的研究，如：嶺南
地區、四川地區、福建地區、臺灣地區或朱子學派，呂祖謙學派、揚
州學派、常州學派等等。以上幾方面研究論著的篇數明顯偏少，甚至
還有無人研究的議題，這些比較缺乏學者投入的研究方向，也正是爾
後臺灣《詩經》研究者，還可以加強及開發的論題。

考察這種現象出現的原因，除受語文限制的域外相關研究，需加
強不同語文的訓練，或培養專門的譯介人才或研究單位外，實與缺乏
專業認知、以及研究方法未能突破有關，由於專業的投入不足，不但
在研究方法上難以創新，在研究內容上也無法開出新議題，承襲舊方
法和舊議題的方向以思考研究，成為部分學者理所當然的選擇，前賢
重視者依舊受重視，前賢未注意者也同樣少有人留心，有待開發或需
要重新檢討的論說和議題，依然存在，難見新意的相同主題、或不同
主題而以相同方式研究的論著，也就難免一再出現了，這是臺灣詩經
學界需要痛切檢討的問題。

3.資料取用還可加強

臺灣學者固非常重視資料的蒐集探討，然多僅注意及《詩經》專
業領域的成果，能超出範圍而廣蒐其他領域之相關資料者，實不多見。
這類資料除需要突破語文限制的域外學者之研究成果不計外❹，主要

---

❹　有關西方學者研究《詩經》的成果，可參見大陸學者王立娜：〈西方詩經學
　　的形成與發展〉，中國詩經學會編：《第二屆詩經國際學術研討會論文集》
　　（北京：語文出版社，1996年），頁14-27。

的有動植物與天文地理學者的研究成果；以及新出土的原始資料；和
依據出土資料研究的古文字學與殷周上古史的成果。雖然自然科學學
者的研究成果；與出土資料的判讀，甲、金、楚簡、漢簡等文字的瞭
解，難以盡洽人意而猶有商榷之餘地，但研究者若能從專業認知上謹
慎的加以檢證使用，還是具有相當高的參考價值，且對學者眼界的開
闊實大有幫助。

　　引用甲、金文資料以釋《詩》者，如屈萬里引金文以證「弔」爲
「淑」之訛；❻引甲骨文以證「育」當讀爲「後」。❻楊樹達以金文
證〈小雅・南山有臺〉「保艾」之「保」，義爲「輔相」、〈大雅・
江漢〉「王休」之「休」義爲「賞賜」❻：又證〈魯頌・閟宮〉「克
咸厥功」之「咸」義爲「竟」或「終」。❻裘錫圭據甲、金文證〈鄭
風・大叔于田〉之「暴虎」乃「不乘田車徒步搏虎」。❻李學勤根據
出土新資料作出許多與《詩經》傳授有關的論證：如據「平山三器」
銘文多引《詩經》之文，論證子夏傳《詩》，經曾申、李克、毛公一
系之說，並非毫無根據；又從《毛詩》授受多在魯地，以論《詩・大
序》和《禮記・樂記》間必然的關聯性；從古代書籍成書的狀態，謂

---

❻　屈萬里：《詩經釋義・天保》，同註❻，下冊，頁125。

❻　屈萬里：《詩經詮釋・邶風・谷風》（臺北：聯經出版事業公司，1983年），
　　頁64。

❻　楊樹達：《積微居金文説》（北京：中華書局，1997年增訂本），頁16、頁
　　86。

❻　見李學勤：《綴古集》（上海：上海古籍出版社，1998年），頁220。

❻　裘錫圭：《古代文史研究新探》（南京：江蘇古籍出版社，1992年），頁165。

應重新檢討〈商頌〉非商代詩的陳說。⑩杜勇據金文材料以證西漢以前多認爲「召伯即是召公奭」。⑪史念海考察《詩經》出現的原、隰、丘、皐、陵、岡、阿、京、泮、沮洳等的地形特徵。⑫何炳棣論證《詩經》中植物的種類、生長、特徵與氣候。⑬張光直《商代文明》⑬與杜正勝《周代城邦》、《古代社會與國家》等書中，⑮多有涉及《詩經》詩旨、史事、訓詁等相關議題之詮解者。此類研究對詩經學頗有值得參考和討論的價值，而似未有注意及者。這些即是臺灣詩經學者選用資料之際，可以再加強注意或引證的成果。

　　兩岸開放學術交流以後，對於雙方學術界均有正面的幫助，應該是無庸置疑的事實，不過在研究成果的取用上，臺灣卻也發生一些流弊。例如臺灣部分學者及研究生，或由於好奇、或基於追新、或基於炫博、或學術判斷不足，在參考引錄大陸學者資料之際，無法確實地從學術角度看待大陸的研究成果，反以多量引用大陸資料爲「時髦」，對大陸學者的研究多不加思索的抄錄，甚至忽視臺灣

---

⑩　李學勤：《東周與秦代文明》（臺北：駱駝出版社，影印1984年本），頁79-89；《周易經傳溯源》（長春：長春出版社，1992年），頁80-90；《失落的文明》（上海：上海文藝出版社，1998年），頁104-106。

⑪　杜勇：《尚書周初八誥研究》（北京：中國社會科學出版社，1998年），頁124-140。

⑫　史念海：〈論兩周時期黃河流域的地理特徵〉，陝西歷史博物館編：《周文化論集》（西安：三秦出版社，1993年），頁126—146。

⑬　〔美〕何炳棣：《黃土與中國農業的起源》（香港：香港中文大學，1969年）。

⑬　〔美〕張光直著，毛小雨譯（北京：北京工藝美術出版社，1999年）。

⑮　杜正勝：《周代城邦》（臺北：聯經出版事業公司，1979年）、《古代社會與國家》（臺北：允晨文化實業公司，1992年）。

學者在相關研究上，更深入更有效的結論，這種現象除表現部分學者缺乏應有的學術抉擇判斷能力外，更容易造成研究發展的倒退和自我矮化的嚴重後果❼，這當然會對臺灣詩經學的發展造成不良影響。其中最明顯的就是極力反對詩教的「封建思想」，誇張地讚揚《詩經》「人民性」的觀點，這種觀點暗合那類深受五四新文化運動「殘留遺產」影響的學者們，兩者相互結合的結果，就是頑固而過度的誇張《詩經》文學性或民俗性研究的價值、或過分地譴責或鄙視《詩經》經學性或教化性研究的價值，這也就是時至今日，猶出現充滿「唯我獨尊式」排斥請教等不正常心態發生的原因之一。這是臺灣詩經學者在取用兩岸相關研究資料之際，需要注意改進的不良現象。

4.批判態度不盡客觀

臺灣的詩經學者除第一代外，多數與五四並無直接的關聯；除傅斯年外與胡適的學術關係也不大，但由於授課教師、啓蒙參考書、學術風氣等交織下的無形影響，不少學者表現的態度，不是「胡適式」的視傳統爲遺孽的「凡古皆非」；就是受胡適影響的「顧頡剛式」的

---

❼ 這種引錄資料不正常的心理所造成的學術流弊，可以參考陳益源紀錄：〈海峽兩岸學術交流與中國的統一座談會〉，刊於《國文天地》第30期（1987年11月），頁10-17；陳芳汶紀錄：〈大陸學術資料流通問題——研究生座談會〉，刊於《國文天地》第37期（1980年6月），頁26-33；連文萍：〈八〇年代中國古典文學研究概況〉，龔鵬程師主編：《五十年來的中國文學研究》（臺北：臺灣學生書局，2001年），頁60-73；陳友冰：《海峽兩岸唐代文學研究史》（臺北：中央研究院中國文哲研究所，2001年），下冊，頁422-423等處的敘述。

視古人爲笨伯的「凡疑皆好」，因此批評之際，不免有自視過高而導致自以爲是的情形。

胡適自有一己之中心思想與主張，唯開卷讀《詩經》即要「推翻毛《傳》、唾棄鄭《箋》、土苴孔《疏》，一以己意造爲《今箋新注》」，且「自信此《箋》果成，當令《三百篇》放大光明，永永不朽」；又批評說：「漢儒最迂腐，眼光最低，知識最陋。他們把一部《詩經》都罩上烏煙瘴氣了」⓲；又謂：「《詩經·國風》多是男女感情的描寫，一般經學家多把這種普遍眞摯的作品勉強拿來……，牽強的解釋，便把它的眞意完全失掉」；又說：要「用文學的眼光讀《詩》」，⓳其視《詩經》爲「文學」；反對漢儒以《詩經》爲「經學」之論，外人自無置喙之餘地，然誠如柯慶明師所言，胡適的某些觀點「或許是草率而錯誤，但是影響之大確是事實」。⓴不少學者對傳統詩經學強調的倫理教化功能的「詩教」，所寄托的《詩序》之解說的批評，即承繼胡適之私見而極盡輕薄之能事，如魏仲佑〈論《詩經》與《毛詩序》〉一文，㉚即可見大量發揮此種輕薄私見之論。而以「文學眼光」讀《詩經》也成爲多數學者共識，周浩治甚至奉之爲「金科玉律」（《清代詩經學》，頁323），可見胡適的觀點與態度影響之大。

⓲ 吳奔星、李興華選編：《胡適詩話》（成都：四川文藝出版社，1991年），頁3、頁399。

⓳ 胡適：《胡適古典文學研究論集》（上海：上海古籍出版社，1988年），上冊，頁330、頁288。

⓴ 柯慶明師：〈中文系格局下的文學教育〉，《大學人文教育的回顧與展望》，同註㉚，頁223。

㉚ 魏仲佑：〈論《詩經》與《毛詩序》〉，東海大學中國文學系編：《傳統文學的現代詮釋》（臺北：文史哲出版社，1998年），頁183-200。

　　以比較多元的角度來看《詩經》的研究，只要是以《詩經》文本
爲主的研究，無論是現代追求詩文本意的「文學研究」；或是傳統注
重倫理教化的「經學研究」，均可以各自成「學」，並沒有彼此無法
共存的對立狀態，前述所舉吳宏一師之文即有此看法，吳師更提醒學
者不要以爲「古人都愚昧，而今人皆聰明；古今說法的差異，主要還
在於：鑑賞角度的不同」；又提醒學者應該考慮「舊說是否因爲古今
的風俗習尚有所不同，因而不容易被今人所體會、所瞭解」；並舉例
說明今人以《禮記・深衣》之說而否定《毛傳・鄭風・子衿》解「青
衿」爲學子之服的說法，就像以杜鵑花不只臺灣大學纔有的理由，指
稱呼臺大爲「杜鵑花城」者爲胡說一樣[81]，由此可見承繼胡適觀點和
態度的批評方式，值得再加檢討。龔鵬程師更認爲：「各個時代不同
的解經人往往也有他們自己及時代關心的問題。他們讀經典、解釋經
典，其實是透過經典表達自己對這些問題的看法」[82]，瞭解這一點，
則那些在自矜自高的心態下，不自覺而形成的輕薄言詞，也就可以自
然消泯了。

5.研究方法尚可商榷

　　根據上文的論述，應該可以同意陳平原「時至今日，過分貶低『文
人文學』而高揚『民間文學』，仍是研究者必須面對的五四遺產」之
言；[83]臺灣不少學者所以反對「詩教」，並非眞研究過或瞭解到「詩

---

[81]　吳宏一師：《白話詩經》，同註[40]，第1冊，頁216-217、第2冊，頁234。

[82]　龔鵬程師：《四十自述》，同註[24]，頁199-200。

[83]　陳平原：《中國現代學術之建立——以章太炎、胡適之爲中心》（北京：北
　　　京大學出版社，1998年），頁202。

教」的問題，事實上多數是受到五四「高揚民間文學」觀點的影響而生，由於成見在心，在研究方法上，不免就有周策縱批評胡適「在歷史中予取予捨」缺乏「尊重事實」態度的缺失。❸成見既深而無客觀超然的態度，所以多以前人之說爲定論，難有創見，某些批評或論證，只是個人未經證實私見的宣傳或承襲前人意見的情緒性發洩，缺乏學術價值。如前舉魏仲佑之文，文中充斥諸如：遷就、迂遠、附會、支蔓、可笑、曲意說解、漫無標準、撲風捉影等等「以罵代證」的空話，不過再次傳達五四以來部分「反傳統」學者的情緒性語言而已；其實仔細閱讀魏氏大作，可知把這類無謂的語句完全刪除，絕不至於影響到該文的價值與意義，可見問題出在「不自覺」的成見上。另外李辰冬《詩經》爲尹吉甫之作的結論，實際上是把自己的「想法」強加在詩篇的結果，❸文中之論證乃爲其「想法」作宣傳，而非探求事實之眞相。由於受此影響，也就少有人會思考現代學者將〈國風〉割裂而出的詮解方式；與傳統視《詩經》爲整體的解說，是否有原則上的差異？順著「高揚民間文學」的思路而不斷延伸的研究方法，是否有「過正」的弊病？現代學者是否眞的已經完全證實〈國風〉內容絕對僅有男女私情而絕無其他可能性？或證實《詩經》不可能有道德倫理教化的考慮？或有足夠的證據證明《詩序》毫無傳承而僅是衛宏一人的私見？如果研究之際能更有自信的對「刻板印象」下的權威諸說稍加反思，則論斷或許可以更具說服力、更加客觀可信，而且也更有可能開

---

❸　〔美〕周策縱：〈胡適對中國文化的批判與貢獻〉，《胡適與近代中國》（臺北：時報文化出版公司，1991年），頁333。

❸　丁邦新：〈可以休矣—李辰冬先生「現在發現的」兩篇「鑰匙詩」讀後〉，《文星》第79期（1964年5月），頁22-26。

發出新的研究方法。

　　前舉林慶彰與夏傳才之文，皆肯定學習西洋相關理論以研究的方式，例如利用民俗學、神話學、新批評、詮釋學等；另外像套語理論、讀者反應、系統研究、語言符號、意識心理、傳記歷史、經濟社會、階層性別、種族國族、政治宗教、價值倫理、後殖民主義……等等理論，當然也可藉以研究《詩經》的本質、意義、價值。對西洋相關理論的學習、瞭解，絕不能忽視，但要利用西洋理論以詮解或挖掘《詩經》之內涵，則要考慮是否會產生一知半解式的「硬套」之失，深研西洋理論的柯慶明師所提：「在深受西方理論的諸多啓發之餘，卻更感覺中國文學自有一己的主體存在，無法也不必削足適履，張冠李戴；除非必要總覺得能夠以中國自己的語言來詮釋中國自己的文學傳統時，就儘量用中國自己的語言」的經驗之談❽，或許可以提供《詩經》研究者在借用西洋理論之際做參考。再者從某個角度論，現代詩經學僅知「文藝」而過分排斥「詩教」的偏頗，豈非也是過崇西洋理論以致「削足適履」的結果？這類僅知一方的偏頗者，相對於另一類僅容許「經學」的研究者，是否共同組成了臺灣詩經學研究的「路障」。

　　如前所述，臺灣研究《詩經》的學者，多數缺乏對權威性解說的反省，因而難以開創出新局，以筆者專業的詩經學史研究爲例，多數僅注意到那些早經確定的名家或大家；研究方法也幾乎是千篇一律，無論研究那一朝代的那一個人，其論文大綱的內容，差別甚少，難見脫離舊有方法之限制者，這類研究只能見到詩經學史較具獨創性學者

---

❽　柯慶明師：《中國文學的美感・序》（臺北：麥田出版公司，2000年），頁
　　12。

成就的一面,而難見諸如:那一家最流行?何以流行?如何流行?創見是否被接受?如何傳布?等等與傳播相關的問題。而所謂「獨創」到底是該學者個人的,還是當代的學界共見?似乎也沒有做過比較有效的論證。筆者私以為詩經學史的研究除舊有注重獨創學者的「詩經學詮釋史」的研究外;還應該有注重傳布與流行的「詩經學傳播史」的研究,亦即先蒐集當代經注、詩文集、小說、戲曲、雜記、史書;與後代相關書籍註解或正反面評論等記載引用的資料;再分析政治、教育、經濟、制度、社會、家庭、個人、出版等因素的影響,以論證當代《詩經》流傳及對後代影響的情況;並以為研究者需有「瞭解」的功夫,纔有資格做「批判」的工作,絕不能顛倒程序,否則論斷就很可能陷入主觀的成見而不自知。對此法有興趣之讀者,可以參考筆者《明代詩經學研究》一文。

分析臺灣五十年的《詩經》研究成果,主要可以歸納為上述五大問題,這些問題當然不必然出現在每一位學者身上,即使出現某些問題也不代表其研究成果毫無價值,從傳統經學的角度論,現代詩經學固有「內容學科化」與「價值虛無化」的傾向;但在視《詩經》為「史料文獻」與「文藝作品」的研究上,也開發或解決了一些以往未曾注意的問題。現代學者偏執的強調「史料」和「文藝」的價值,以及過分排斥傳統詩經學價值的「詩教」價值,誠然不是正確的態度,但也不能完全否認現代學者在字詞解釋、文學賞析、傳播普及……等等方面的貢獻。特點當然要保持或發揚,問題更要減少或解決,如此臺灣詩經學纔有可能朝更積極正面的方向發展,有關臺灣詩經學未來發展的遠景,就是下文要討論的問題。

㈢臺灣《詩經》學的展望

　　臺灣詩經學未來的發展是否能更具生命力，研究是否能更深入，方法是否能更創新，議題能否更多元，自然與社會相關因素和研究者的態度密切相關。除針對前述特點的發揚深入、問題的改進創新等基本要求外，以下即分析社會與研究相關因素對臺灣詩經學未來的發展，可能造成的正負面的影響作用。

　　1.社會相關背景因素

　　接受高等教育是人民的基本權益，已成臺灣社會的共識，政府於是開放大學院校的設立，大學院校不斷增加的結果，也促成中文相關系所的增長，以及錄取人數增多，根據前述的統計資料，可見以《詩經》為專業的研究者也跟著增多，這些因素對詩經學之發展，具有正面的意義。

　　「後現代」文化運動的興起，否定既存的價值觀，使人類逐漸趨向「虛無主義」，此現象引發不少知識份子的關心，因之重新肯定傳統文化的價值。其中和詩經學發展有關的是各種讀經團體的興起，以最具盛名的「華山講堂」為例，自九四年以來參加讀經者，已經超過一百萬人次，這種普及的效果，當然可以視為研究經學潛在的人力資源，而詩經學自然也是其中之一。

　　二十世紀過度重視科技與經濟的結果，使得人類逐漸缺乏「人性」，為彌補此一缺失，於是有「通識教育」課程之設計，以加強學生的人文素養，由於《詩經》具有「興、觀、群、怨」的本質，具有陶冶人文精神的效果，不少教師即開設《詩經》課程，對《詩經》的

傳播自然具有正面作用。

　　正面的因素之外，一些潛藏的負面的因素，不能不加以注意，這些潛藏的負面的因素，包括經濟與政治兩方面的問題。經濟方面，例如前述臺灣長期以來在過度注重經濟成長的思考下，因而存在著科技掛帥輕忽人文價值的庸俗成見和市場經濟以利為先的短視心態，這種情形固然已經受到注意，但整個社會環境還是以追求經濟利益為優先考慮，想要真正扭轉或改變這種「社會集體意識」的趨向，恐怕不是一件容易的事。政治方面，由於兩岸長期的隔離、反國民黨政府者刻意的醜化、共產黨政權的閉固霸道、認同殖民者的奴化心態、西洋宗教信眾對國民政府的鄙棄、臺灣主體精神意識的覺醒等等複雜的現實或心理因素的影響，在某些有心追求個人利益的政客推波下，導致狹隘本土思想的興起，並因而產生嚴重的反中國情結；在這個反抗中國政治軍事霸權，而突顯臺灣生存困境的抗爭中，為了與中國有所區隔，於是就如同五四新文化運動時「親洋派」學者攻擊中國傳統文化一般，凡與中國相關聯的東西，多數被「污名化」，臺灣與大陸共同擁有的傳統文化資源，遂成為某些人心目中必欲除之而後快的眼中釘，相對於臺灣在政治、經濟與軍事的現實上，必須依靠的美國與日本等國家，則成為不少人心中真正的「祖國媽媽」，恨不得馬上成為美國或日本的殖民地，以求得安全的心理保障；於是在臺灣文化的認同上，形成一種無論東洋或西洋，凡洋皆是的自我奴化心理；以及只要與中國舊傳統相反，凡新皆好的喜新厭舊的心理，恨不得能馬上能融入這些所謂「主流文化」中，受到肯定接受。其實無論是偏狹的政治態度，或是自我奴化的文化心理，都是一種迷失自我的病態心理，都是一種缺乏文化自信的病癥，對臺灣主體精神意識的建立不但無益，反而要冒

著被同化或消滅的危險，這對臺灣整個人文學術研究的影響，實在具有非常嚴重的負面效果。

臺灣詩經學既然是臺灣人文學術的一環，以上這些潛藏或存在於現實的經濟與政治的負面因素，當然也會對詩經學的發展，產生負面的影響效果，這是臺灣詩經學未來發展，無法逃避的潛在危機，有待關心此事的學者，共同設法解決或減低這種缺乏臺灣主體精神，而自我奴化心態下，必然產生的負面影響。

2.研究相關內涵因素

臺灣已具有多元文化社會的特質，這種特質呈現在學術研究上，最大的優點就是可以避免「絕對二分法」的謬誤，開闊研究者的心靈，不以追新炫奇為高，不以注重傳統價值為落伍，客觀平等的看待各類研究。這種態度表現在詩經學上的作用，即是使愈來愈多的研究者不再偏執，瞭解《詩經》的多義性，打破視《詩經》為「民間情歌」的「金科玉律」之迷思，能以較開放的心態，重新省思《詩經》研究的各種可能性，認真而直接的面對文本，脫離「佞古」、「過信傳統」或「反傳統」、「疑古」的兩極對立桎梏，不再以成見為原則、以複誦前人成果為滿足。

四十多年來由於不同的教育內涵、立國精神、和吸收外來文化不同的關係，形成兩岸不同的學術視野，因此在研究方法、研究方向、基本研究態度上，皆有明顯的差別。至於臺灣缺乏的原始資料和考古資料，以及考古相關的研究成果，例如相關史實、字詞解釋等方面，如前所述，大陸學者部分成果對臺灣詩經學的助益甚大；兩岸學術會議的召開，更提供專業學者互相切磋的機會。開放兩岸學術文化的交

流,使得兩岸學者可以互相觀摩、互相吸收對方的長處,甚至可以透過對比而更加瞭解自己研究的優缺點,這些對臺灣詩經學發展而言,自是有利的因素。

進入二十一世紀之際,各種學科對二十世紀研究成果的反思,其中和詩經學關係較密切的經學,以及語言文字學、歷史學、考古學、文學等人文與社會學科優缺點的分析,在研究方法、研究方向、研究態度等方面的檢討,均可以作為《詩經》研究者重要的參考資訊。尤其各家對詩經學成果的反省與改進意見,更可以提供研究者最直接、最確實的訊息。學者如果能注意這些相關的研究成果,用心加以揀擇吸收,接長補短,必定有助於個人研究的突破,甚至開發出新議題、新方法,這也是本文寫作的目的。

分析臺灣五十年來詩經學呈現的特點、問題與影響未來發展的相關因素,固然還存在一些問題,但是這些問題並不是無法突破的難題,只要學者稍加注意就有可能避免,尤其對「後現代」文化運動「價值虛無」的反思,以及反科技獨霸而重視人文素養思潮影響下的多元化思考與重視傳統價值的觀點,已得到臺灣許多知識份子的認同,這種改變當然對詩經學的發展具有正面的功能,因此無論就整體的研究大環境而言,或就實際的研究表現而論,都可以看出臺灣詩經學由基礎逐漸走向深入、由反傳統與疑古逐漸走向重新思考傳統價值、由視胡適引導下的研究為金科玉律而走向檢討瞭解其論點的是非、由單一的研究方法與觀點而走向多元與創新之途,這種趨勢即統計分析相關研究成果與相關影響因素後最終的結果,也是臺灣詩經學未來必然還會繼續發展的方向。

《三禮》研究

車行健*

一、前 言

　　本文旨在評介臺灣地區近五十年《三禮》研究的成果，因此在評介對象的選取方面勢必有所限制。首先，在地域方面，只侷限於以臺灣地區為主要活動範圍的學者所進行的相關研究，大陸、香港及若干海外華人學者的研究成果皆不包括在內，即使他們的著作曾在臺灣印行也不得不排除在外（如金春峰之《周官之成書及其反映的時代與文化新考》，臺北：東大圖書公司，1993）。不過，有些學者的學術活動範圍橫跨臺港兩地（如徐復觀教授），本文則將其列入討論對象中。其次，在時間方面，本文評介對象始於一九四九年後在臺灣地區所展開之《三禮》研究成果，所以某些老一輩學者早年在大陸所發表的論文，基本上也不予評介，但若有與其後來在臺灣所進行之研究直接相關者，則仍附帶敘及。最後，須強調的是，本文所評介的研究成果基本上係以《三禮》典籍為範圍（含《大戴禮記》，但不含屬於《四書》學範圍內的《大學》與《中庸》），

＊　東華大學中國語文學系副教授。

包括歷代對這些典籍所進行的注釋及研究，至於歷代的禮書、禮典及後世的禮俗、禮制等皆不予涉及，基本上仍是以經學爲主體的《三禮》研究爲主要範圍。其他領域或學門，如史學、考古學、人類學、民俗學、政治學……等所進行之相關研究，雖亦涉及《三禮》範圍，但若其重點不是放在《三禮》典籍或經學本身者，僅純粹取做史料研究或資料運用者，本文皆不予涉及。

二、研究成果綜覽

臺灣地區近五十年《三禮》研究的成果甚夥，這些研究成果主要以專書、學位論文（含碩、博士）、專題研究計畫及單篇論文（含期刊論文、會議論文及論文集論文）等形式發表。而絕大多數的研究成果皆可在林慶彰先生主編之《經學研究論著目錄：1912－1987》（臺北：漢學研究中心，1994年2版）、《經學研究論著目錄：1988－1992》（同上，1995）及國家圖書館的「期刊文獻資訊網」中之「中華民國期刊論文索引影像系統」及「博碩士論文資訊網」中檢索到。根據上述資料來源所提供之論著成果，大體上可以將臺灣地區近五十年《三禮》研究的內容細分成：一、禮學典籍整理；二、《三禮》文字音韻與訓詁的研究；三、《三禮》版本與出土文獻的研究；四、禮學典籍研究及考辨；五、禮學通論及禮學思想研究；六、禮制研究；七、歷代禮學研究；八、禮俗研究等八類，以下分別對各類做一簡要之介紹。

㈠禮學典籍整理

所謂典籍整理包含點校、注釋、翻譯、校勘與輯佚等。在點校方面有韓碧琴的《儀禮鄭註句讀校記》（臺北：國立編譯館，1996），此書除將清代張爾岐的《儀禮鄭註句讀》用新式標點斷句並重新排版外，還附有點校者的校勘成果。

在注釋及翻譯方面主要有林尹的《周禮今註今譯》（1972）、王夢鷗的《禮記今註今譯》（1970年初版、1984年修訂本）及高明的《大戴禮記今註今譯》（1975年初版、1984年修訂版），這三部書皆收錄在臺灣商務印書館出版的「今註今譯」叢書中。除此之外，尚有王夢鷗的《大小戴禮記選注》（臺北：正中書局，1959）、《禮記選注》（臺北：正中書局，1968）、衛聚賢《大同篇注釋及考證》（新竹：說文書店，1979）、許祖成〈樂記句釋〉（《中興大學文史學報》3期，1973）及費海璣〈孔子三朝記今譯〉（《思想與時代》116期，1964）等注譯之作。

在校勘方面，王夢鷗有一系列校勘《禮記》的專著，包括《禮記要篇斠訂》（臺北：花南書屋，1964）、《禮記斠訂》（同上）、《禮記校證》（臺北：藝文印書館，1976）及《鄭注引述別本禮記考釋》（臺北：臺灣商務印書館，1969）等。而在其他禮學典籍的校勘方面，則有祈玉章〈大戴禮記保傅篇斠理〉（《臺北商專學報》2期，1973年6月）及〈大戴禮記集斠〉（《臺北商專學報》12、13期，1978年6月、1979年3月）等。

在輯佚方面最主要的成果有程元敏的《三經新義輯考彙評‧三‧周禮》（臺北：國立編譯館，1985）及阮廷焯的〈禮大戴記佚篇佚文考略〉（《大陸雜誌》24卷3期，1962年2月）及〈禮大戴記佚文考略〉（《大陸雜誌》29卷1期，1964年7月）。

㈡《三禮》文字、音韻與訓詁的研究

　　《三禮》文字素稱古奧，雖自漢至清，學者多方訓釋考辨，然其中所涉之文字、音韻及訓詁等問題依然頗多。臺灣學者在這方面亦曾盡力探索，在文字方面較重要者有李國英《周禮異文考》（師大國研所碩士論文，1966）、黃彥燕《從文字演進看周官古文》（臺大中研所碩士論文，1983）、許慈多《儀禮通假文字考》（文大中研所碩士論文，1964）、劉文獻《漢石經儀禮殘字集證》（臺北：嘉新水泥文化基金會，1969）、李維棻〈武威漢簡文字考辨〉（《輔大人文學報》1期，1970年9月）及朱廷獻《禮記異文集證》（國科會研究獎助論文，1972）。

　　至於在音韻與訓詁的研究則有林平和《禮記鄭注音讀與釋義之商榷》（臺北：文史哲出版社，1981）、董俊彥《鄭注儀禮訓詁術語假借探索》（臺北：文津出版社，1979）、阮廷焯《孔子三朝記解詁纂疏》（師大國研所碩士論文，1962）等。

㈢《三禮》版本的研究（含新出土文獻）

　　典籍的整理往往依賴版本研究的基礎，而版本的研究除了依靠傳統刻版印刷所留存的刻本之外，近百年來唐人抄本的發現及秦漢簡牘的出土對學術界的衝擊尤其巨大。臺灣對《三禮》版本的研究，在傳統刻本方面，最著者有昌彼得之〈跋宋浙東茶鹽司本周禮注疏〉（收入氏撰《增訂蟫菴群書題識》，臺北：臺灣商務印書館，1997）、程元敏〈周禮新義版本與流傳〉（《臺大中文學報》1期，1985年11月）、〈重輯周禮天官地官春官新義論錢儀吉本〉（《國立中央圖書館館刊》18卷2期，1985年12月）、

〈重輯周禮考工記論錢儀吉本〉（《書目季刊》18卷4期，1985年3月）及〈三經新義板本與流傳〉（收在《三經新義輯考彙評·三·周禮》下冊）等。除了《周禮》相關典籍的版本研究之外，在《儀禮》方面則有吳哲夫的〈儀禮圖存十三卷附旁通圖一卷〉（《故宮季刊》11卷1期，1976年秋）、〈宋版儀禮要義〉（《圖書季刊》3卷4期，1973年4月）。在《禮記》方面則有黃彰健的〈宋刊殘本禮記正義跋〉（《大陸雜誌》11卷5期，1955年9月）。

有關《三禮》的新出土文獻最重要的就是一九五九年所出土的武威漢簡本《儀禮》。臺灣學者的研究成果有劉文獻的《武威漢簡儀禮校補》（中國東亞學術研究計劃委員會，1965）、王關仕《儀禮漢簡本考證》（臺北：臺灣學生書局，1975）。除漢簡外，其他有關《三禮》出土文獻最重要的就是敦煌遺書中的抄本了。這方面的研究有林平和的〈敦煌伯2500號唐寫禮記鄭注殘卷書後〉（《孔孟月刊》25卷10期，1987年6月）。

㈣禮學典籍研究及考辨

其中包含《三禮》總論及《三禮》典籍分論。有關總論《三禮》者，重要者如孔德成的〈三禮解題〉（《孔孟月刊》22卷12期，1984年8月）、劉德漢〈三禮概述〉（收入《三禮研究論集》。臺北：黎明公司，1981）及周何《禮學概論》（臺北：三民書局，1998）。

至於專論《周禮》者，則有林尹之〈周禮與其作者〉（《名著與名人》，臺北：中央月刊社，1973）、黃沛榮〈論周禮職方氏之著成時代〉（收入《三禮研究論集》）、劉文強與黃聖松合著之〈周官與周禮〉（《張以仁先生七秩壽慶論文集》上冊，臺北：臺灣學生書局，1999）等單篇論文。在專著方面則有徐復觀《周官成立之時代及其思想性格》（臺北：臺灣學生書局，1980）。徐氏在此書中不但考證《周官》成書的時代，而且還探討該

書的思想性格，雖然他所得出「《周官》乃王莽劉歆們用官制以表達他們政治理想之書」的結論（〈自序〉，頁1），學界仍有仁智之見，但此書無疑地是臺灣近五十年來研究《周禮》最重要的著作之一。

專論《儀禮》者，較重要的有孔德成〈儀禮十七篇之淵源及傳授〉（《東海學報》8卷1期，1967年1月）、許清雲〈儀禮概述〉、康士統〈漢志士禮十七篇質疑〉（二文皆收入《三禮研究論集》）、張光裕〈士相見禮成篇質疑〉、〈從魯於是始尚羔談到士相見之禮成篇的時代〉（二文皆收入氏撰《儀禮士昏禮士相見之禮儀節研究》，臺北：臺灣中華書局，1971）及李昭瑩〈論儀禮的經記〉（臺大中研所《中國文學研究》7卷，1993年5月）。

至於專論《禮記》者，重要論著包括高明〈禮記概說〉（收入氏撰《禮學新探》，香港：中文大學，1963）、李曰剛〈禮記名實考述〉（收入《三禮研究論集》）、王夢鷗〈小戴禮記考源〉（《國立政治大學學報》3期，1961年5月）、孔德成〈禮記成書時代及其在經典中之性質〉（《孔孟月刊》18卷11期，1980年7月）及周何《儒家的理想國：禮記》（臺北：時報公司，1981）。在《大戴禮記》方面，較著者有阮廷焯〈大戴禮記書錄〉（《國立編譯館館刊》3卷1期，1974年3月）與李甲孚〈大戴禮記與其作者〉（收入《名著與名人》）等文。

此外，對《大、小戴記》內部篇章的相關研究也極多，其中較重要的有高明〈王制及其注疏摘謬〉（收入《禮學新探》，同上）、陳瑞庚《王制著成之時代及其制度與周禮之異同》（臺北：嘉新水泥文化基金會，1972）、高葆光〈禮運大同章真偽問題〉（《大陸雜誌》15卷3期，1957年8月）、胡楚生《儒行研究》（臺北：華正書局，1986）、程元敏〈禮記中庸、坊記、緇衣非出於子思子考〉（《張以仁先生七秩壽慶論文集》上冊）及莊雅州《夏小正析論》（臺北：文史哲出版社，1985）。

㈤禮學通論及禮學思想研究

　　所謂禮學通論是對禮學做一通盤性、原則性的說明，而禮學思想則是就《三禮》典籍本身所蘊含的思想內涵做深入的闡發。前者較重要的研究成果有高明〈原禮〉（同上）、王禮卿〈禮說〉（《孔孟月刊》2卷7期，1963年5月）、羅宗濤〈談禮〉（《孔孟月刊》13卷2期，1974年10月）、李雲光《禮的反思》（高雄：復文出版社，1992）及周何《說禮》（臺北：萬卷樓圖書公司，1998）。

　　後者較重要的論著有闡發《周禮》思想者，如嚴定暹《周禮春官禮樂思想之研究》（師大國研所碩士論文，1976）、李玉和《周禮秋官刑法思想研究》（同上，1977）、周世輔與周文湘合著之《周禮的政治思想》（臺北：東大圖書公司，1981）及侯家駒《周禮研究》（臺北：聯經公司，1985）。亦有闡發《禮記》思想者，如李毓善〈由禮記論儒家之禮教：和夫婦〉（上、下）（《輔仁學誌：文學院之部》20、21期，1991年6月、1992年6月）、方俊吉《禮記之天地鬼神觀探究》（臺北：文史哲出版社，1985）、黃俊郎〈小戴禮記之喪禮理論研究〉（《中華學苑》27期，1983年6月）、林素英《古代生命禮儀中的生死觀》（臺北：文津出版社，1997）及《古代祭禮中之政教觀：以禮記成書前為論》（同上）、林素玫《禮記人文美學研究》（師大國研所博士論文，1999）、黃信二《禮記學記篇教育哲學思想之研究》（輔大哲研所碩士論文，1998）、洪惟助〈論禮記樂記中的音樂思想〉、徐福全〈樂記文學理論初探〉（二文皆收入《三禮研究論集》）、陳玲琇《樂記研究》（師大國研所碩士論文，1971）、林宜澐《禮記樂記篇思想之研究》（輔大哲研所碩士論文，1985）、張明祚《樂記美學思想之研究》（臺大哲研所碩士論文，1986）、蔡宗志《樂記樂教思想

研究》（東海哲研所碩士論文，1989）、王菡《樂記的美學研究》（文大藝研所碩士論文，1990）、林平和〈淺談表記中的仁〉（收入《三禮研究論集》）。

㈥禮制研究

包括禮制復原、禮制考辨與儀節分析、制度與職官的研究、《三禮》名物及相關古史探究等，這部分的成果可說是近五十年來臺灣《三禮》研究最具活力的領域。在禮制復原方面，由臺灣大學中文系孔德成教授所領導的《儀禮》復原實驗小組，在東亞學術研究計劃委員會的支助下，曾經做出許多傑出的貢獻，其成果則展現在臺灣中華書局所出版的《儀禮復原研究叢刊》，其內容包括章景明《先秦喪服制度考》（1971）、張光裕《儀禮士昏禮士相見之禮儀節研究》（1971）、陳瑞庚《士昏禮服飾考》（1971）、吳宏一《鄉飲酒禮儀節簡釋》（1973）、施隆民《鄉射禮儀節簡釋》（1973）、鄭良樹《儀禮士喪禮墓葬研究》（1971）、沈其麗《儀禮士喪禮器物研究》（1973）、黃啓方《儀禮特牲饋食禮儀節研究》（1971）、吳達芸《儀禮特牲少牢有司徹祭品研究》（1973）、曾永義《儀禮樂器考》（1971）與《儀禮車馬考》（1971）、鄭良樹《儀禮宮室考》（1971）。

不同於《儀禮》復原實驗的研究進路，也有不少學者致力於禮制考辨與儀節分析上面，如周何《春秋吉禮考辨》（師大國研所博士論文，1966）、季旭昇《詩經吉禮研究》（師大國研所碩士論文，1983）、宋鼎忠《春秋左氏傳賓禮嘉禮考》（同上，1971）、梁煌儀《周代宗廟祭禮之研究》（政大中研所博士論文，1986）、邱衍文《冠禮研究》（文大中研所碩士論文，1969）、汪中文《儀禮鄉射禮儀節研究》（師大國研所碩士論文，1981）、吳煥瑞《儀禮燕禮儀節研究》（臺北：文津出版社，1982）、謝德瑩《儀

禮聘禮儀節研究》（臺北：文史哲出版社，1983）、文智成《儀禮喪服親等服制研究》（師大國研所碩士論文，1985）、徐福全《儀禮士喪禮既夕禮儀節研究》（同上，1979）、彭妙卿《儀禮少牢饋食禮儀節研究》（文大中研所碩士論文，1980）、周聰俊《饗禮考辨》（師大國研所博士論文，1988）及《裸禮考辨》（臺北：文史哲出版社，1994）等。而以單篇論文發表的則有章景明〈禴祠烝嘗考辨〉（《中央大學人文學報》5期，1987）、邱衍文〈士相見禮探〉（《木鐸》7期，1978年3月）、施隆民〈儀禮鄉射之射儀研究〉（《女師專學報》1期，1972年5月）、石磊〈儀禮喪服篇所表現的親屬結構〉（中研院《民族所集刊》53期，1982）及〈從爾雅到禮記——試論我國古代親屬體系的演變〉（《第二屆國際漢學會議論文集·民俗與文化組》，1989年6月）、鍾柏生〈儀禮有司徹儀節研究〉（《花蓮師院學報》7期，1975年6月）。

至於制度與職官方面的研究，其要者有章景明《周代祖先祭祀制度》（臺大中研所博士論文，1973）及《殷周廟制論稿》（臺北：學海出版社，1979）、陳瑞庚《井田問題重探》（臺大中研所博士論文，1974）、羅保羅《周禮官聯研究》（師大國研所碩士論文，1982）、張中惠《儀禮大射儀職官研究》（同上，1992）。在單篇論文方面則有徐麗霞〈淺論周禮軍賦〉（收入《三禮研究論集》）、何大安〈春秋列國官名不見於周禮考〉（《中國東亞學術研究計劃委員會年報》11期，1972）、葉懿芳〈周禮六官與北周及隋唐官制的比較〉（《孔孟月刊》36卷10期，1998年6月）及張光裕〈儀禮與周代禮制研究的關係舉隅〉（《臺大中文學報》10期，1998）。

最後，在《三禮》名物及相關古史探究方面，論名物的有王關仕《儀禮服飾考辨》（臺北：文史哲出版社，1977）、邱德修《商周禮制中鼎之研究》（師大國研所博士論文，1982）、姬秀珠《儀禮食器考：鼎、

籩、簠、鬲、甒》（師大國研所碩士論文，1996）及李雲光〈從三禮本文及鄭注看匜的使用〉（收入《慶祝高郵高仲華先生六秩誕辰論文集》，臺北：師大國研所，1968）、陳高志〈從三禮圖集注之舛誤談彝器定名之難〉（臺大中文所《中國文學研究》6卷，1992年5月）。探討相關古史問題的則有張雙英《周禮所表現之社會觀》（政大中研所碩士論文，1978）及洪乾佑《禮記中所表現的社會情況》（臺大中研所碩士論文，1971）等。

(七)歷代禮學研究

也是近五十年臺灣學者研究的大宗，其中尤以先秦兩漢爲盛。在先秦禮學研究方面，重要的如周林根《中國中古禮教史》（基隆：海洋學院，1969）、邱衍文《中國上古禮制考辨》（臺北：文津出版社，1990）、趙博雅〈先秦論禮〉（《中華文化復興月刊》19卷8期）、高明〈孔子的禮教〉（收入氏撰《孔學管窺》，臺北：廣文書局，1972）及〈孔子之禮論〉（收入《三禮研究論集》）、閔隆庭《大小戴記與荀子關係之探索》（政大中研所碩士論文，1976）等。

在漢代禮學研究方面，王關仕的〈西漢禮學之考察〉（《中國學術年刊》10卷，1989）及汪惠蘭的《東漢禮學史》（師大國研所碩士論文，1997）二文皆是以漢代禮學史爲考察對象，可使學者對漢代禮學發展狀況有一通貫性的把握。至於細部的專題、專書及專家之研究則有陳玉台的《白虎通義引禮考述》（師大國研所碩士論文，1974）、李雲光《三禮鄭氏學發凡》（臺北：嘉新水泥文化基金會，1966）、張光裕〈儀禮兼用今古文不始於鄭玄考〉（《書目季刊》2卷1期，1967年9月）、王夢鷗〈鄭注禮記舊本考〉（《幼獅學誌》6卷1期，1967年5月）、林平和〈禮記鄭玄注述評〉（《孔孟月刊》21卷10期，1983年6月）、陳修武〈禮記鄭注摘論〉（同

上，26卷3期，1987年11月）及彭美玲《鄭玄毛詩箋以禮說詩研究》（臺大中研所碩士論文，1992）等。

在魏晉南北朝禮學研究方面，有李振興〈王肅之禮記學〉（《中華學苑》，19、20期，1977年3、9月）、簡博賢〈王肅禮記學及其難鄭大義〉（《孔孟學報》41期，1981年4月）及柯金虎《魏晉南北朝禮學書考佚》（政大中研所博士論文，1984）。

在隋唐禮學研究方面，有何希淳《禮記正義引佚書考》（臺北：嘉新水泥文化基金會，1966）、葉程義《禮記正義引書考》（政大中研所碩士論文，1969）及張寶三〈周禮疏序的論考〉（《張以仁先生七秩壽慶論文集》上冊）等。

在宋元禮學研究方面，有蕭公彥《禮學之內涵與北宋禮學的發展》（臺大史研所碩士論文，1988）、吳萬居《宋代三禮學研究》（臺北：國立編譯館，1999）、林碧琴《聶崇義三禮圖研究》（政大中研所碩士論文，1992）、戴君仁〈書朱子儀禮經傳通解後〉及〈朱子儀禮經傳通解與修門人及修書年歲考〉（二文皆收入氏撰《梅園論學集》，臺北：開明書店，1970）、錢穆〈朱子之禮學〉（收入氏撰《朱子新學案》，臺北：三民書局，1982）、高明〈朱子的禮學〉（《輔仁學誌：文學院之部》11期，1982年6月）、林美惠《朱子禮學研究》（高師大國研所碩士論文，1986）等、程克雅〈敖繼公儀禮集說駁議鄭注儀禮之研究〉（《車華人文學報》2期，2000年7月）。

至於明清禮學研究方面則有林碧玲《王船山之禮學》（政大中研所碩士論文，1986）、戴君仁〈書張爾岐儀禮鄭注句讀後〉（收入氏撰《梅園論學集》）、杜明德《毛西河及其周禮學研究》（高師大國研所碩士論文，1994年6月）及《毛西河及其皆禮喪禮學研究》（高師大國研究所博士論文，1999年6月）、司仲敖〈錢大昕之禮學〉（《法商學報》19期，1984年7月）、張

壽安《以禮代理：淩廷堪與清中葉儒學思想之轉變》（南港：中研院近史所專刊，1994）、程克雅《乾嘉學者以例釋禮解經方法比較研究：江永、淩廷堪與胡培翬爲主軸之析論》（師大國研所博士論文，1998）、黃智信《朱彬禮記學研究》（東吳大學中研所碩士論文，1999）、孫致文《孫詒讓周禮正義研究》（中央大學中研所碩士論文，1998）。

(八)禮俗研究

包含古代禮俗研究及禮俗比較研究。前者重要論著有周何《古禮今談》（臺北：萬卷樓圖書公司，1992）、葉國良《古代禮制與風俗》（臺北：臺灣書店，1997）與《儀禮士冠禮研究·一：經學與文化人類學的綜合考察》（國科會專題研究計畫，1995）及彭美玲《古代禮俗左右之辨研究：以三禮爲中心》（臺北：臺大文史叢刊，1997）。

後者則有吳文龍《儀禮婚禮與臺俗婚禮比較研究》（文大中研所碩士論文，1976）、李聖愛《儀禮禮記喪禮與韓國喪禮之比較》（臺大中研所博士論文，1988）、林桂香〈禮經喪禮儀節與臺灣喪俗之研究〉（《德育學報》2期，1986年10月）、龔士榮：〈中國禮中的郊祀與天主教禮儀中的彌撒〉（見《蔣慰堂先生九秩榮慶論文集》，臺北：臺灣商務印書館，1987）及徐福全〈成年禮的淵源與時代意義〉（《臺北文獻》1991年3月）、李隆獻《儀禮士冠禮研究·二：先秦成年禮與後世成年禮的比較研究》（國科會專題研究計畫，1998）。

三、重要研究成果舉例

㈠高明先生的禮學研究

　　已故的高明先生是臺灣近五十年禮學研究的重要學者，他著有《禮學新探》及《大戴禮記今註今譯》兩本禮學的專著。此外，在其《高明經學論叢》（臺北：黎明公司，1978）、《高明傳記文輯》（同上）及《孔學管窺》等書中也收錄有若干篇與禮學有關的單篇論文。《高明經學論叢》除收錄了《禮學新探》大部分的文章之外（惟一未收錄的〈鄭玄學案〉一文則收在《高明傳記文輯》中），又增加了幾篇與禮學有關的書序，可以視爲是高先生禮學研究的主要代表作。

　　高先生與禮學的淵源頗深，早年曾從黃季剛先生游，獲聞黃氏禮學緒論。抗戰勝利後在南京國立禮樂館與李灼翊、殷孟倫等人撰成《中華民國通禮草案》一卷。（見《高明經學論叢·禮學新探自序》，頁353）來臺後則仍持續藉由講學、著述的方式來積極推動禮學研究風氣。

　　高先生禮學的重要觀點主要見於〈原禮〉與〈禮記概說〉二文中（此二文均收錄於《高明經學論叢》）。在〈原禮〉文中，高先生首先指出禮具有宜乎履行、合乎道理及體乎人情等三種意義。三者缺一，即不能算作禮。（頁96-98）而根據禮的意義來制禮，則必依隨時、達順、備體、從宜及合稱等五個原則。（頁99）高先生特別強調禮與政治的緊密關係，所謂「爲政先禮，禮其政之本與！」（《禮記·哀公問》），禮既是政治的根本，則制禮的原則實際也是建立一切政治制度的根本原則。（頁103）因此在高先生看來，研究中國政制史必須溯源於禮，

若捨禮不談，逕自批評歷代政治制度的得失，實非探本尋原之論。（頁104）

　　在〈禮記概說〉文中，高先生首先論斷了《禮記》的價值，他認為《儀禮》及《周禮》二書的道理皆表現在《禮記》中，對現代一樣可以適用，因此《禮記》一書在現代仍然是有很高的價值。高先生甚至指出，不讀《禮記》就不能知道民族文化形成的根源，也不能知道個人行爲應遵的規範及國家制度訂立的原理。（頁272）此外，高先生此文另一重要創獲就是他提出了對《禮記》內容的重新分類。在分析前人得失的基礎上，高先生提出自己的分類方式，即一、通論類（包含通論禮意以及與禮有關的學術思想二小類）；二、通禮類（包含關於世俗生活規範及國家政令制度的二小類）；及三、專禮類（包括喪、祭、冠、昏、鄉飲酒、射、燕、聘、投壺等禮）。（頁321－322）至於《大戴禮記》的篇目內容，高先生也將其分爲八類，即一、關於治曆明時的；二、關於古禮逸文的；三、關於古史舊聞的；四、關於孔子三朝記的；五、關於孔門語錄的；六、關於曾子言行的；七、關於荀、賈議論的；八、關於明堂陰陽的。（《高明經學論叢·大戴禮記今註今譯序》，頁254－260）這些意見對吾人今日研究《大、小戴記》都仍具有一定的參考價值。

　　總括來說，在臺灣光復初期禮學研究尚呈現荒蕪的狀態中，高先生即積極的以透過學術研究及指導大專院校禮學研究人才的方式來推動禮學研究風氣，播下了臺灣近五十年禮學研究的種，其貢獻之大是勿庸置疑的。今日臺灣知名的禮學名家如李雲光、周何及王關仕等人皆出其門下。李雲光先生在高先生指導下所撰之博士論文《三禮鄭氏學發凡》，對漢代鄭玄的《三禮》之學做了系統的研究，高先生稱讚此書道：「籠圈條貫，總攬無餘，使後之治康成禮學者，展此一卷，

即能心領神會，而得其精微，此誠前修之所未有也！」（《高明經學論叢》，頁339）周何先生的博士論文《春秋吉禮考辨》也是承高先生之命所撰作的。據高先生言，是書於春秋之郊、望、雩、禘、時諸享禮，溯源考實，鈎沈索隱，博綜淹貫，用力至勤，且周先生撰作此書，「不僅就經言經，以求創獲；更能假塗於小學，以抉發經義。」（同上，頁345）周先生近年來又陸續出版了《古禮今談》、《說禮》及《禮學概論》三本禮學專著，尤其《禮學概論》是在其病榻中完成的，這種對禮學的專注與執著的精神頗令人敬佩。王關仕先生的碩士論文《儀禮漢簡本考證》及博士論文《儀禮服飾考辨》也都是由高先生所指導的。《儀禮漢簡本考證》雖在陳夢家考釋的基礎上完成，但「所考證多為陳君之所不及見，而匡正陳君之謬失者亦頗多。」（高先生評語，見同上，頁341）《儀禮服飾考辨》的成就，據高先生所言；「分析則秩然有條理，考證則確然有根據，而論斷則謹慎平實，不作非常可怪之言。」（同上，頁344）周何及王關仕二先生皆長期執教於國立臺灣師範大學國文系，推動禮學研究及教育不遺餘力，且亦造就不少研究禮學之人才，對臺灣禮學學風及禮學環境之型塑，同樣皆起了重要的推動力量。

㈡王夢鷗教授的《禮記》學研究

學術領域寬廣的王夢鷗教授長期以來投入《禮記》研究，卓然有成，取得豐碩的研究成績，根據林明德所撰之〈自強不息的君子：王夢鷗先生〉（《中國文哲研究通訊》1卷3期，1991年9月）、《文論說部居泰山：王夢鷗教授》（臺北：文史哲出版社，1999）及林慶彰主編之《經學研究論著目錄：1912－1987》與《經學研究論著目錄：1988－1992》等資料所載，王先生的禮學相關著作（含專書及單篇論文）共計多達三十

餘種（詳目參附錄），數目不可謂不驚人。不過從王先生歷年來所發表的禮學著作來看，可以發現內容大多集中《禮記》方面，包括論著、註譯及校讎等，鮮少關於《周禮》與《儀禮》的著作。之所以如此，其實正反映了王先生對《三禮》價值判定的見解，王先生在〈小戴禮記考源〉文中即指出：「《周官》、《儀禮》但記條文，而此等條文，或緣飾舊俗，或率逞臆造，自始即失其為真實生活軌範的意義。」（頁87）相對於《周禮》、《儀禮》之不切實際，《禮記》本來就非記錄繁文縟節的典籍，而是討論一般禮節在日常生活行為中的若干理由及價值，王先生認為《禮經》僅僅陳其「數」，而《禮記》卻詳其「義」。數有時而盡，但義卻是無窮的，義才是儒者們所積極追求與把握的理想，此所以《禮記》後來能凌駕《禮經》，而成為傳授主流的原因，甚且還為許多學者視做是打通《儀禮》、《周禮》二書內蘊的鑰匙，故王先生特重《禮記》。但王先生對《禮記》的內容也並不是全盤都予以接受的，他早年為《禮記》進行選註時，就曾依上述觀點確立了選取的標準，認為凡是記載不合時宜的風俗習慣或名實俱亡的名物制度等篇章，一概不予選錄。反之，必須是說理透闢而具有永久意義、足夠發明儒家思想、有益個人身心修養，以及文辭優異可供欣賞者，方予選錄。王先生認為如此，方對吾人今日研讀《禮記》具有積極之意義。（以上敘述參見王夢鷗《禮記今註今譯·敘禮記今註今譯》，頁1-2、《禮記選注·敘略》，頁8及亞菁〈整理古籍的一盞明燈：談王夢鷗教授校釋禮記的工作〉，頁71-72，載於《東方雜誌》復刊22卷11期，1989年5月）從這點來看，王先生的《禮記》研究並非拘守於傳統經學的樊籬，而是對經書典籍抱持著超然客觀的立場，但取其思想內涵切合於現代價值規範者，可說典籍研究的意味重，經學研究的意味少。

　　王先生認為《禮記》可視為周、秦、漢五百餘年儒家孔門後學禮說殘篇之總匯，而此總匯又足以考見此五百餘年間儒家思想演進之痕跡，且此思想體系又為二千年知識份子之思想中心。因此王先生乃亟亟於《禮記》一書零亂的篇幅中判明其不同的思想體系，故乃有〈禮記思想體系試探〉此一鴻文鉅製之作。王先生此文最大的貢獻是點出禮學的分派：「與其謂有『今文學』、『古文學』之差別，毋寧謂之有『齊學』與『魯學』之異同。倘更按其實：與其謂有齊、魯學之異同，不如逕稱之為鄒衍學派與荀卿學派的糾雜。」（以上俱見〈禮記思想體系試探〉，頁21）王先生既注意到鄒衍學派與《禮記》思想體系之關係，故對鄒衍學說也頗費一番心血加以爬梳，此其所以有《鄒衍遺說考》一書之撰著。王先生用此觀點來分判《禮記》四十六篇所屬之思想體系，不但於傳統的禮學、經學研究是一大突破，而且也為戰國秦漢思想史的研究開了一扇明窗。

　　除了探索《禮記》的思想體系之外，王先生也對《禮記》文本的整理投注了大量的心血，除了古籍的選註及今註今譯之外，王先生也進行了許多基礎性的校讎工作。由於留傳今日的《禮記》本子以鄭玄註本為最古老，但在王先生看來，這個為鄭玄所編輯和註解的本子卻並非《禮記》之完善本子，因為一來鄭玄所據之本子即為一爛脫舛誤之殘本，再者，鄭玄以注《周禮》、《儀禮》之餘力兼及此記，復因黨錮之禍，竄走未遑，因此其註此書實甚簡略且未嘗整理。（見〈小戴禮記考源〉，頁148及《禮記校證》，頁443）鄭玄註本《禮記》既非善本，其中訛誤錯亂之處又復不少，故王先生乃有《鄭注引述別本禮記考釋》及《禮記校證》二書之作。

　　王先生的《禮記》研究，其內容遍及版本、校讎、註釋、翻譯及

思想研究等各個部分，不但範圍廣、規模大，更難得的是兼具館訂考據的謹嚴篤實與義理闡發的高明精微，其成就確實令人敬佩。

㈢孔德成教授與《儀禮》復原實驗小組的《儀禮》研究

民國五十四年東亞學術計劃委員會主任委員李濟博士倡導用復原實驗的方法來研究《儀禮》，因此成立了《儀禮》復原實驗小組。此小組是由臺大中文系臺靜農教授任召集人，孔德成教授任指導人，率領臺大中文研究所及考古人類學研究所的研究生從事分題研究，每人研究一個專題，計分：儀節、器物、衣服之制、宮室、喪禮服制、墓葬、車馬、樂器、民俗、文法等十項。研究方法則運用考古學、古器物學、民族學、民俗學、語文學，再參互比較文獻之資料及歷代學者研究之成果。（參孔德成、臺靜農〈儀禮復原實驗小組研究成果綜合報告：1965年—1969年〉，頁1。載於《中國東亞學術研究計劃委員會年報》9期，1970年。又參曾永義《儀禮車馬考·前言》）

所謂「復原實驗」，依李濟博士及孔德成教授的想法，他們認為《儀禮》一書既以動作為主，傳統研究方法僅以文字為考訂之資，終難予人確切之感，故李濟博士倡議用影片寫實方法來表現，以代替用文字之敘述。這種方式相對於傳統的研究方式確是一個嘗試，故云「復原實驗」。（參孔德成、臺靜農上引文，頁1）不過復原實驗小組在禮學研究方法論上值得稱述之處卻並不僅僅只限於如此，從孔先生與臺先生敘述該小組所運用的研究方法即可得知，該小組在當時即已自覺的從事科際整合的研究工作了。他們不但運用包括了結合傳統書面文獻及地下出土文物的所謂「二重證據法」（如鄭良樹《儀禮士喪禮墓喪研究·前言》即自言該書係「通過書本上的文獻以及地上發掘的直接材料，本論文企圖對先秦

以上，殷商以下的墓葬作個詳細的研究。」頁1)，而且也廣泛借用其他學科或領域的理論或方法來從事《儀禮》復原的研究。這種研究規模與視野不但在當時是項「創舉」 (孔德成、臺靜農語，見同上)，即使在今日也是極為難得的研究方式。

復原實驗小組所完成的成果除展現在臺灣中華書局出版的《儀禮復原研究叢刊》之外 (詳目見上節)，也藉由影片攝製的方式保存下來。不過當時因為經費困窘的關係，所以只完成了士昏禮的拍攝，其他部分並未攝製，甚為可惜。最近臺灣大學中文系葉國良教授以此影片為基礎，運用電腦動畫科技，重新用影像的方式來呈現《儀禮》的儀節動作。這種做法，不但在研究方法上賡續了《儀禮》復原實驗小組的精神，而且更結合了電腦動畫科技優異的聲光視覺效果，不但對禮制復原研究有所助益，而且對其他進路的禮學研究也深具啟示。

四、《三禮》研究新方向的嘗試

(一)文化人類學進路的開拓

《三禮》中保存了很多有關古人生活方式與文化的資料，而這部分其實正屬於文化人類學所研究的範疇，因而不少學者已開始嘗試使用文化人類學的進路來研究《三禮》。其中也有些人類學家基於人類學的興趣或目的而來對《三禮》中的相關人類文化現象進行探討，如石磊在《民族所集刊》所發表的〈儀禮喪服篇所表現的親屬結構〉 (53期，1982)，企圖藉由《儀禮·喪服篇》中所記載的親屬活動來了解親屬結構 (頁1-2)，就是一個很典型的例子。但專門研究禮學的學者其

實很早就嘗試朝這方面來進行禮學研究了，如上節所述孔德成先生所
領導的《儀禮》復原實驗小組就已自覺的使用到了民族學及民俗學的
方法來進行研究了。

　　近年比較積極採文化人類學進路來研究禮學的首推臺灣大學中文
系葉國良教授及其所率領的研究團隊。葉教授本人除撰有《古代禮制
與風俗》一書之外，又率其團隊完成國科會專題計畫論文──《儀禮
士冠禮研究·一：經學與文化人類學的綜合考察》。葉教授有感於民
俗學者或人類學者未必精熟古禮，或可以恰當的掌握禮意，因而頗難
避免詮釋上的偏頗，但大部分的經學研究者卻在背負傳統包袱的同
時，也無法突破原有的範疇。因此，在傳統經學研究與西方的民俗學、
人類學之間，顯然尚未能互相滲透，而做出適當的融合。（頁2）因此
葉教授這本論文就是企圖「結合經學的研究成果與文化人類學的觀
點」（頁3）而做出的嘗試性研究工作。葉教授在交代自己研究方法與
資料的使用時也曾明白的表示：「除經學家的著作外，也參酌西方人
類學、民俗學的著作，以及近代學者有關古禮的研究及少數民族的習
俗紀錄。」（同上）在本論文的正文部分（附錄部分為相關文獻的注解及翻譯），
葉教授討論了士冠禮的儀節與意義、士冠禮中的「三加」、嫡庶之別
及命字等問題。其結論提到：禮書反映的冠笄之禮雖是高度文明的產
物，但卻也是經長期演變的結果，特別在初加的緇布冠及命字二事中
留下了痕跡。緇布冠乃遠古成年儀式留下的痕跡，而命字一事歷來禮
家皆不知其所以然，若取其它民族類似習俗加以比對，可以證實此乃
起源於遠古巫術觀念下的習俗，其後逐漸演變為固定的禮制。（頁62）
葉教授透過這樣的研究，發現到傳統經學研究由於視野的限制，存在
若干盲點，因此必須借助民族學、人類學的研究成果，乃能有所突破。

（頁62－63）

　　葉教授的高徒彭美玲教授也在這個信念的引導之下完成了其博士論文──《古代禮俗左右之辨研究：以三禮為中心》。事實上彭教授本就是葉教授研究團隊中的一員，因此，她對葉教授的觀點及所運用的方法當是極為熟稔。彭教授對禮學研究抱持的想法是：「一、要能活用古籍，而不受經學觀念的局限。二、要能活用西學，而不離中國傳統的本質。」（頁11）事實上，彭教授在取資於傳統的方法之外，也積極吸取了當代人類學、考古學、民族學的理論和例證，在某些地方還甚至「部分採取結構主義觀點」（頁29－30）。其目的就是為古代禮俗中的左右問題尋求一適當的解答。雖然這問題表面上看起來卑微細碎，顯得有點微不足道，但彭教授在對這個問題做過深入研究後所得出的結論卻指出：「人類的禮文活動經常藉著『對比』、『等差』的原則，變幻交織出人際關係的諸多情境。而充斥於現實生活中的種種『左右現象』，恰好是以『二分為義』為其結構基礎的，正適合與人類慣有的二元思維相結合，以展現出多樣風貌。」（頁276）可見研究這些現象對吾人理解中國人的人文觀及文化活動確實是有相當程度的助益。

㈡政治學、經濟學進路的嘗試

　　用政治學與經濟學的進路來研究《三禮》的主要皆偏重在《周禮》一書，此乃與該書內容以政制為主有關。用政治學角度來闡發《周禮》者，較為知名的即為周世輔與周文湘合著的《周禮的政治思想》。作者主張應採科學方法來闡揚書中的政治主張，並「引今論古，相互參證，說明《周禮》官制具神權、君主、貴族、民主四種政治成分，與

中西政治及三民主義思想，都發生了密切關係。」（〈自序〉，頁1）因此作者在書中不但比較了《周禮》與三民主義思想（第二章），而且還與五院分立體制做了比較（第三章）。在做過這番比較工作之後，作者得出了：「《周禮》的政治思想，與三民主義的重要主張，無論在理論與制度上，都發生『血膿於水』的重大關係」（頁68），以及「《周禮》……與現行五院分立的政治體制，在在發生思想淵源的重大關係」（頁124-125）這樣的結論。因此，作者建議：「我們應效法乎上，師其遺意，參照實施，既能輔益現行政制的建立，兼可補救其中缺漏。」（頁125）。

　　相對於周世輔與周文湘二先生對《周禮》抱持如此高度肯定的態度，經濟學家侯家駒顯然保留多了。在《周禮研究·序》中，侯先生首先對歷代學者迷信《周禮》，誤以此書乃周公致太平之跡的傾向大加痛撻，以為已背離先秦儒家民主政治與自由經濟的傳統，而這種現象正說明了共產主義為何會出現於二十世紀的中國，就是因我國知識份子於歷代迷信《周禮》的傾向中，不自覺地墮入「極權」與「統制」的思想殼中，此乃侯先生撰作此書之動機。（頁1-2）侯先生從政治學與經濟學的角度對《周禮》內容所做出的評判，認為該書強調「極權政治」與「統制經濟」（頁330），在思想型態上與趨於民本政治及自由經濟的先秦儒家完全不同，反倒接近法家思想。（頁326、376）就是因為後儒盲目崇拜此書，因此無形中沾染了與民本主義、自由經濟相反的集體主義，反倒延誤了我國民主政治與自由經濟之發展。（頁376）

　　侯先生以經濟學者身份研究《周禮》，其文中常常援引現代西方經濟學術語，如「自由經濟」、「統制經濟」、「總體經濟」、「個體經濟」之類，這種寫作方式不免招致了某些懷疑態度。侯先生認為

很多觀念是古今相通的，只是名詞不同而已。他認爲從事思想史的研究就是要突破「文字障」，「把這些古人邀請來，使用現代人可以明瞭的語彙，面對現代人娓娓而談。」（《先秦儒家自由經濟思想・序》，頁4。臺北：聯經公司，1985年2版）基於這個理念，侯先生在《中國財金制度史論》中討論《周禮》的財稅官制時，便用現代經濟學的觀念和術語，指出該書在財政方面所具有的幾點特色：一、建立雛形預算。二、確立「賦、功、役」稅制。三、樹立牽制審計制度。四、採取彈性課徵原則。（臺北：聯經公司，1988，頁6－12。）具有深厚財經知識背景的侯先生在討論《周禮》的財經政策時，確實是駕輕就熟，令人激賞。而具有豐富財經內涵的《周禮》（所謂「一部《周官》半理財」）在透過現代經濟學的剖析之後，其內容才能爲我們現代人所了解，且其中所蘊含的深層意涵也才更能彰顯出來。經過這樣的研究之後（當然也包含用現代政治學的進路來研究），《周禮》這部書的價值方能爲現代人所理解，而更進一步的義理開發或學理的比較研究，甚至實際在現實世界的「施用」或「實踐」（如果可能的話），也方有展開的可能。

㈢思想史與社會史進路結合的研究

用思想史的進路來研究《三禮》在臺灣學界並不罕見，已故的徐復觀先生所著之《周官成立之時代及其思想性格》及王夢鷗教授〈禮記思想體系試探〉都可稱是這方面的代表作。不過近年來中研院近史所張壽安教授所進行的乾嘉禮學研究，卻因其所關注的焦點與傳統偏重在思想層面探索的研究進路有極大的差異，因而顯得在方法論上具有頗爲特殊的意義。張教授的力著——《以禮代理：淩廷堪與清中葉儒學思想之轉變》自1994年出版以來即頗受學界矚目。張教授自述是

在「深信禮學思想爲清中葉的一股新思潮，亦爲儒學在清代之新面貌新發展型態，有其相當堅實完備的理論體系，及符合時代精神的創意典範，與宋明理學相對峙，甚至欲取而代之」的心理背景下寫成此書的。(〈自序〉，頁2) 張教授觀察到清儒治學具有追求實用的迫切要求，而禮在清代學術界所受到前所未有的重視，正是與這種強調經世致用的學風有著密切關聯的。爲何如此呢？沿著張教授此一研究方向的張麗珠在其《清代義理學新貌·第五章·淩廷堪以禮代理的禮治理想暨乾嘉復禮思潮》中解釋道：「因爲清儒認爲禮書中載存有相當多具體落實在器數儀文上的典制與儀則，不僅可以提供道德實踐之參考，更可以爲儒學之事功推擴──從『內聖』的修身之道到『外王』的治平之道，指示一條大道。」(臺北：里仁書局，1996，頁287。) 把握到這點之後，張壽安教授進一步指出：「清儒研治禮經和其經世目的之間的關係，以及由此而引出的『以禮代理』的思想走向，實爲清學在思想上之主要發展特色，也是清學與宋明理學在思想上的主要分水嶺，其目的是要把儒學思想從宋明理學的形上形式，轉向禮學治世的實用形式。」(頁5-6) 以淩廷堪爲代表的清儒禮學的實用形式，其所重視的是禮的實際踐履層面，亦即通過五倫關係之實踐來重整倫常秩序，並經由喪祭等日常典禮之推行，以淨化社會風俗，最終達至正人心厚風俗之目的。由此可以看出，這種禮學思想具有濃厚的社會實用性。(頁34) 張教授承認淩廷堪這套禮學思想的確看來平淡無奇，但其重要性卻不在於他對禮儀之內容有所創新，而是在於他所強調的「以禮代理」此一主張所透露的清代儒學在思想上的走向。若從學術思想史發展的角度來觀察，其說之最大特色乃是把道德問題放在社會秩序的層面上討論。(同上)

　　日本學者小島毅在評論張教授此書時，也特別注意到淩廷堪禮學重視社會實踐一面的特殊意義，他強調：「淩之禮學首求實踐，這與以『哲學』為重的傳統思想史研究宗旨不合。」（〈新書評介——以禮代理：淩廷堪與清中葉儒學思想之轉變〉，頁113。黃自進譯。載於《近代中國史研究通訊》24期，1997年9月）相對於臺灣學者比較注意淩廷堪等清儒是藉由「以考據方法結合義理目的」來達致經世致用的目的（張麗珠語，見同上，頁287），而以此「破除乾嘉無思想之誤解」（《經學研究論叢・第三輯・出版資訊》編輯部語，頁384。臺北：聖環圖書公司，1995），小島毅顯然是站在比較遠離傳統學術史及經學史所主導的問題意識的脈胳外，來觀察淩廷堪禮學的學問性格。有趣的是，淩廷堪的這種學問性格顯然也影響到張教授寫作此書時所運用或依循的研究進路，小島毅在書評中就曾敏銳的指出了這點，他說：「本書在傳統的學術分類上應被界定為思想史及社會史之間的中間學科。不過本人卻覺得本書不應再被傳統的學術分類所束縛，而應評類為一創新研究領域中的新學科。」（同上）其實傳統儒學及經學中本來就具有極豐富的實踐、經世層面的資源，對這方面所進行的研究當然就不能僅只限於用哲學、義理或思想史的進路來加以理解，還更應結合其他領域或學科的知識來探索（尤其是社會科學），如此才能對儒學／經學在歷史上的發展及對社會文化各層面所曾產生的影響有一整全且充份的把握。張教授此書已做了一個極佳的示範。

五、結　論

　　《三禮》的內容極爲豐富，而前人的大量研究成果一方面提供了《三禮》學術內部相關問題的解答，但另一方面，這些成果中具學術價值者又隨著時代的演進而成爲《三禮》學史中的重要構成部分，同樣也會受到後世學者的重視與研究。今日吾人在繼承近五十年臺灣《三禮》學術研究資源的同時，如何在面對學術環境與外在現實世界皆不斷急速變遷的衝擊之下，仍能保持這門古老學問的研究活力與持續的創發力，對關心這門學問的學者們而言，這確實是值得深思的課題。

　　就目前的《三禮》研究而言，幾個研究方向還是可以考慮進一步深化的，如《三禮》典籍整理（尤其是點校與譯註）這樣的基礎及推廣工作仍是可以繼續進行的，王夢鷗教授及程元敏教授已經做了很好的示範。又如孔德成教授所領導的禮制復原研究在今日出土文物仍不斷大量出現的情況下，這類的研究亦仍有必要再繼續進行下去。此外，運用文化人類學、民俗學所進行的禮俗研究，或用政治學、經濟學等社會科學的學理來對《三禮》進行現代意義的闡釋研究，以及用思想史進路來探索歷代禮學思想史及禮學對歷代思想之影響，甚至再結合社會史的進路，來考察歷代禮學在社會層面上的實踐情況等，都是很具意義的研究，尤其是後面幾項的研究方向目前皆仍處於方興未艾的狀態，相信只要假以時日，這片學術沃土的榮景是可以期待的。

附　錄

王夢鷗先生禮學研究論著目錄

　（一）單篇論文：

1.原禮　文化先鋒1卷12期，1942.11

2.禮與太一　文化先鋒2卷 7期，1943.05

3.禮教與社會生活　文化先鋒3卷10期，1944.03

4.原士與儒　文化先鋒6卷19期，1947.03

5.關於原士與儒一文答問　文化先鋒6卷23期，1947.05

6.中國樂藝之消沈　東方雜誌40卷7期，1944.04

7.六藝與儒學　文化先鋒8卷12期，1948.06

8.禮記研究：儒家禮論之思想體系　國科會研究獎助論文，1960

9.小戴禮記考源　國立政治大學學報3期，1961.05

10.禮記思想體系試探　國立政治大學學報4期，1961.12。又載於中國
　文學研究，臺北：漢苑出版社，1981 11.樂記考孔孟學報4期，1962.09

12.禮運考：禮運禮器郊特牲校讀志疑　國立政治大學學報8期，1963.12

13.禮記王制篇校記　孔孟學報9期，1965.04

14.曲禮校釋　國立政治大學學報11期，1965.05

15.古明堂圖考　孔孟學報11期，1966.04。收入三禮研究論集

16.鄭注禮記舊本考　幼獅學誌6卷1期，1967.05

17.禮記月令校讀後記　孔孟學報14期，1967.09。收入三禮研究論集

18.讀月令　國立政治大學學報21期，1970.05

19.禮記月令斠理　學術論文集刊1期，1971.12

20.禮記與鄭玄　中央月刊4卷8期，1972.06。又收入名著與名人，臺北：中央月刊社，1973

21.禮器郊特牲篇書後　孔孟學報28期，1974年9月。收入三禮研究論集

　㈡專　書：

1.大小戴禮記選注　重慶：正中書局，1944。臺北：正中書局，1959

2.禮記要篇斠訂　臺北：花南書屋，1964

3.禮記斠訂　臺北：花南書屋，1964

4.禮記選注　臺北：正中書局，1968

5.鄭注引述別本禮記考釋　臺北：商務印書館，1969

6.禮記今註今譯　臺北：商務印書館，1970初版。1984修訂本

7.禮記校證　臺北：藝文印書館，1976

　㈢其他相關著作：

1.中國古代家族之形成及其流變　國立政治大學學報5期，1962.05

2.鄒衍生卒年世商榷　國立政治大學學報9期，1964.05

3.鄒衍遺說考　臺北：商務印書館，1966（專書）

4.西漢「今文」實況蠡測　中山學術文化集刊1期，1968.03

《春秋》經傳研究

丁亞傑 *

　　探討《春秋》經傳學研究作品，可分爲解題式、目錄式與專著式三大類。解題式作品有阮芝生〈六十年來之公羊學〉，王熙元〈六十年來之穀梁學〉，劉正浩〈六十年來之左氏學〉（俱收入程發軔主編：《六十年來之國學》，第1冊，臺北：正中書局，1972年5月），劉正浩〈左傳導讀〉（周何、田博元編：《國學導讀叢編》，第1冊，臺北：康橋出版事業公司，1979年4月），王更生〈歷代左傳學〉（《中國學術年刊》，4期，頁17-31，1982年6月），張高評《左傳導讀》（臺北：文史哲出版社，1982年10月），廖吉郎〈南北朝之春秋左氏學〉（國文學報，13期，頁1-11，1984年6月）。目錄式作品有林慶彰先生主編《經學研究論著目錄 (1912-1987)》（臺北：漢學研究中心，1989年12月），《經學研究論著目錄 (1988-1992)》（臺北：漢學研究中心，1995年6月），其中《春秋》及三傳條目。專著式作品有沈玉成、劉寧《春秋左傳學史稿》（南京：江蘇古籍出版社，1992年6月），范姜星釧《兩漢春秋經學的傳授源流》（輔仁大學中文系碩士論文，1979年），宋鼎宗《春秋宋學發微》（臺北：文史哲出版社，1986年9月），簡福興《元代春秋學研究》（高雄師範大學國文系博士論文，1997年1月），程南洲《東漢時代之春

＊　元培科學技術學院副教授。

秋左氏學》（政治大學中文系博士論文，1978年），陳其泰《清代公羊學》
（北京：東方出版社，1997年4月），吳連堂《清代穀梁學》（高雄：復文書局，
1998年）。借著解題、目錄、專著，可對《春秋》及三傳研究有一縱
橫了解，橫的了解是指《春秋》及三傳相關專題研究概況，如《春秋》
作者、《左傳》義例、《公羊》三世說、《穀梁》大義等問題；縱的
了解是指《春秋》及三傳研究史概況，如董仲舒《公羊》學、杜預《左
傳》學、范寧《穀梁》學等。有助於我們理解前人研究文獻、研究方
法、研究成果，進而發掘新的研究文獻、方法，並開創未來研究方向。
本文針對近五十年臺灣地區《春秋》三傳學研究，作一簡要回顧。本
文以經學爲選擇範圍，著重經典作者、性質、流傳、意義、各朝代發
展等研究，亦即以經典本身研究爲選擇標準。經典所記載的歷史事件
研究，較偏重歷史，並不在選擇範圍內；經典所旁涉的天文、地理、
宗教信仰等，涉及相關專門知識，也不在選擇範圍內。採取狹義經學
標準，廣包博覽，非本篇所能盡及。本文結構分爲《春秋》經傳研究，
以專題作一區分；《春秋》經傳學史，以時代作一區分；末附圖表，
以綜觀研究概況，展望未來研究方向。

壹、春秋經傳研究

一、春　秋

1.張以仁　孔子與春秋的關係　春秋史論集　頁1-59　臺北　聯經出
　　　　版公司　1990年1月
張以仁博引文獻，反駁楊伯峻見解，認爲孔子與《春秋》關係密切，

甚而就是撰述《春秋》者，舉例詳盡，論證細密，是研究孔子與《春秋》最深入的論文。

2. 程發軔　春秋要領　臺北　東大圖書公司　196頁　1989年4月
3. 程發軔　春秋人譜　臺北　臺灣商務印書館　326頁　1990年12月

程發軔《春秋要領》針對《春秋》及三傳條例、大義、傳授、比較等基本問題，列出37題，作一精要說明，末附《左傳》地名圖表、春秋地名檢查表、春秋列國地圖，足堪初學者研讀。《春秋人譜》分各國氏族表、春秋名號歸一圖補正、春秋人名分析表，爲檢查《春秋》人名重要工具書。

4. 陳新雄　春秋異文考　臺灣師範大學國文系碩士論文　1962年　程發軔指導　臺北　嘉新水泥公司文化基金會　264頁　1964年11月

陳新雄列出三傳異文，逐條考證，是繼清·趙坦《春秋異文箋》後，研究《春秋》異文最重要作品。

5. 戴君仁　春秋辨例　國立編譯館中華叢書編審委員會　152頁　1964年10月
6. 張永伯　春秋書卒研究　臺灣師範大學國文系碩士論文　1985年　劉正浩指導
7. 陳傳芳　春秋有關戰伐書例研究　臺灣師範大學國文系碩士論文　1994年　沈秋雄指導

戴君仁以爲《春秋》直書其事，善惡自然可見，全書辨析三傳時月日例，結論是《春秋》有義無例。《春秋》有無義例，爭議頗多，張永伯以大夫、夫人、諸侯等爲主要對象，分析書卒的褒貶意義。陳傳芳以戰爭所書辭例，分析各辭例的特色。《春秋》義例，仍有待全面研究。

二、春秋三傳

1. 洪安全　孔子春秋與春秋三傳　史原　10期　頁1-57　1980年10月
2. 陳忠源　從春秋的傳衍論先秦時期經學的發展　中正大學中文系碩
　　　士論文　1998年　莊雅州指導

洪安全詳徵史料，說明孔子作《春秋》是借筆削以寄託其理想，而不
是保存魯國古史；《左傳》從先秦至漢代，流傳不絕；《公羊傳》是
孔門齊國系統第三代弟子，就口耳相傳，記錄整理而來；《穀梁傳》
成書更在戰國中期以後，受法家影響。本文資料豐富，是討論《春秋》
三傳在先秦兩漢傳承的重要作品。陳忠源從《春秋》大義的衍化、三
傳的特色，分析孔門經學派別，尤其注意人文地理的分派，並以此為
據，綜論先秦經學發展。

3. 謝秀文　春秋三傳考異　臺北　文史哲出版社　211頁　1984年8月
4. 李崇遠　春秋三傳傳禮異同考要　政治大學中文系碩士論文　1967
　　　年　盧元駿指導　臺北　嘉新文泥公司文化基金會　200
　　　頁　1969年

謝秀文是從君氏與尹氏、惠公仲子正名、杞與紀、《春秋》異文等問
題，比較三傳異同，至其隱公立而奉之、《左傳》記時差異、《左傳》
鄭曼伯與檀伯釋疑，則較偏重《左傳》。李崇遠從吉禮、凶禮、軍禮、
賓禮、嘉禮，比較三傳禮制異同，是研究三傳禮制重要著作。

5. 陳銘煌　春秋三傳性質之研究及其義例方法之商榷　臺灣大學中文
　　　系碩士論文　1991年6月　張以仁指導

陳銘煌指出孔子修《春秋》在竊取其義，三傳均為解讀《春秋》的詮
釋系統，但三傳的義例是封閉系統，後儒發展新例，誤將封閉系統作

視爲開放系統，遂致混亂。本文以新穎理論探討三傳義例，是論究三
傳義例完整深入著作。

6.蔣年豐　從「興」的精神現象論春秋經傳的解釋學基礎　清華學報
　　22卷1期　頁27-63　1992年3月

蔣年豐指出興類似現代的想像或象徵，興在《春秋》是在經文與傳文
之間表出，從經文轉移到傳文，在精神上即引發揚善懲惡的活動，在
語言上是從簡鍊語言引發複雜的人生道理。本文試圖從解釋學基礎建
立《春秋》學乃至於經學得以成立的學術基礎，觀念新穎，目標明確，
是欲究經學何以能獨立於其他學科必讀作品。

三、左　傳

1.方炫琛　春秋左傳劉歆竄亂辨疑　政治大學中文系碩士論文　1979
　　年6月　周何指導

2.李　平　論春秋左氏傳的形成──從左丘明到劉歆　政治大學歷史
　　系碩士論文　1987年　蘇雲峰、陸寶千指導

自清・劉逢祿指劉歆僞撰《左傳》，逮及康有爲、崔適、顧頡剛皆以
爲然，方炫琛首先從先秦典籍引用《左傳》以證明原爲附經編年，再
從諸書稱引證明《左傳》原爲解經而作，再次從先秦、西漢學者引用，
證明《左傳》在劉歆前即已流傳，最後逐條辨析劉歆僞作之不可信。
李平分析《春秋》重微言大義，左丘明就本事撰成《左氏春秋》，劉
歆創通大義以解經。二家說雖不同，但劉歆未僞撰《左傳》，從文獻
分析，確無可疑。

3.楊美玲　左傳倫理思想研究　高雄師範大學國文系碩士論文　1983
　　年　左松超指導

4.張端穗　左傳思想探微　臺北　學海出版社　282頁　1987年1月
　　國科會研究獎助論文

5.王聰明　左傳人文思想研究　臺灣師範大學國文系碩士論文　1987
　　年　李鍌指導

楊美玲敘述《左傳》政治、宗教、倫理等思想的內容及呈現。張端穗
分析《左傳》對超自然、人殉、君臣、禮刑、戰爭的看法。王聰明析
論《左傳》宗教人文化思想、道德思想、政治思想、人文史觀。上述
諸書可對《左傳》一般思想，有一基礎認識。

6.宋鼎宗　左傳賓禮嘉禮考　臺灣師範大學國文系碩士論文　1971年
　　程發軔指導

7.李啓原　左傳載語之禮義精神研究　高雄師範大學國文系碩士論文
　　1980年　周何指導

8.小林茂　春秋左氏議禮考述　臺灣師範大學國文系碩士論文　1981
　　年　周何指導

9.劉瑞箏　左傳禮意研究　臺灣師範大學國文系博士論文　1986年
　　劉正浩指導

上列四書，或論述《左傳》賓禮、嘉禮，或分析《左傳》禮義精神，
或以儀禮爲據，臚列各種禮儀，可與張其淦《左傳禮說》（寓園叢書本，
1930）並研，以爲《左傳》禮學基礎。

10.夏鐵生　左傳國語引經說經之研究　臺灣大學中文系碩士論文
　　1967年　戴君仁指導

11.白中道　左傳引詩研究　臺灣大學中文系碩士論文　1968年　屈萬
　　里指導

12.楊向時　左傳引詩賦詩考　臺北　國立編譯館中華叢書編審委員會

122頁　1972年5月

13.奚敏芳　左傳賦詩引詩之研究　臺灣師範大學國文系碩士論文
　　1982年　劉正浩指導

14.張素卿　左傳稱詩研究　臺灣大學中文系碩士論文　1990年　張以
　　仁指導

《左傳》引《詩》研究，上列諸書，已得其大概，惟引經研究，尚可
進一步研究。

15.盧心懋　左傳「君子曰」研究　政治大學中文系碩士論文　1986年
　　簡宗梧指導

16.龔慧治　左傳「君子曰」問題研究　臺灣大學中文系碩士論文　1987
　　年　裴溥言、張以仁指導

17.葉文信　左傳君子曰考述　臺灣師範大學國文系碩士論文　1996年
　　劉正浩指導

盧心懋分析君子曰有直接引述、間接引述二類，功能有解經、預言、
爲政之道、交鄰之道等，與《左傳》所論並無不同。龔慧治著重探討
君子曰作者，以爲是《左傳》作者，或是時人，但不可能是孔子。葉
文信也證明君子非孔子，大抵在經義危疑難安、易致誤解處出之。

18.張素卿　敍事與解釋——左傳經解研究　臺灣大學中文系博士論文
　　1996年　張以仁指導

本書主在說明《左傳》以敍事方式解釋經典，義即在事中，所以敍事
爲解經的基礎，是全面分析《左傳》解經方式的作品。

四、公羊傳

1.阮芝生　從公羊學論春秋的性質　臺灣大學歷史系碩士論文　1968

　　　年　許倬雲指導

2. 李新霖　春秋公羊傳要義　臺灣師範大學國文系博士論文　1984年
　　　周何指導　臺北　文津出版社　246頁　1989年5月

阮芝生認為《公羊》始傳《春秋》,《左傳》不傳《春秋》,所以須
從《公羊》探究《春秋》性質,從《春秋》之志、義、例、法分析,
確認《春秋》是孔子晚年所作,寄託其政治理想,以明立國體制與精
神,人群進化之階段與公理。李新霖以正統論、華夷觀、內外議、復
讎論、經權說為《公羊傳》要義,至於張三世、通三統等,但立文字,
並無說解,所以略而不論。以上二書,是通論《公羊》思想佳作。

3. 簡松興　公羊傳的政治思想　臺灣師範大學國文系碩士論文　1979
　　　年　王熙元指導

4. 胡元輝　孔子政治思想論原──以公羊學為基點之研究　政治大學
　　　政治系碩士論文　1984年　楊樹藩指導

5. 陳素華　公羊學的一統論　輔仁大學中文系碩士論文　1992年　王
　　　金凌指導

6. 陳登祥　公羊傳的正名思想　輔仁大學中文系碩士論文　1992年
　　　王金凌指導

7. 傅鏡暉　中國歷代正統論研究──依據春秋公羊傳精神的正統論著
　　　分析　政治大學政治系碩士論文　1993年　蔡明田指導

簡松興分「公羊家」與「公羊學」不同:前者探討《春秋》及先師口
說,後者旁及諸經,取證董、何;前者處於封建崩潰之際,欲重建理
想中的周初社會,後者處於中央集權一統社會,關心《公羊傳》中與
當時有關的問題。本書所論述是前者,從一統觀念、禮制分析《公羊
傳》的政治思想。胡元輝以《公羊傳》、《論語》為據,說明孔子政

治思想，尤以進化說為孔子政治思想宏綱。陳素華指出一統是獲得全體認同的合法政權，傳統社會是以禮做為此一基礎，禮壞樂崩，於是以法維繫，《春秋》即以經法姿態出現，導社會於祥和。陳登祥分析《公羊傳》正名思想三原則：對權力結構而言，曰尊尊原則，對改過明嫌而言，曰返經原則，對社會規範而言，曰合禮原則。傅鏡暉主在析述《公羊傳》正統論產生、演變、內容。

8. 成　玲　春秋公羊傳稱謂釋例　臺灣師範大學國文系碩士論文
　　　　　1990年　周何指導
9. 林倫安　春秋公羊傳會盟析例　臺灣師範大學國文系碩士論文
　　　　　1994年　周何指導
10. 張淑惠　公羊傳稱謂七等研究　臺灣師範大學國文系碩士論文
　　　　　1996年　周何指導

成玲分析《公羊傳》中諸侯、女子、君室公族及大夫稱謂，以例明義，因義釋經。林倫安分會例有六大類，盟例有十二大類，歸納會盟之例，其義有尊王、攘夷、信桓、行權、內魯、諱恥六端。張淑惠分析「州不若國，國不若氏，氏不若人」是記載詳略差異，「人不若名，名不若字，字不若子」是個人稱謂等第差異，借此可觀察褒貶判準，夷狄進程完整呈現。

五、穀梁傳

1. 陳　槃　春秋穀梁傳論　孔學論集　頁461-495　臺北　中華文化
　　　　　出版事業委員會　1957年7月
2. 吳智雄　穀梁傳思想研究　中山大學中文系碩士論文　1997年6月

　　　　　王金凌指導

吳智雄認為《穀梁傳》思想在建立社會政治秩序，據此分析《穀梁傳》思想內涵，禮、倫理思想、政治思想等，是少數通論《穀梁傳》著作。

3.賴炎元　春秋穀梁傳義例　國科會研究獎助論文　慶祝瑞安林景伊先生六秩誕辰論文集　頁185-358　臺北　政治大學中文系　1969年12月

4.高秋鳳　穀梁時月日例之盟例試探　國文學報　第17期　頁43-70　1988年6月

5.周　何　穀梁會盟釋例　高仲華先生八秩榮慶論文集　頁155-165　高雄師範大學國文系　1988年

6.周　何　穀梁朝聘例釋　中國學術年刊　第10期　頁181-191　1989年2月

7.周　何　穀梁諱例釋義　教學與研究　第11期　頁43-53　1989年6月

8.李紹陽　春秋穀梁傳時月日例研究　臺灣師範大學國文系碩士論文　1995年　周何指導

上述諸作，或全盤論述《穀梁傳》義例，或就各例分別探討，可與《公羊》義例諸作並參，以會通三傳義例之學。

貳、春秋經傳學史研究

一、春　秋

　㈠先　秦

1.錢　穆　春秋　中國史學名著㈠　頁13-25　臺北　三民書局　1973

年2月

2.熊公哲　孔子志在春秋行在孝經　孔子發微　卷上　頁237-254　臺
　北　正中書局　1985年1月

3.吳吉助　孟子春秋說研究　臺灣師範大學國文系碩士論文
　1987年　張學波指導

錢穆指出史官分布，是周一代制度，孔子作《春秋》，則是私家著述，
由政治轉向學術，開中國史學傳統，是當時一部世界史，融自然與人
文作一歷史批判。熊公哲指出孔子作《春秋》的動機在於達王事、《春
秋》是經而非史、《春秋》微言是改立法制，大義是誅討亂賊，並廣
引《莊子》、《荀子》、《史記》、周程諸子、顧炎武、皮錫瑞等諸
家見解以證成之，可作爲孔子與《春秋》簡要的導讀。吳吉助認爲存
於《孟子》之《春秋》說稍嫌零碎，故就〈滕文公下〉、〈離婁下〉、
〈盡心下〉論及《春秋》言論，以春秋無義戰爲例，就涵義、史實分
析孟子思想，並從尊王、攘夷論孟子思想源於春秋，從意義、影響證
明孟子紹述孔子。本書是目前完整的孟子《春秋》學研究。

　㈡兩　漢

1.范姜星釧　兩漢春秋經學的傳授源流　輔仁大學中文系碩士論文
　1979年　王靜芝指導

2.劉漢德　從後漢書五行志看春秋對西漢政治的影響　臺北　華正書
　局　188頁　1979年7月

3.洪安全　孔子之春秋與司馬遷之史記　孔孟學報　34期　頁31-44
　1981年1月　春秋三傳研究論集　頁63-82　臺北　黎明
　文化公司　1981年1月

4.張添丁　司馬遷春秋學　政治大學中文系博士論文　1985年　周何
　　指導
5.宋鼎宗　漢宋春秋學　慶祝無錫施之勉先生九秩晉五誕辰論文集
　　頁215-239　臺北　文史哲出版社　1986年3月

范姜星釗主在探討《春秋》三傳在漢代傳授源流，分別探討三傳的來
源、作者、內容、價值等問題，列舉漢代研究《春秋》特殊成就學者，
如董仲舒、劉歆、何休等，紹其生平，述其學術，說明兩漢春秋主流
為通經致用、天下為公。可為研究漢代《春秋》學入門著作。洪安全
敘述司馬遷作《史記》，上承周公、孔子，與家世、遭遇密切相關，
本文即在說明此一歷史過程。張添丁分析司馬遷《春秋》學來源，敘
述《史記》採擇二傳的史料與義理。是司馬遷《春秋》學此一專題最
完整作品。宋鼎宗指出漢《春秋》學之異在漢學重傳，宋儒重經；漢
學詳名物，宋儒闡治道；漢儒援俗說入經，宋儒以性理立義；漢儒以
《春秋》斷案，宋儒擬《春秋》筆法；漢儒主劉氏，宋儒尚趙家；漢
儒信古而宋儒疑經。本文是分別漢宋《春秋》學異同最具條理之作。

　　㈢宋　代

1.牟潤孫　兩宋春秋學之主流　大陸雜誌　5卷4、5期　計7頁　1952
　　年8、9月　注史齋叢稿　頁140-161　臺北　臺灣商務印
　　書館　1990年6月
2.宋鼎宗　春秋宋學發微　臺北　文史哲出版社　340頁　1986年9月
3.汪惠敏　四庫全書提要對宋儒春秋學評騭之態度　書目季刊　22卷
　　3期　頁71-77　1988年12月
4.簡福興　宋代春秋學特色形成之探討　高雄工商專校學報　22期

1990年12月

5. 倪天蕙　宋儒春秋尊王思想研究　政治大學中文系碩士論文　1982年　周何指導

6. 宋鼎宗　宋儒春秋尊王說　成功大學學報（人文篇）　19卷　頁1-36　1984年3月

7. 宋鼎宗　胡安國春秋砭宋說　成功大學學報　13卷　頁135-154　1978年5月

8. 宋鼎宗　春秋胡氏學　臺南　友寧出版公司　196頁　1978年6月　1979年3月增訂再版

9. 簡福興　胡氏春秋學研究　臺南　欣禾圖書公司　355頁　1982年

10. 曹在松　孫復春秋尊王發微與北宋經史二學思想之演變　臺灣大學歷史系碩士論文　1983年　王德毅指導

11. 錢　穆　朱子之春秋學　朱子新學案　頁95-111　臺北　三民書局　1982年4月

12. 林建勳　呂東萊的春秋學　中央大學中文系碩士論文　1990年　曾昭旭指導

牟潤孫精要的指出，宋代《春秋》學主流，一是以孫復尊王思想，二是以胡安國的攘夷思想，前者影響北宋《春秋》學，後者影響南宋《春秋》學，又別開說經新徑，成就又不止於《春秋》學或經學。宋鼎宗致力於宋代《春秋》學研究，相關撰述豐富，《春秋宋學發微》可為代表，該書以為《春秋》宋學遠源漢魏兩晉諸儒，近祖唐末啖助、趙匡、陸淳，遍述宋代《春秋》學者，探討宋儒《春秋》尊王說、攘夷說，說明宋儒破斥漢儒《春秋》說，並建立宋儒特殊理論，指出宋儒《春秋》學有尊胡、宗朱之別，比較漢、宋《春秋》學異同：漢學重

傳，宋儒尊經，漢學詳名物，宋儒闡治道，漢儒援俗說入經，宋儒以
性理立義，漢儒以《春秋》斷案，宋儒擬《春秋》筆法，漢學信古，
宋儒疑經。該書是研究宋代《春秋》學最詳細且重要著作。汪惠敏引
顧頡剛〈春秋時代的孔子和漢代的孔子〉：「各時代有各時代的孔子，
即使一個時代中也有種種不同的孔子。」以之爲中心觀念，說明宋儒
《春秋》學寓託諷諫，實乃時世使然，《四庫全書總目》詆訶孫復、
胡安國，揚宋而抑漢，並不能得知宋儒《春秋》眞貌。簡福興指出宋
代《春秋》學特色是尊經棄傳、經世致用，於是探討形成此一特色的
原因，遠因是漢儒墨守三傳之失，近因是晚唐綜論原經之啓。倪天蕙
以爲宋儒《春秋》學導源唐代啖助、趙匡、陸淳，指出理學興起與藩
鎭割據是宋代尊王思想的背景，敘述北宋孫復、王晳、孫覺、蕭楚四
家，推闡《春秋》始於尊王終於行道之旨，南宋胡安國、陳傅良、高
閌、趙鵬飛四家，推闡《春秋》始於尊王終於攘夷之旨。宋鼎宗〈宋
儒春秋尊王說〉也指出宋儒特重尊王，有時代牽繫，源於藩鎭荼毒、
務彊主勢、臣節不立、權姦柄國，至於尊王內涵則是明三綱、懲彊侯、
獎忠貞。〈胡安國春秋砭宋說〉，敘述胡安國進講經義，以復仇、自
強、親賢、去讒、守土、逐寇，諷諭宋高宗。錢穆指出朱子早年對《春
秋》態度和緩，晚年則評諸家說《春秋》不盡可信，並云朱子治《春
秋》，認爲褒貶應立基於史實，不在書法，全文言簡意賅，可了解朱
子《春秋》思想。林建勳析述呂祖謙《春秋》學義理問題，探討呂祖
謙天理、心、性觀念，及由之而來的世界觀、人物品評，並反省其歷
史方法與應用的限制。

㈣元　代

1. 簡福興　元代春秋學研究　高雄師範大學國文系博士論文　1987年
　　蔡崇名指導

簡福興以爲元儒《春秋》學源於漢、晉、唐、宋，敘述吳澄、黃澤、
陳深、俞皐、齊履謙、程端學、鄭玉、王元杰、李廉、汪克寬、趙汸
《春秋》學，說明元儒《春秋》經世、尊王、攘夷思想，探究解經方
法，指出元儒《春秋》學居於宋、明轉變之機，是目前研究元代《春
秋》學最廣泛深入的著作。

㈤清　代

1. 宋鼎宗　四庫全書總目經部春秋類校讀記　中國國學　12期　頁
　　67-73　1984年10月
2. 孫劍秋　亭林之春秋學　顧炎武經學之研究　頁169-190　臺北　東
　　吳大學中國學術著作獎助委員會　1992年7月
3. 曾昭旭　船山之春秋學　中國文化月刊　14期　頁23-44　1980年12
　　月
4. 陳逢源　毛西河及其春秋學之研究　政治大學中文系碩士論文
　　1991年　董金裕指導
5. 司仲敖　錢大昕之春秋學　木鐸　10期　頁261-280　1984年6月
6. 張高評　方苞義法與春秋書法　清代經學國際研討會論文　臺北
　　中央研究院中國文哲所籌備處主辦　1992年12月22-23日
7. 吳哲夫　四庫全書經部春秋類圖書著錄之評議　故宮學術季刊　9
　　卷3期　頁1-18　1992年春　第二屆國際華學研究會議論

文集　臺北　中國文化大學文學院　1992年

8.周啓榮　史學經世——試論章學誠「文史通義」獨缺「春秋教」的
　　　　　問題　歷史學報（臺灣師範大學）　18期　頁169-182　1990
　　　　　年6月

宋鼎宗指出《四庫全書總目·經部·春秋》類之誤計十六條，有引文、
傳授、卷數、子目、評價等誤。吳哲夫析論更深，先歸納著錄的原因，
次歸納見棄的原因，並指責四庫館臣刪削、改易《春秋》類著作，指
出著錄與存目未盡妥適、重宋元而輕明清、刪易文字，不夠徹底、詳
爲校刊，能補其餘版本不足。宋、吳二文，是研究《四庫全書總目·
春秋》類必讀之作。孫劍秋析顧炎武《春秋》學大要有二：一在通論
《春秋》諸問題，如《春秋》不始於隱公、《春秋》爲闕疑之書、《春
秋》用周正，《左氏》用夏正、《春秋》無貶爵，二在考證，考證地
名、辨明文義、補杜注之失，最後並評論顧炎武《春秋》學得失。曾
昭旭介紹王夫之《春秋》學著作，並分析王夫之《春秋》義理在以心
制義，且本之以論斷春秋時事。陳逢源指出毛奇齡《春秋》學目的是
批駁胡安國《春秋傳》，以回復《春秋》本經地位，其《春秋》學在
提出簡策分書、屬辭比事、立二十二門部統攝條貫、立四例以闡明本
旨。張高評指出方苞義法本於《春秋》，而《春秋》之義在於筆削，
筆削即書法所在，方苞即以此爲義法，義爲之主，謀篇修辭爲之輔，
形成桐城義法學。周啓榮討論章學誠《文史通義》何以獨缺《春秋》
教，認爲並非余英時所指是因章學誠權威主義傾向，致不許孔子無位
而作《春秋》，而是乾嘉以降重經輕史，且史學所以經世、明道，是
以以《春秋》爲史學之源，〈浙東學術〉已有詳述，故不須另寫〈春
秋教〉。

二、左傳學史

　　㈠先　秦

1. 劉正浩　周秦諸子述左傳考　臺北　臺灣商務印書館　238頁
　　1966年11月
2. 朱冠華　風詩序與左傳史實關係研究　臺北　文史哲出版社　135
　　頁　1992年7月

劉正浩全書引《論語》、《老子》、《曾子》、《子思子》、《墨子》、
《孟子》、《商子》、《莊子》、《荀子》、《晏子春秋》、《呂氏
春秋》、《韓非子》述《左傳》文獻，分爲三類：述事立意本於《左
傳》、可援引以解釋傳文、與《左傳》所述一事但內容違異，按年登
載，並附按語。本書不僅可考周秦諸子引述《左傳》，更是《左傳》
在周秦流傳重要研究成果，足以破劉歆僞造《左傳》之說。朱冠華就
〈詩序〉與《左傳》史實相合者，廣引經傳子史以說明。

　　㈡兩　漢

1. 劉正浩　兩漢諸子述左傳考　臺北　臺灣商務印書館　193頁
　　1969年9月
2. 王更生　賈誼春秋左氏傳承考　孔孟學報　35期　頁135-148　1978
　　年4月　春秋三傳研究論集　頁165-183　臺北　黎明文化
　　事業公司　1981年1月
3. 劉正浩　太史公左氏春秋義述　臺灣師範大學國文系碩士論文
　　1962年　程發軔指導

4. 梁榮茂　史記引述左傳考　國科會研究獎助論文　1965年

5. 顧立三　司馬遷撰寫史記採用左傳的研究　臺北　正中書局　126頁　1981年1月

6. 方炫琛　左傳在史記前已是附經編年證　中華學苑　23期　頁182-212　1979年9月

7. 程南洲　東漢時代之春秋左氏學　政治大學中文系博士論文　1978年　高明指導

8. 葉政欣　賈逵與春秋左傳　成功大學學報（人文篇）　14卷　頁1-21　1979年5月

9. 葉政欣　賈逵春秋左氏說探究　臺南　興業圖書公司　2冊　1980年4月

10. 葉政欣　漢儒賈逵之春秋左氏學　臺南　興業圖書公司　633頁　1983年1月

11. 程南洲　賈逵之春秋左傳學及其對杜預注之影響　臺北　文津出版社　131頁　1981年6月

12. 程南洲　春秋左傳賈逵注與杜預注之比較研究　臺北　文津出版社　108頁　1982年6月

13. 葉政欣　服虔春秋左傳遺說探究　國科會研究獎助論文　1979年

劉正浩引《新語》、《淮南子》、《新序》、《說苑》、《列女傳》、《論衡》、《白虎通》、《潛夫論》、《風俗通》、《獨斷》、《申鑒》、《中論》述《左傳》事，體例、價值一如《周秦諸子述左傳考》。王更生據章太炎《春秋左氏疑義問答》，參以劉向《別錄》、班固《儒林傳》、陸德明《經典釋文》，考定賈誼之前《左傳》傳承，復據《史記》、《漢書》記載，考定賈誼以後《左傳》傳承，脈絡分明，可窺

知《左傳》在漢代傳授情形。顧立三分析司馬遷《史記》採取《左傳》有義理、文詞、史事，或增減，或改寫。方炫琛從《師春篇》、《管子》、《呂氏春秋》證明《左傳》在先秦已是依經編年，《史記》則採《左傳》以述春秋時代史事。程南洲致力於東漢《左傳》學，《東漢時代之春秋左氏學》是其代表作，敘述鄭眾、賈逵、馬融、許愼、鄭玄、服虔、穎容《春秋左氏》學。敘述各家傳略，分析各家對《左傳》見解，說明鄭眾、服虔解經方法，探究鄭眾對馬融、服虔、杜預影響，賈逵對馬融、服虔、穎容、杜預影響，服虔對杜預影響，評述各家得失。是此一專題最詳明著作。其後比較賈逵、杜預，承此而來，更加詳密，從經傳義蘊、禮制、義例、字義、人名、地名，論較二人異同。葉政欣則致力於賈逵《左傳》學研究，《漢儒賈逵之春秋左氏學》是其代表作，分析賈逵對《春秋》義例、《左傳》義例及文旨之闡釋，《左傳》名物、古史、禮制之解說，《春秋經》國名、地名之解說，《左傳》人名之解說，經傳字義之訓詁，並附有賈逵年譜。是研究賈逵最深入作品，亦爲研究賈逵者所必讀。至其〈賈逵與春秋左傳〉就賈逵先世生平、師承淵源、著述概況、遺說輯佚、學術得失、影響後學，作一較簡要介紹。

(三)六　朝

1. 沈秋雄　三國兩晉南北朝春秋左傳學佚書考　臺灣師範大學國文系博士論文　1981年　高明、周何指導

2. 廖吉郎　南北朝之春秋左氏學　國文學報　13期　頁1-11　1984年6月

3. 葉政欣　杜預與春秋經傳集解　書和人　110期　頁1-8　1969年5

月17日　中國經學史論文選集（上）　頁530-545 臺北　文史哲出版社　1992年10月

4. 王初慶　春秋左傳杜氏義述要　人文學報（輔仁大學）　4期　頁355-418　1975年5月

5. 葉政欣　杜預及其春秋左氏學　臺南　興業圖書公司　295頁　1984年2月　國科會研究獎助論文　1984年

6. 葉政欣　春秋左氏傳杜注釋例　臺灣師範大學國文系碩士論文　1964年　林尹指導　臺北　嘉新水泥公司文化基金會　2冊　1966年

7. 葉政欣　春秋左傳學世家杜氏三世年譜——杜畿、子恕、寬、孫預　慶祝無錫施之勉先生九秩晉五誕辰論文集　頁241-271 臺北　文史哲出版社　1986年3月

8. 程元敏　春秋左氏經傳集解序疏證　臺北　臺灣學生書局　112頁　1991年8月　國科會研究獎助論文　1991年

廖吉郎略分南朝《左傳》有義疏之學，如沈文阿《春秋左氏經傳義略》、王元規《續春秋左氏經傳義略》、劉炫《春秋左氏傳述義》、蘇寬《春秋左傳義疏》；有駁杜之學，如賈思同《春秋傳駁》、衛冀隆《難杜氏春秋六十三事》、劉炫《春秋攻昧》、《春秋規過》，各就作者生平、作品內容評述，可窺知南北朝《左傳》學概況。葉政欣《杜預及其春秋左氏學》是其系列研究杜預代表作，評論杜預《左傳》學得失，詳明《春秋經傳集解》體制、內容、承繼、價值，並就《春秋釋例》諸例作一詳評，附有杜預大事表。〈杜預與春秋經傳集解〉則就此一專題作一簡要介紹，可為研究杜預《左傳》學入門之作。〈春秋左傳學世家杜氏三世年譜-杜畿、子恕、寬、孫預〉是〈杜預之先世及生

平〉擴大之作。諸篇均爲研究杜預必讀作品。王初慶全文甚長，可作爲《春秋》與《左傳》導讀。程元敏以爲欲通《左傳》，捨杜序莫由，但孔穎達《左傳正義》雖首釋杜序，其失有六：刪取舊疏、偶有疏誤、理據欠實、文字稍繁、舉證未周、考鏡尚少，民國以降，楊伯峻《春秋左傳注》不及杜序，李宗侗《春秋左傳今注今譯》末附杜序，未能章明杜旨、詮證孔疏，葉政欣《春秋左氏傳杜注釋例》，亦未遑釋疏杜序，於是疏證杜序，依唐石經本分爲十二段，三十四注，每注一節。本文疏釋杜序，有引證有論斷，是研讀杜序必讀之作。

(四)隋　唐

1.簡博賢　孔穎達春秋左傳正義平議　孔孟學報　20期　頁50-53
　　　　1970年9月　春秋三傳研究論集　頁203-224　臺北　黎
　　　　明文化事業公司　1981年1月

簡博賢指出孔穎達《左傳正義》宗主杜預，間能正杜預之誤，且疏釋禮制詳明，但多迴護曲從，有失經義，駁劉炫、難服虔，均不得其當。本文舉例詳核，是研究孔穎達《左傳正義》重要論文。

(五)清　代

1.蕭淑惠　清儒規正杜預春秋經傳集解研究　成功大學中文系碩士論
　　　　文　190頁　1997年6月　宋鼎宗指導
2.蔡孝惲　惠棟春秋左傳補注之研究　高雄師範大學國文系碩士論文
　　　　1998年5月　周虎林指導
3.林耀曾　春秋古經洪詁補正　臺灣師範大學國文系碩士論文　1964
　　　　年　程發軔指導　臺北　嘉新水泥公司文化基金會　312

頁　1966年8月

4.張惠貞　劉文淇春秋左氏傳舊注疏證體例之研究　逢甲大學中文系
碩士論文　1991年6月　黃錦鋐指導

蕭淑惠敘述清儒規杜發展與名家代表，並分析清儒規杜特色有訓詁、
義例、禮制、地理、掠先儒之美五項特色，最後並駁正清儒規杜。本
文已有杜預研究史規模，並可發展類似研究。蔡孝懌指出惠棟回復孔
子《春秋》大義、駁斥杜預誤謬，因而撰作《補注》，說明惠棟解經
方式略有引據群書、引據讖緯、引據五行、推論經傳文意等，統計《補
注》全書，分爲六類：考訂文字、詞義訓詁、解說義法、解說禮制、
解說人名、解說地名，說明《補注》特色是引據詳博、考辨杜注源流、
訓詁精確、考證古史等，缺失是過於尊古、引證資料未細核原文等，
影響王引之、楊伯峻校字通經，洪亮吉、劉文淇追溯杜注本源。

　　㈥民　　國

1.宋惠如　劉師培春秋左傳學研究　中央大學中文系碩士論文　1995
年　岑溢成指導
2.陳慶煌　論左盦對於春秋左氏學之貢獻　孔孟學報　53期　頁247-
271　1987年4月
3.張廣慶　劉申叔春秋左氏學申漢難杜說　中國書目季刊　22卷2期
頁47-60　1988年9月

宋惠如重在分析比較今古文解經方法異同，今文家在借事明理，事與
理是否完全配合，則爲次要；古文家在事中寓理，強調經世之理與當
代史事二者須切合，從而將經學回歸經學，政治歸於現實，保障經學
的典範地位，見解頗有創獲，甚值參考。陳慶煌以爲劉師培《左傳》

學成就在闢前人誹詆《左傳》、闡明《左傳》精義、開研治《左傳》新徑。張廣慶說明劉師培《左傳》學申漢難杜，一在推闡家學，二在證成《左傳》以義傳經，三在駁斥《左傳》不傳《春秋》之謬。

三、公羊傳學史

㈠兩　漢

1. 劉漢德　春秋公羊傳對西漢政治的影響　書目季刊　11卷1期　頁31-57　1977年6月

2. 何照清　兩漢公羊學及其對當時政治的影響　輔仁大學中文系碩士論文　1986年　賴炎元指導

3. 洪碧穗　董仲舒春秋學述　輔仁大學中文系碩士論文　1995年5月　王初慶指導

4. 韋政通　董仲舒的春秋學　董仲舒　頁33-64　臺北　東大圖書公司　1986年7月

5. 劉正浩　試揭春秋神秘的面紗──對董生論春秋的闡釋與商榷　教學與研究　11期　頁27-41　1989年6月

6. 孫長祥　董仲舒春秋學方法論試探──春秋繁露中的哲學問題與知識方法的辨析　華岡文科學報　17期　頁1-19　1989年12月　國科會研究獎助論文　1990年

7. 趙雅博　董仲舒對春秋微言大義的詮釋　大陸雜誌　85卷3期　頁1-6　1992年9月

8. 張廣慶　何休春秋公羊解詁研究　臺灣師範大學國文系碩士論文　1989年　沈秋雄指導　國科會研究獎助論文　1990年

劉漢德指出《公羊》學影響西漢政治有四點：守經持常，使儒家之道得以發揮；達變中權，使儒家之道得以調適；進化革命，可以使天子有所戒懼；改正朔、易服色、三統、三正，步上科學求真坦途。何照清指出兩漢《公羊》學影響其時政治有六：受命改制、王位繼承與皇后廢立、禘祫說與順逆祀、刑獄判案、災異祥瑞、征伐匈奴。洪碧穗證明〈天人三策〉爲《春秋繁露》濃縮本，分析董仲舒《春秋》學係以《公羊傳》爲藍本，以陰陽五行說爲骨幹，歸納董氏所說學習《春秋》的方法，分析〈天人三策〉的方法。韋政通指出董仲舒《春秋》學的共同原則是奉天法古，以作爲改制的依據；至其方法是借《春秋》以創新說；以語意、目的、本質理解《春秋》。孫長祥分析董仲舒哲學問題有三：歷史與現實、天道與自然、信念與理想；整合此三問題方法是察身知天，即經由人的內省後，掌握人自身認知能力，進而開展知識問題；思想界與實在界的交互關涉以名號爲中介，《春秋》辭例則是名號判斷、命題、結論，但辭例所判斷的真實對象並非靜態孤立，於是須探索深微幽隱的《春秋》意指，歸結到個人價值建構，從名、號、辭、指、義，析述董仲舒方法論；最後指出董仲舒理論之弊在以人事比附自然。本文從原典中建立方法論，不援引西方理論，甚值參考。趙雅博從《春秋繁露》各種辭例，諸如微辭、溫辭、婉辭、誣辭、正辭、詭辭、常辭、通辭、《春秋》無達辭、誅意不誅辭，說明董仲舒對微言大義的解說，並以爲董氏方法概念豐富，但流弊更多，隱蔽真實歷史。張廣慶指出公羊解詁旨要以通三統、張三世、異內外爲主，敘述《公羊解詁》博採經傳子史、漢制、讖緯，詳析各種災異，說明《公羊解詁》之時月日例。

(二)隋　唐

1.潘重規　春秋公羊疏作者考　學術季刊　4卷1期　頁11-18　1955
　　年9月

2.簡博賢　徐疏公羊述稿　興大中文學報　3期　頁109-122　1990年
　　1月

潘重規指出《公羊疏》引書止於晉宋，多非唐以後人所能見；其中作
音與《經典釋文》體例大異；校列三家經文，有陸德明所未見；引證
舊本多於《釋文》；引舊說豐富；引群經為北朝風尚；從而認為《公
羊疏》作者是北朝儒者。簡博賢仍定徐彥為唐人，但生平已不可知，
並指出徐疏體例初為問答，稍異於他經，疏義以何休三科九旨為宗，
但能兼存他說，亦有駁議，至其疏失則有引證圖讖，不通古篆，不達
注意，比附古義，舉事過泥，未明禮制，末附徐疏刊行版本。潘、簡
二文是研究徐彥最詳明且必須參考著作。

(三)清　代

1.陸寶千　清代公羊學之演變　　　清代思想史　頁221-275　臺北
　　廣文書局　1983年9月3版

2.金榮奇　莊存與春秋公羊學研究　政治大學中文系碩士論文
　　1990年　李威熊指導

3.王財貴　孔廣森春秋公羊通義敘錄　鵝湖　16卷2期（總182期）　頁
　　6-21　1990年8月

4.鍾彩鈞　劉逢祿公羊學概述　清代思想與文學研討會論文　高雄
　　中山大學中文系主辦　1989年11月11-12日

5. 徐敏玲　劉逢祿公羊學思想之研究　中興大學中文系碩士論文
　　1996年　江乾益指導

6. 吳龍川　劉逢祿公羊學研究　中央大學中文系碩士論文　1997年
　　岑溢成指導

7. 鄭卜五　凌曙公羊禮學研究　高雄師範大學國文系博士論文　1996
　　年　周虎林指導

8. 黃公偉　公羊學派與龔自珍思想——中國現代學術思想史譚薈之一
　　人文學報（輔仁大學）　3期　頁255-262　1973年12月

9. 張壽安　龔定菴與常州公羊學　書目季刊　13卷2期　頁3-21　1979
　　年9月

10. 孫春在　清末的公羊思想　臺灣大學歷史系碩士論文　1984年　李
　　永熾指導　臺北　臺灣商務印書館　296頁　1985年10月

11. 何信全　晚清公羊派的政治思想　臺北　經世書局　155頁　1984
　　年5月

12. 王家儉　晚清公羊學的演變與政治改革運動　中央研究院第二屆國
　　際漢學會議論文集　明清與近代史組　下冊　頁705-728
　　臺北　中央研究院　1989年6月

13. 王妙如　康有爲公羊思想研究　淡江大學中文系碩士論文　1995年
　　周志文指導

陸寶千詳細分析清代《公羊》學演變，指出就義理而言首棄孔子爲漢
代制法之說，而稱孔子爲萬世制法者爲莊存與，首重《春秋》當新王
之說者爲劉逢祿、宋翔鳳，首重張三世之說而擴充者爲龔自珍，特重
《公羊》禮制者爲劉逢祿、凌曙；就研究範圍而言，莊述祖已擴及《夏
小正》，劉逢祿、戴望擴及《論語》，凌曙擴及《春秋繁露》，魏源

擴及《詩》、《書》;就研究對象而言,龔自珍以前,限於典籍,龔自珍、魏源本經術以論政,逮及康有為盛言變法。本文見解獨到,徵引詳贍,可為研究清代《公羊》學之基。金榮奇分析莊存與公羊學體用論、災異論、微言大義論,比較分析莊存與取捨二傳的原因,以莊述祖、劉逢祿、宋翔鳳為核心,說明莊存與對三氏的影響。王財貴說明孔廣森作《公羊通義》精神在由傳以通經,由經以契聖;分析《公羊通義》與何休《公羊解詁》的關係,一在補何休之不足,一在正何休之訛謬;探討《公羊通義》與二傳的關係,或取於二傳,或辨二傳之非;評論《公羊通義》在訓詁未善、取材不慎、輕改經傳等,末附阮元、皮錫瑞、梁啟超、錢穆、呂思勉等人評價。徐敏玲以經、權思想探討劉逢祿處世論,討論劉逢祿災異觀,分析劉逢祿原本經學的政治思想。吳龍川指出劉逢祿以為三科九旨才是孔子真傳,並以之判定今古文,由是而獨尊《公羊》,說明劉逢祿以為《春秋》制即封建制,分封諸國,權勢不致擴張,禮儀易於措置,分析董仲舒改制說有受命改制與實質改制二種,前者是形式意義,後者則進行實際改革,劉逢祿只有受命改制,只具形式意義,且朝向恢復封建制度,指出禮制要求與誅絕義例,劉逢祿較何休嚴苛,指出劉逢祿以為維護封建須借禮與刑,諸侯違禮,須以重刑治之。本文頗多創見,異於前人研究,甚值參考。鄭卜五從吉、凶、軍、賓、嘉五禮析論凌曙公羊禮學,是研究《公羊》禮學首出之作,為《公羊》學研究另闢新途。黃公偉簡介龔自珍著述、《公羊》三世說、融會儒佛、政治思想,並指出龔自珍尊陸、王,而啟後世今文學者崇《孟子》、《大學》、《中庸》之風,晚清王學復興,或可從此一思想脈絡繼續探究。張壽安比較龔自珍與劉逢祿、魏源《公羊》學異同,龔自珍以為《左傳》是史,並與《公

羊》、《穀梁》同傳《春秋》，劉逢祿則以爲《左傳》是史，不傳《春
秋》；劉逢祿獨尊何休，魏源上溯董仲舒，龔自珍援經議政，不主一
家；龔自珍並以爲五經皆含終始治道，與《公羊》三世說配合。孫春
在全書著重探討問題是清末《公羊》學三世說的各種模式，主要論述
對象有王闓運、廖平、康有爲、梁啓超、譚嗣同等，分析深入，是了
解清末《公羊》三世說最佳著作。何信全重在析述康有爲孔子改制思
想、三世漸進理論、大同理想，並說明維新派基本主張是在君權支持
下，建立制度局以爲決策核心，下設十二專局實際推行新政，比較康
梁異同，康有爲在戊戌之前主張立憲法開國會，戊戌之後則主張物質
救國，構思中國工業化；梁啓超則強調國家觀念、國民觀念、權利思
想、自由自治等。王妙如分析康有爲《公羊》思想主要內涵託古改制
與歷史進化，及其所觸及的困境。

四、穀梁傳學史

㈠秦　漢

1. 李曰剛　穀梁傳之著於竹帛及傳授源流考　師大學報　6期　頁
237-244　961年6月
2. 王熙元　穀梁傳傳授源流考　孔孟學報　28期　頁219-236　1974
年9月　春秋三傳研究論集　頁259-281　臺北　黎明文化
事業公司　1981年1月

李曰剛指出《穀梁傳》年代先於《公羊傳》，至其成書則屬浮丘伯，
傳授系統是子夏、曾申、穀梁俶、穀梁赤、穀梁寘、穀梁嘉、荀卿、
浮丘伯、申公、江公，江公以後，流布於漢儒。王熙元仿柳興恩《穀

梁大義述·述經師》之例,自子夏始,凡傳授、講論、通曉、著述《穀梁》者,均網羅無遺,至范寧父子兄弟止,並附先秦兩漢《穀梁》傳授表,自子夏以迄侯霸。李、王二文徵引文獻豐富,可了解先秦至魏晉《穀梁》學傳授概況,並作為《穀梁》學史的基礎。

　　㈡六　　朝

1.王熙元　穀梁古佚注考　慶祝瑞安林景伊先生六秩誕辰論文集　頁359-385　臺北　政治大學中文系　1969年12月

2.王熙元　穀梁范注發微　臺灣師範大學國文系博士論文　1970年高明指導　臺北　嘉新水泥公司文化基金會　861頁1972年8月

3.王熙元　范寧及其穀梁集解　國文學報　3期　頁1-9　1974年6月中國經學史論文選集(上)　頁572-585　臺北　文史哲出版社　1992年10月

4.王熙元　范寧年譜初稿　國文學報　10期　頁53-80　1981年6月
王熙元致力於《穀梁傳》研究,《穀梁范注發微》是其代表作,敘述《穀梁傳》作者、傳授源流、范寧生平,說明范注博取群書、旁徵諸儒、兼採《公羊》,分析范注對字義、詞句、事理的解釋,證成范注發明《穀梁》書法、特義、事類諸例,敘述范注質疑《穀梁傳》處,指出范注有校勘、訓詁、徵引、義例、事理之失,本書是研究范寧《穀梁傳集解》最詳細深入的著作,亦為此一專題必須參考的專著,而其體例也影響吳連堂《春秋穀梁經傳補注研究》、陳秀玲《楊士勛春秋穀梁傳注疏之研究》。〈范寧及其穀梁集解〉則是對此一論題作較簡要介紹,可為讀《穀梁范注發微》入門作品。〈范寧年譜初稿〉是目

前最完整的范寧年譜，可補《穀梁范注發微·導論·范寧生平述略》之不足。

　　(三)唐　代

1.陳秀玲　楊士勛春秋穀梁傳注疏之研究　中興大學中文系碩士論文
　　　　1995年　江乾益指導

陳秀玲敘述《穀梁傳》版本，分析楊士勛注疏方法，析述楊士勛疏解范注文字、名物、典制、風俗、天文、地理、草木，申釋范注史實、書法，匡正范注謬誤，分析楊士勛疏發明，如義理、義例、文字、訓詁、校勘等，指出楊士勛駁疑《穀梁傳》，比較《公羊》、《左傳》注疏，評其是非，指出楊士勛疏之失有五，體制、義理、義例、訓詁、考據。

　　(四)清　代

1.田宗堯　春秋穀梁傳阮氏校勘記補正　孔孟學報　8期　頁169-181
　　　　1964年9月　春秋三傳研究論集　頁243-257　臺北　黎明
　　　　文化事公司　1981年1月
2.吳連堂　春秋穀梁經傳補注研究　高雄師範大學國文系碩士論文
　　　　1987年5月　王熙元指導
3.吳連堂　清代穀梁學　高雄　復文書局　733頁　1998年

田宗堯鑒於阮元校勘記間有疏失，取四部叢刊景宋建安余氏刊本、羅振玉輯鳴沙石室佚書、神田喜一郎輯敦煌秘籍留眞新編唐寫本殘卷等，以成此文。吳連堂分析鍾文烝對范注文詞、禮制、史實、地名、書法的證補，釋范注疑義，糾范注誤謬，鍾文烝在補注之外，仍有所

創發，如義理、義例、訓詁、解經方法、文章、版本校勘等，說明鍾文烝對三傳異文的見解，分析補注之疏失。吳連堂另一著作《清代穀梁學》全書分注疏之屬、論說之屬、考證之屬、校勘之屬、輯佚之屬、、評選之屬，以目錄學體例，網羅清代《穀梁傳》作品，並分別作評述，文獻詳備，是第一部全面研究清代《穀梁》學專書，也是研究相關主題所須參考作品。

參、回顧與展望

回顧近五十年《春秋》經傳學史，研究成果固然豐富，但也存在若干領域仍待我們繼續探討，現將本文所收論著，依專題研究、朝代研究、專家研究分製三表，俾便展望未來。

春秋經傳專題研究統計表

專題 ＼ 經傳	春　　秋	春秋三傳	左　　傳	公羊傳	穀梁傳
作者	1	1	2		
通論	2			2	1
思想		1	3	5	1
異文	1				
義例	3	1		3	6
三傳比較		2			
禮制			3		
引經			5		
君子曰			3		

以經傳研究分析，《左傳》研究數量最多，次則是《公羊傳》，可以見出《公羊》學研究逐漸興起，《穀梁傳》則較缺乏專著與學位論文，三傳綜合研究，其事不易，研究者少，也是有待拓展領域。以專題分析，義例、思想論文甚多，文字、訓詁極少，可見出研究方向與以往不同。大致而論，三傳綜論、三傳比較、《穀梁傳》，仍可繼續廣泛深入探討。

春秋經傳學史朝代研究統計表

經傳＼朝代	春　秋	左　傳	公羊傳	穀梁傳
先秦	1	2		2
兩漢	3	3	2	
魏晉六朝		2		1
隋唐				
宋	6			
元	1			
明				
清	2	1	4	
民國				

就朝代研究而論，兩漢最多，次是清代，再次是先秦。就經傳研究而論，《春秋》最多，《左傳》、《公羊》、《穀梁》再依序排列。至

於朝代分布,《春秋》集中在宋代,《公羊》以清代較多,《穀梁》各方面均最少。元、明、民國《春秋》經傳研究,可供開拓處正多。綜合言之,專經通史,如《左傳》學史、《公羊》學史、《穀梁》學史等,最為缺乏;專經斷代史,目前僅有范姜星釧《兩漢春秋經學的傳授源流》、宋鼎宗《春秋宋學發微》、簡福興《元代春秋學研究》、程南洲《東漢時代之春秋左氏學》、吳連堂《清代穀梁學》最具規模;綜論一時代問題意識有劉漢德《從後漢書五行志看春秋對西漢政治的影響》、倪天蕙《宋儒春秋尊王思想研究》、宋鼎宗〈宋儒春秋尊王說〉、蕭淑惠《清儒規正杜預春秋經傳集解研究》、劉漢德〈春秋公羊傳對西漢政治的影響〉、何照清《兩漢公羊學及其對當時政治的影響》、孫春在《清末的公羊思想》、何信全《晚清公羊派的政治思想》等。是以專經通史、專經斷代史、時代問題意識史等研究範圍,均有待開展。

春秋經傳學史專家研究統計表

經傳 專家	春　秋	左　傳	公羊傳	穀梁傳
孔　子	2			
孟　子	1			
賈　誼		1		
董仲舒			5	
司馬遷	2	3		
賈　逵		6		
何　休			1	
服　虔		1		

杜 預		8		
范 寧				3
徐 彥			2	
楊士勛				1
孔穎達		1		
孫 復	1			
胡安國	3			
朱 熹	1			
呂祖謙	1	1		
顧炎武	1			
王夫之	1			
毛奇齡	1			
方 苞	1			
惠 棟		1		
錢大昕	1			
章學誠	1			
莊存與			1	
洪亮吉		1		
孔廣森			1	
阮 元				1
凌 曙			1	
劉逢祿			2	
劉文淇		1		
龔自珍			1	
鍾文烝				1
康有爲			1	
劉師培		3		

綜合專家研究而論，《左傳》最多，《公羊》次之，《春秋》再次之，《穀梁》最少，《春秋》三傳乏人問津。就專家分布而論，杜預有8篇，賈逵有6篇，董仲舒有5篇，司馬遷有5篇，孔子有3篇，范寧有3篇，胡安國有3篇，劉師培有3篇，徐彥有2篇，呂祖謙有2篇，劉逢祿有2篇。然而我們從《四庫全書總目》、《續修四庫全書總目》、《通志堂經解》、《皇清經解》、《續皇清經解》等收錄《春秋》類著作，可發現有待研究重要《春秋》經傳學者甚多。專家研究範圍的擴大，也有待我們開展。

《四書》研究

陳逢源*

一、前　言

　　《四書》是成聖之學，自宋人以後，與五經並爲士人研習的矩範，重要性無庸贅述，但其中面貌卻因時而異，有明顯的不同，有人是視爲啓蒙教材，作爲爲學的津梁，也有視爲研究五經的基石，成爲統合儒學思想的基礎，當然也是歷代科舉的範本，成爲呻其佔畢，人所共習的內容，如此不同的立場，使研讀《四書》具有許多不同的角度，論及研究，自然也就有人云云殊的情形，以近五十年來爲範圍，並不是臺灣自外於此一傳統，其實早期一些書院私塾也是依此爲教學範本，就算日據時代，仍然一脈相傳，不絕如縷，影響漢人意識至深，不過從光復後，臺灣回歸中國，研習心態不必像以往那麼壓抑，之後政府遷臺，使臺灣與中國文化血脈相連，《四書》既成爲表彰儒家思想的基石，更具延續文化傳統的使命。

　　事實上，檢討近五十年來《四書》的研究成果，套句目前流行的

---

*　政治大學中國文學系副教授。

話，可以說《四書》是極具「本土化」的學術主題，尤其對比大陸、香港，臺灣學界不僅有許多前輩學者投身其中，甚至也常見政府引據提倡，在學術論述的數量上遠多於對岸，成績也超出許多。當然會有如此豐富的成果，其實可以歸因於海峽兩岸分治的事實，在不同的意識形態（Ideology）下，爲回應馬列思想，反制文革反傳統的訴求，加強倫理文化的教育，表彰《四書》也就成爲臺灣在學術教育上強調的重點，包括文化復興運動的推行、表彰孔、孟思想，普及文化教材，進而成立專責機構，落實文化傳統的弘揚工作等，在在顯示臺灣在這方面的努力成果，尤其攸關文化傳承的深層憂慮，促使學者投身其中，整理舊籍，表彰義理，從書目的匯整蒐輯、章句精華的闡發，讀本譯注的紛紛出現，都代表《四書》傳承與普及的成效，許多相關的論辯，更是強化《四書》傳承文化的效用，甚至一些機關團體、財團法人，以及出版事業特別著意於此，自然也具有推波助瀾之效。❶尤其「孔孟學會」的成立，定期發行《孔孟月刊》、《孔孟學報》等刊物，持續推動傳播儒家思想的活動，數十年來匯聚學者的研究，成果不容忽視，許多有關《四書》的論著文章，都在這些刊物發表，正可說明這樣的事實。此外，如果更進一步針對《四書》研究考察，還可以發覺其中似乎比較偏重《論》、《孟》，一方面固然在分量上，《論語》、《孟子》遠多於《大學》、《中庸》，自然有更多的討論空間，也符

---

❶ 如國立編譯館長久以來負責教科書的編輯，其中也包括《四書》部分，楊仲揆〈國立編譯館皓首窮經的一群──四書編審會的十二年〉，《國立編譯館通訊》11卷1期（1998年1月）頁2-16。既介紹編審工作的甘苦，也說明機關團體對於整理《四書》工作的投入情形。

合歷來經注數量、以及書目存錄上歧出的情形❷，不過突顯孔子、孟子，達到復興文化的訴求，似乎也較具集中火力的效果，當然如此選擇性的繼承，其實也是因為與宋人建構《四書》情形有所差異，自然有不同的偏重，無妨也視為近五十年來臺灣《四書》學發展的另一個不同屬性。❸

---

❷ 有關《四書》論著的著錄，其實存在一種歧見，《論語》、《孟子》原本獨立成書，而《大學》、《中庸》則是《禮記》中的二篇，如果推其原始，自然存在歸類上的紛爭，反映在數量上，也有《論語》、《孟子》多於《大學》、《中庸》的情形，所以朱彝尊《經義考》（臺北：臺灣中華書局，1979年2月）在《四書》之前仍然列有《論語》、《孟子》兩類，黃虞稷《千頃堂書目》則將《大學》、《中庸》的相關論著歸於「禮類」，表示《四書》是宋人之學，不能反而盡掩前代相關論著。不過《明史·藝文志》從收錄的情形考量，別立《四書》一門，說明自元、明以後，《四書》別子為宗，學者論注其實是在《四書》的架構中。紀昀《四庫全書總目》（臺北：臺灣商務印書館，1985年5月）卷三十五卷首甚至更進一步認為在宋人以前的古注存者寥寥可數，所以不必旁出分類，徒增紛亂，不妨將相關論著一併歸於「《四書》類」中。（〈四書類序〉頁710-711）其中顯然各有所重，有寬嚴不同的認定，但為呈顯更為豐富明晰的輪廓，符合學者論述架構，所以本文一依《四庫全書》之例，採取較為寬泛的定義，以了解近五十年來臺灣學者的研究成果。

❸ 茲就錢穆《四書釋義》（臺北：臺灣學生書局，1999年8月）中之凡例，就可概見其中端倪，如第四條云：「朱子《四書》，就其認為乃孔曾思孟道統相傳之著作而言，雖無徵不信，近於臆測。然《學》、《庸》兩篇，論其本文，亦自有不磨之價值。且復經兩宋大儒程朱諸人提倡，明清相沿，此二書不僅為人人所必讀，實亦成為學術界討論之重點。」第五條云：「竊謂此後學者欲上窺中國古先聖哲微言大義，藉以探求中國文化淵旨，自當先《論語》，次《孟子》。此兩書，不僅為儒家之正統，亦中國文化精神結晶所在，斷當奉為無上之聖典。《學》、《庸》自難與媲美。」（〈例言〉頁5）宋人為求呈顯儒學的進程、規模，並且確立宗傳的價值，所以特別著意《學》、《庸》，不論改本的爭執，格致補傳的論辯，種種的問題成為宋代以下學者爭議不休的課題，不過經由清儒對於宋學的考辨，對於《四書》的觀念自然也產生變化，錢穆《四書釋義》不廢《學》、《庸》，

　　只是《四書》具有復興文化的標的意味，不免令人有政治的聯想，在政治局勢改變後，自然也容易褪去其中光環，尤其「臺灣意識」興起，有意劃清與大陸的關係，似乎也減低原本表彰《四書》的訴求，不過不同的時期，本就有不同的重點，在文化傳承的壓力下，自然具有興亡繼絕，發揚傳統的主張，然而面臨新的世紀，以及不同的政經局勢，發展文化的對話（Dialogue），以及對於未來引領指導的功用，甚至是如何轉化，賦予《四書》更宏觀的視野，才是未來必須注意的問題，也是檢討近五十年來臺灣《四書》學論著希望可以發覺的線索，從標榜新儒家的觀點，弘揚儒家形上哲學的內涵，甚或將東亞經濟奇蹟與儒家的精神相銜接，強調人倫關係的新詮釋，也顯見《四書》不同的風華，畢竟《四書》匯粹儒家傳統，既具平治天下之方，又有誠正修齊之法，取徑簡捷，立意深邃，足以歷久彌新，只是如此豐富多樣的變化，為求有概括的了解，本文首先針對闡釋《四書》的部分加以分析，不論分論合著、箋注譯釋、札記評述，或者期刊論文等，皆可概見前輩學者的研究成果，以及對於《四書》義理的發揚；其次，則是有關於歷來《四書》學的推究，從釐清學術發展的脈絡，以及前代學者苦心孤詣的闡發，不論書錄提要、文集專論、乃至於秘本古藉的整理，也都是學者對於歷代《四書》學進一步整理的內容，自然也是必須留意之處，當然其中不免有所重疊混淆，但藉由此一追源溯流的整理工作，不論是有關《四書》原典的部分，乃至歷代學術不同的面貌，才能具體呈現近五十年來臺灣學者研究《四書》苦心孤詣的成

　　但提倡《論》、《孟》之地位，即是有鑑於此，何況孔、孟為中華文化最重要的精神象徵，《論語》、《孟子》地位當然必須更加著重。這些可以視為民國以來對於《四書》觀點的新趨勢。

績。只是其中書目篇章極爲繁多，除引據論述之外，爲免煩雜，自難
一一列舉出處，請參據林慶彰教授主編《經學研究論著目錄》一、二
集收錄之資料，至於近年論著部分，則以《中華民國期刊論文索引》
以及國家圖書館資訊網路系統予以補充，以求周備。

二、《四書》論著的成果

有關《四書》義理的闡發，代有不同，近五十年來臺灣發展迅速，
自然也有與以前不同的樣貌，其中最大差異便是許多注釋譯本的出
現，這種傳承注疏傳統卻有不同型態的論著，主要因爲存在文言白話
不同世代的差異，自然必須通譯古義傳注，以達傳布《四書》內涵的
訴求，當然還包括不同語文的譯本，以及義理思想的闡發、字詞文法
的推究、研讀方法的分享等，或者編成叢書、纂輯索引，或是匯整成
果，撰成專著，種種論述，提供後學許多的方便，茲就其中大端，介
紹如下：

(一)專著部分

有關《四書》的注譯方面，近五十年來之論著頗豐，錢穆《四書
釋義》❹、溥儒《四書經義集證》、李丹郎《四書孔學輯要》、金體

---

❹ 錢氏《四書釋義》雖然《論》、《孟》部分是刪取舊稿，但綜合成書，列爲「現
代國民基本知識叢書」則是邊臺以後之事，推究旨趣，既以史家特識，考辨源流，
分別漢、宋，方法命意上已非宋人之舊，但表彰文化的用意卻是一致，援引《錢
賓四先生全集》（臺北：聯經出版事業公司，1998年5月）第二冊的「出版說明」
云：「解讀《四書》不爲程朱所限，而其推重《四書》之宗趣則固與程朱不異也。」，
頗能了解錢氏傳習宗旨。

乾《四書通義》、李珮精《四書精釋》、羅璋《四書選粹新詮》、陳立夫《四書道貫》、梁正廷《廣解四書新詁》、熊貽謀《精選四書新解》、金澂《四書味根錄》、甯昌《四書通釋》、陳布雷《四書新編》、馮作民《四書全解》、王天恨《四書新解》、陳鍼《四書集解》、傅佩榮《四書小品》等，強調對於古注古義的甄別詮選，並融入個人的心得體驗，或全文注釋，或分類輯論，極有見地。而標舉讀本，強調今解今譯的作品更是琳瑯滿目，徐伯超《四書讀本》、劉秉南《標準注音四書讀本》、謝冰瑩、李鍌、劉正浩、邱燮友等合撰《新譯四書讀本》、成璞完等《四書今註》、陳鵬《最新譯註四書讀本》、黃必延校訂《今註四書讀本》、王天根《四書讀本》、陳彥君《廣解四書讀本》、許景重《四書讀本》、高政一《四書讀本》、陳基政《新編四書讀本》以及賴明德、陳弘治、劉本棟等註譯《新註新譯四書讀本》等，不僅提供簡潔的注解，並且予以語譯，頗便於初學使用，而注譯詮釋不再以羅列諸家異解爲主，也表示不同以往的研習趣味。

　　至於，《論語》、《孟子》、《大學》、《中庸》個別譯注的作品，數量更是驚人，《論語》部分：李曰剛《論語正譯》、王天恨《白話句解論語》、南懷瑾《孔學新語——論語精義今訓》、《論語別裁》、余家菊《論語今解》、嚴靈峰《論語章句新編》、陳大齊《論語臆解》、毛鵬基《論語會通》、毛子水《論語今註今譯》、吳宏一《白話論語》、王熙元《論語通釋》、喬一凡《論語通義》以及王邦雄、曾昭旭、楊祖漢等《論語義理疏解》、康義勇《論語釋義》、周浩治《論孟章句辨正及精義發微》等，都是流行頗廣之作；《孟子》方面：王天恨《孟子白話句解》、李曰剛《孟子正譯》、徐伯超《孟子讀本》、毛鵬基《孟子會通》、史次耘《孟子今註今譯》、王邦雄、曾昭旭、楊祖漢

《孟子義理疏解》、程兆熊《孟子講義》、《孟子新講》、林漢仕《孟子探微》、羅聯絡《孟子釋論》、苑覺非《孟子大義》、陳大齊《孟子待解錄》、陳訓章《孟子管窺》、南懷瑾《孟子旁通》、龔寶善《孟子新解》等，也是許多人的案頭書。至於《大學》、《中庸》部分：陳槃《大學中庸今釋》、王天恨《白話句解大學中庸》、萬心權、蔡愛仁《大學中庸精注》、龔寶善《學庸今解》、程石泉《學庸改錯及新詮》、喬一凡《大學通義》、趙龍文講述、錢仲鳴筆記《大學今釋》、柳嶽生《大學闡微》、賴強《大學正論》、宋天正《大學今注今譯》、岑溢成《大學義理疏解》、嚴靈峰《大學章句新編》、趙龍文講述、錢仲鳴筆記《中庸今釋》、史次耘《中庸通義》、喬一凡《中庸通義》、羅璋《中庸析義》、陳兆榮《中庸探微》、宋天正《中庸今註今譯》、馬紹伯《中庸新義》、鄭琳《中庸翼》、楊祖漢《中庸義理疏解》、陳滿銘《中庸思想研究》、譚宇權《中庸哲學研究》等，也是坊間頗為流行的作品，取閱極為方便。至於陳滿銘《學庸蠡談》、胡志奎《學庸辨正》提供個人研習的心得，以及考辨成果，甚至先總統　蔣公撰《科學的學庸》提供另一種不同的詮釋角度❺，也都是可以參考的著作。

　　檢討其中，錢穆、陳大齊、熊公哲等名儒大家，早享盛名，遷居

---

❺　先總統 蔣公著意於《學》、《庸》頗早，曾在上海時期出版《大學中庸新義》（上海：中華書局，1947年），不過此非本文蒐羅範圍，之後邊臺撰《科學的學庸》（臺北：黎明文化事業公司，1985年1月）一書，特別標舉「科學」作為詮釋的角度，也引起諸多討論，林大椿《科學的學庸之研究》（臺北：正中書局，1978年4月）、任藝華《科學的學庸之研究》（臺北：黎明文化事業公司，1980年11月）都是專論評述，其他相關評論更是不勝枚舉，顯見影響之鉅。

臺灣後,既抒個人體驗,深寓傳承使命,可以說是近五十年來臺灣《四書》學築基功臣,貢獻不容置疑;毛子水以一生之力,印證訓詁文意,務求合宜允當,譯注影響頗廣;南懷瑾標舉「別裁」、「旁通」,強調會通義理,提出個人心得,尤其旁徵博引,饒富趣味,有一新耳目之效;至於王邦雄、曾昭旭、楊祖漢、岑溢成等所撰之作,則是重視疏解義理,深寄發揚孔、孟內涵的訴求,以「新儒家」作為號召,希望再現儒家精神,自然極具參考價值。不過其中引起最多討論,應推陳立夫《四書道貫》,在傳本上,不僅有劉師舜的英譯本,也曾出版日文版本,提供外國學者參考,一度並且作為中學中國文化基本教材,相關之引介書評,更有數十篇之多,影響極為廣泛,一方面作者為黨國大老,身分特殊,而以《大學》八條目重新組構《四書》內容,嘗試溝通《四書》與現代的詮釋方式,也引起許多正反不同意見的討論,不過無可諱言,《四書道貫》可以說是近五十年來《四書》學最富爭議之作品,則是無庸置疑。❻

---

❻ 有關陳立夫《四書道貫》的評述論文極多,除自撰序文、結論外,尚有錢穆、劉百閔、梁敬錞書序推介,而撰文評論者更多,如華仲麐撰:〈「四書道貫」讀後〉,《中央日報》10版,1966年10月31日、徐復觀撰:〈陳立夫著「四書道貫」評介〉,《徵信新聞報》3版,1966年11月28日、蔡愛仁撰:〈讀「四書道貫」後〉,《孔孟月刊》5卷4期(1966年12月)、周世輔撰:〈讀「四書道貫」〉,《中央日報》6版,1967年1月26、27日、謝光撰:〈讀「四書道貫」心得〉,《中國一周》879期(1967年2月)、王素存撰:〈「四書道貫」讀後〉,《中央日報》9版,1968年2月18日、溫心圃撰:〈陳立夫的四書道貫〉,《珠海學報》3期(1970年6月)、〈陳立夫的四書道貫〉,《國魂》332期(1973年7月)、謝扶雅撰:〈陳立夫著「四書道貫」讀後感〉,《景風》37期(1973年6月)、〈「四書道貫書後」的書後〉,《東方雜誌》復刊6卷12期(1973年6月)、劉潤常撰:〈我對「四書道貫」的看法:為中國文化建設獻一議〉,《湖南文獻》16卷2期(1988年4月)等,多有推許之論,不過也引起頗多討論,如葉經柱撰:〈「四書道貫」質疑〉,《新天地》6卷8期(1967年10月)提出異議、引起李鴻波撰:〈「四書道貫質疑」讀後〉,《新天地》6卷10期(1967年12月)回應,如此複雜多樣的討論,可以說是近五十年來臺灣有關《四書》學所引發最為廣泛熱烈的議題,也是最引人注目的論著。

　　當然如此豐富的論著，以及熱烈的討論，主要因爲《四書》列爲教材，往往各有體會，也產生不同觀點的爭議，所以針對《四書》教學方法的探討，也成爲臺灣學界研習《四書》衍生的另一個課題，朱榮智《孔孟倫理思想與四書教學》嘗試歸納《四書》的中心思想，作爲教學的參考；黃錦鋐、陳滿銘、余培林、張學波之《四書導讀》，採分書合撰，分別介紹作者、名義、傳本、篇章等相關問題，提供讀者建立《四書》的基本觀念，不僅便於教學，也是後學了解《四書》學非常有用的參考著作；國立臺灣師範大學國文系編《儒學與人生：四書解讀及教學設計》綜輯個人教學心得，對於《四書》講授有詳細的討論；蘇子敬〈文化變遷中的現代大學四書教學研議〉更是針對大學裡的《四書》教學提出改進的建議。此外，沈進富《文言對譯附閩南音符號四書》，說明《四書》母語化教學的情形，也是相當特殊的作品。倪志僩《論孟虛字集釋》、許世瑛《論語二十篇句法研究》，是針對字詞語法考究，屬於文法專業方面的論著；姜可久《四書人物輯略》、仇德哉《四書人物》輯考《四書》中出現的人物事蹟，可收知人論事之效；陳立夫《四書中的常理及故事》則是以《四書》中平易的故事，介紹聖人揭示的道理；至於李炳傑《四書成語謎語聯語及趣問》以《四書》中豐富的文學素材，提供閱讀《四書》不一樣的趣味，但同樣具有引人思考的效果，更是教學可以援用的補充資料，這些都是譯注的作品之外，可以輔助研習的參考論著。

　　當然傳布《四書》，也必須譯爲外文，介紹給不同語言背景的讀者，這些同樣也是前輩學者努力的方向，坊間有佚名譯《華英對照四書》、光啓編譯館編《中法拉丁對照四書》、黎杰譯《四書》、孔當正《中英對照四書》等，同屬近來臺灣學者編譯的成果，對於傳布《四書》自然也是必須留意之處。

㈡期刊論文部分

前輩學者除撰作專著，傳承《四書》義理，更常以論文表達相關的見解，分享研究心得，熊公哲〈研讀四書應先注意幾個問題〉、杜松柏〈對讀四書問題之我見〉、章臺華〈何時開始讀四書〉，雖說各有不同觀點，但對於後學研讀《四書》提出個人的經驗分享，有助於後學參據；高一萍〈四書不可不讀〉、王榮〈四書是我們應該讀的書〉、錢穆〈孔子誕辰勸人讀論語並及論語之讀法〉、〈再勸讀論語並讀法〉，強調發揚儒家精神，呼籲研讀《四書》，時至今日仍可感受其振臂疾呼，憂心國族命脈，擔心文化傳承的苦心；陳立夫〈如何以科學方法研讀四書〉、李煥明〈研讀四書的新方法〉則是反映改變《四書》研讀方法的主張，指出《四書》學轉化的趨向，張起鈞〈四書新講──發揚儒學的現代精神〉同樣也展現此一訴求；至於盧元駿〈四書整理之過去與現在〉、〈過去和現在怎樣整理四書〉則是對於《四書》整理工作的綜合檢討，提供研讀《四書》進一步的省思。此外，當然也有闡發個人心得的成果，尤其義理思想的發揮，更是其中大宗，黃公偉〈「四書」與其義理詮釋〉、錢穆〈四書義理之展演〉、田永正〈四書思想研究〉、鍾錫瑛〈四書章句義理淺釋〉等，著意於《四書》內涵的闡發，以及義理的推究，極具啓發效果，不過聖道廣大，立意深奧，王甦著意於經典中的憂患意識，撰有〈四書憂患意識探源〉、〈四書中的憂患意識〉，彰顯「操心也危，慮患也深」的立教規模，也提示後學不同的思考方向；鍾競生〈君子的面面觀──從四書中研究君子〉探討《四書》中「君子」的形象，提供可供效法的人格典型；甚至還有從《四書》中闡發新觀念，作爲現今遭遇問題的借鑑，張雪門

〈四書中科學觀念及其影響〉、陳立夫〈四書中的教育思想〉、〈四書中有關土地問題之提示〉，展現古典今詮的另一個層面，也可概見《四書》內涵的多樣。

事實上，除綜觀《四書》義理之外，分別針對《論》、《孟》、《學》、《庸》的論述更是不勝枚舉，昌彼德〈論語版本源流概述〉、嚴靈峰〈論語成書年代及其傳授考略〉、胡止歸〈論語編撰源流考徵〉考論《論語》的編成及傳本大略，有助於了解來源；林礽乾〈研讀論語的目的〉、〈研讀論語的步驟和方法〉、周浩治〈治論語條例〉提供研讀《論語》的心得與方法；羅香林〈論語中的孔子學說體系〉、〈從論語探究孔子所說的道〉、蔡愛仁〈論語中所謂「道」的綜合研討〉則是對於《論語》思想體系加以整理分析。此外，程兆熊一系列的講論❼、王邦雄對義理的疏解❽、曾昭旭對章句的詮釋等❾，不論

---

❼ 程兆熊在《人生》雜誌有一系列的講論，提供研讀《論語》的心得，〈聖人的心情（論語第七講）〉，《人生》16卷3期（1958年6月）、〈聖學的實踐（論語第八、九講）〉，《人生》16卷4期（1958年7月）、〈智慧與性情中的語言（論語第十二講）〉，《人生》16卷10期（1958年10月）、〈孔門教義的中心——仁（論語第十三、四講）〉，《人生》17卷4期（1959年1月）、〈政治的智慧（論語第十六講）〉，《人生》16卷11期（1958年10月）、〈鬼神之道（論語第十九講）〉，《人生》17卷6、7期合刊（1959年2月）、〈孔門的工夫（論語第二十講）〉，《人生》16卷12期（1958年11月）等，針對《論語》開示的道理，分別闡釋，既具個人心得體會，也有釐清聖人觀點的效果，值得參考。

❽ 王邦雄撰：〈論語義理疏解〉，《孔孟月刊》20卷4-7期（1981年12月-1982年3月）一系列總共四篇的論述，從文化的角度，闡發《論語》的意涵。〈由論語「天」「天命」與「命」之觀念論生命之有限與無限〉，《鵝湖》1卷5期（1975年11月）則提出人生的有限無限的議題，揭示聖人思惟的宏大，也提供進一步思考的方向。

❾ 曾昭旭撰：〈氣質之困限與成全——論語選章疏解〉，《鵝湖》7卷3期（1981年9月）、〈論知命、安命與改過之道——論語選章疏解〉，《鵝湖》7卷3期（1981年12月）特別選錄《論語》有關議題，提供思索人生的方向。

是針對義理的闡發，或是提供個人的閱讀心得，都是對於《論語》極有見地的論述；至於有關章句考訂、字詞文意的推究等，各種不同角度的考辨，同樣也是前輩學者深耕細耘的成果。至於《孟子》方面，屈萬里〈孟子七篇的編者和孟子外書的真偽問題〉、李曰剛〈孟子其人與其書考述〉是有關《孟子》編成及傳本的考辨成果；熊公哲〈如何研讀孟子〉、王秉鈞〈孟子解說〉、梁容若〈孟子解題〉、簡宗梧〈孟子述要〉等，是提供後學建立基本概念，以及研讀《孟子》成果的分享；南懷瑾〈孟子新論〉以及〈孟子研究講錄〉則是與《孟子旁通》相互印證之心得；周群振〈由孟子三章看其思想理念之間架與進程〉釐清其中的進程，嘗試建構《孟子》的義理體系，至於〈孟子性善論之思想途轍及體證研究〉論述則更為全面。黃景進〈孟子詩說的重新估價〉、吳吉助〈孟子春秋說試探〉、王基倫〈孟子與史記之關係〉、王熙元〈孟子中的小說雛型〉等，是從不同角度闡發《孟子》的內涵，說明不同門類相互印證的情形；許世瑛〈孟子句法研究〉、戴璉璋〈孟子語法研究〉則是屬於語法的專門研究，傅錫壬〈孟子書的譬喻和諷喻技巧〉則是有關修辭方面的考論，這些皆可概見研究《孟子》的豐富成果。至於《學》、《庸》部分，胡止歸〈大學之著作年代〉、〈中庸著作年代辨證〉及〈大學之著作及其與中庸之思想異同比較研究〉對於《學》、《庸》來源及兩者之間的關係，有周全的考述；陳滿銘〈讀學庸的目的方法與主要參考書目〉、〈學庸導讀〉、〈學庸的價值要旨及其實踐工夫〉對於《學》、《庸》用力頗深，可以供作後學參考；高明〈學庸研究之回顧與前瞻〉、林耀曾〈六十年來之大學中庸〉則是整理民國以來《學》、《庸》研究的成果，可以作為未來發展的借鑑；高明〈大學辨〉、〈中庸辨〉、陳槃〈大學今

釋別記〉、〈中庸今釋別記〉及熊公哲〈大學要義述疑〉、〈中庸要義臆釋〉俱為名家詮釋之作，足以代表這個時代的學術趨向；戴君仁〈大學格物致知之義與中庸明善相通〉嘗試會通《學》、《庸》內涵；周群振〈大學章句及其義理途向之探究——宋明以來學者推重大學要旨述略〉、徐復觀〈先秦儒家思想結構之完成——大學之道〉具體呈顯《大學》的價值及內涵；黃錦鋐〈大學「誠意」「格物致知」和「慎獨」的關聯性〉、〈談格物致知〉串貫《大學》的義理內涵；毛子水〈「致知在格物」：一句經文說解的略史〉、〈「純亦不已」：這句經文被誤解的歷史〉從學術史的觀點指出了訓詁歧義所引發的問題，也說明《大學》、《中庸》對於宋明以來學術發展的重要性；張學波〈中庸作者及其哲理研究〉、楊祖漢〈中庸的作者問題、成書年代、及其思想之衡定〉有助於了解《中庸》成書及其思想內涵；王開府〈中庸思想體系新探〉、王邦雄〈中庸的思想體系〉闡發《中庸》思想體系，可以提供後學建立基本的架構；至於吳怡〈誠字在中庸的地位〉、林麗真〈中庸之要在明誠〉則標舉「明誠」一端，發明《中庸》精義，同屬於義理的闡發作品；而錢穆〈中庸新義〉、〈中庸新義申釋〉提出新的詮釋觀點，引起諸多的討論，也都顯見《中庸》內涵的豐富❿，

---

❿ 錢穆撰：〈中庸新義〉，《民主評論》6卷16期（1955年8月）重新檢討《中庸》義理內涵，強調人事本於天道，之後又撰〈中庸新義申釋〉，《民主評論》7卷1期（1956年1月）加以補充；黃彰健：〈讀錢賓四先生中庸新義〉，《民主評論》7卷1期（1956年1月）、〈讀錢賓四先生中庸新義申釋〉，《大陸雜誌》12卷9、10期（1956年5月）提出不同的觀點。徐復觀撰：〈中庸的地位問題——謹就正于錢賓四先生〉，《民主評論》7卷5期（1956年3月）更是提出質疑，甚至包括《中庸》、《易傳》的成書年代，也有不同的認定。錢穆撰：〈關於中庸新義之再申辨——謹答徐復觀先生〉，《民主評論》7卷6期（1956年3月）予以答辯，形成各自表述的情形，也是近來有關《中庸》研究極受矚目的一場論爭。

主要因為《中庸》言及道德形上概念，推至精微，不免各有發揮，也有不同的論述方向。不過採擇清人考據成果，結合宋、明理學精華，彰顯朱子義理卻不再侷限其中，也顯見臺灣學者進步的成績。

三、《四書》學史的探究

臺灣學者匯整前代疏解，抒發心得之餘，並且擴展研究範圍，針對歷代有關《四書》的概況進一步詳加考辨，舉凡重要論著、相關論爭，版本流傳，以及訓詁異解等，也都有專門之作，雖然並非直接針對《四書》章句內容，但言其流變，觀其傳承，既具整理檢討的作用，也可收鑑古知今的成效。茲就綜論及分別論述部分，整理成果如下：

(一)綜論部分

傅武光《四書學考》蒐羅廣泛，針對歷代《四書》論著加以分別門類，整理考論，有助於了解前代傳習的概況，是唯一綜論歷代《四書》的論著，彌足珍貴。

至於討論朱子撰作《四書》方面：陳鐵凡〈朱子與四書〉、〈朱注四書的著作經過及其他徵引考略〉、〈四書章句集注考源〉，主要集中於朱子撰作的過程，以及《四書章句集注》引述來源的考據，極具參考價值，尤其朱注徵引的人物，多數已不可查考，如今輯出事略，推源溯流，自然有助於了解朱子思想，也可詳細推證《四書章句集注》與伊洛之學的關係，自是學者不可忽略之處。⓫此外，以往著意於朱

⓫ 《四書章句集注》是朱子一生用力之作，也可說是集宋學大成，以徵引情形而言，在五十六家之中，宋人即佔四十一人，約四分之三。而全書徵引九百二十三條中，

子理學，卻少注意朱子對於《四書》闡發的部分，其實《朱子語類》中有關《四書》的論述最多，著力也最多，錢穆〈朱子之四書學〉、〈朱子四書集義精要隨箚〉集中闡發義理，嘗試溝通經學與理學的範疇，對於朱子《四書章句集注》內涵的深化，實在不容忽視。尤其朱子撰作《四書章句集注》歷經許多蘊釀過程，從早期《論語要義》、《論語訓蒙口義》，《論孟精義》，一直到《論孟集注》、《論孟或問》等，最後擴展至《大學章句》、《中庸章句》，才形構《四書》的完整體系，甚至到朱子去世前三日，仍然為修改《大學》「誠意章」殫精竭慮，苦思不已⓬，留給後人無限追思，其中不僅有版本改定的問題，更有學思體證的轉折，業師董金裕先生〈朱熹與四書集注〉考辨朱子撰作的內容，釐清朱子學術的進程，對於《四書章句集注》也就有更清楚的了解。此外，程元敏〈談四書原來的編次〉、黃彰健〈論四書章句集注定本〉特別著意於原本樣貌的考辨，錢地《朱子四書集註評述》是針對內容的論述，也都是闡發朱子《四書》學的功臣。

　　不過如果就《四書》學的發展而言，確立朱子《四書章句集注》的官學權威，其實是在元明時期，不僅立為科舉程式，許多學者親身體證實行，發揚朱子開示的義理，促使《四書》地位更形穩固，貢獻不容忽視，尤其元儒不僅匯整體系，全面整理朱子遺說，並且對於其中矛盾不足之處，也嘗試予以補充發揮，黃孝光〈元代的四書學〉輯錄當時名儒有關《四書》的言論，並考述其中傳承，進而對於《四書》

　　二程之說有三百零四條，加上程門高弟之說二百五十六條，已佔全書三分之二以上，所以陳鐵凡撰：〈四書章句集注考源〉，《孔孟學報》第四期（1962年9月）特別指出《四書章句集注》「不只是集宋學大成，而且是傳伊洛一家之學。」頁253。可以提供對於朱子《四書》學基本的了解。

⓬　見王懋竑輯：《朱子年譜》（臺北：臺灣商務印書館，1982年5月）卷四頁226。

發展的情形，以及科舉學校中考課《四書》的制度，也就有比較清楚
的了解，也補入朱子之後《四書》發展一段失落的環節，有助於了解
元儒傳承的成果，尤其附有「元人有關《四書》研究著作目錄」，輯
出一五九人，著作二四八種，元朝國祚不長，但研究《四書》的成果
卻是如此豐富，可以了解元儒努力對於《四書》學發展的重要性。⑬
此外，吳哲夫〈四書集義精要三十六卷（善本書志）〉、〈四書辨疑十
五卷（善本書志）〉是對於善本的評述；王道〈王船山讀四書大全〉、
胡楚生〈「呂留良四書講義」與「駁呂留良四書講義」〉、〈呂晚邨
「四書講義」闡微〉、曾素貞〈顏元的四書學研究〉、林繼平〈論語
許著（許鍾斗著：四書闡旨合喙鳴）所展現的形上思想〉、〈評述論語許
著說〉、〈從孟子許著（許鍾斗著四書闡旨合喙鳴）論孟子形上學之
發展〉、〈大學思想價值之重估——評許鍾斗「四書闡旨合喙鳴」〉、
〈從許鍾斗著「四書闡旨合喙鳴」看理學家之釋中庸〉、〈從許著「四
書闡旨合喙鳴」論中庸德治主義理論的完成〉等，則是針對歷代專家
的闡述，也可備存《四書》學流傳發展的線索。不過無可諱言，近來
學者對於《四書》義理闡發的興趣遠高於推究歷來流變，所以相較之
下，有關歷來《四書》學史的論文顯然較為缺乏，其實如果不能觀瀾
索源，切入流變，實難建立更為宏觀的視野，事實上，《四書》雖是
朱子結集表彰的成果，但幾經前代學者的發揚，義理內涵早已不是朱
子所得而專也，是以筆者撰寫〈毛西河四書學之研究〉即是藉由研究

---

⑬ 見黃孝光撰：〈元代的四書學〉，《木鐸》7期（1978年3月），頁273-285。以及
　 廖雲仙〈試析朱子「四書集註」於元代興盛的原因〉，《勤益學報》16期（1998
　 年11月），頁303-321。

專家的方式，既切入由宋明理學進入清代經學的轉變情形，又可進一步檢討朱注《四書》的得失，可見《四書》不僅具有理學義涵，同時也是考據的題材，不同的思考角度，展現《四書》多樣的內容，義理與考據，並非是難以逾越的鴻溝⓮，而許多不同的論爭，不同思考方向，備存學術發展的線索，也是未來可以再加補充之處。

㈡分論部分

　　至於分別考述《論》、《孟》、《學》、《庸》歷代傳習情形的論著，以《論語》而言：唐華《中國論語學思想發達史》以《論語》各章為中心，引述相關資料印證，雖然並非以各代傳習為主軸，但頗見蒐輯論述之功；杜松柏〈論語學之形成〉則是推究《論語》形構體系的情況；王鵬凱〈歷代論語著述綜錄〉提供目錄學上整理的成果，陳如勳《論語集解、皇疏、邢疏、集注、正義諸家異解辨正》網羅《論語》重要注本，詳加辨析，這些都是屬於綜括歷代的論述。至於考辨歷來傳承的重要人物及注本方面：張蓬洲〈兩漢張禹與「張侯論」之傳承〉探究兩漢《論語》的傳本，對於張侯論有詳細的說明；李威熊先生〈馬融之論語學〉則是研究馬融經學的一部分；鄭靜若《論語鄭氏注輯述》、〈兩漢論語學與論語鄭氏注〉、陳金木〈論語鄭玄注之研究〉關注的重點是鄭玄《論語》注，當然這也有賴敦煌鄭注抄本的發現，陳鐵凡〈敦煌論語鄭注三本疏證〉可以作為研究參考。不過以傳習而言，還是以何晏《論語集解》最受注目，相關的研究也最多，

⓮　詳見拙著：〈毛西河四書學之研究〉（臺北：國立政治大學中文研究所博士論文，1996年5月）第一章〈緒論〉，頁1-10。

李紹戶〈漢魏論語與何晏等集解〉、錢文星〈論語何晏集解研究〉、
汪惠敏〈何晏論語集解考辨〉、吳萬居〈何晏論語集解中之老莊思想〉、
陳金木〈何晏論語集解用玄理注書問題的檢討〉、高莉芬〈何晏論語
集解中之玄學思想〉、黃錦鋐〈何晏論語集解的特點〉等數十篇，主
要推究何晏以玄理注《論語》的情形，江淑君〈魏晉論語學之玄學化
研究〉即是著力於此的論述。當然也有嘗試與朱子《論語集注》相互
比較，熊公哲〈試就論語學而篇看何晏集解與朱子集註〉、〈何晏論
語集解與朱子論語集注異同舉隅〉、卓忠信〈論語何氏集解朱子集注
之比較研究〉、張淑玲〈論語何晏集解朱子集注注說商榷〉等篇，嘗
試溝通《論語》兩大注本的歧異。此外，也有專就皇侃《論語義疏》
的考論，朱學瓊〈皇侃論語義疏敘釋論補述〉、戴君仁〈皇侃論語集
解義疏的性質和形式〉、〈皇侃論語義疏的內涵思想〉、董季棠〈論
語皇本異文舉要〉、〈評論語皇侃義疏之得失〉、〈論語義疏的作者
及其書之失而復得〉、李紹戶〈皇侃論語集解義疏評述〉、侯迺慧〈皇
侃論語義疏中玄學思想之評論〉等，或是針對版本異文、或是義理內
涵，也都備存考察六朝玄學注經的線索。至於推究唐人注解《論語》
的成果，則有李紹戶〈唐論語注本及邢昺疏〉、王明蓀〈論語筆解試
探〉、胡楚生〈柳宗元「論語辯」疏義——試析柳宗元心目中孔子的
新形象〉等。宋人注解《論語》方面：則有胡健財〈論語邢昺正義述
評〉、蔡娟穎〈論語宋邢昺疏研究〉評述邢昺《論語正義》，至於李
紹戶〈北宋論語注本與朱子集注〉、錢穆〈從朱子論語注論程朱孔孟
思想歧異〉、〈談朱子的論語集註〉、〈朱子與張南軒辨論語〉、陳
大齊〈論語朱注述疑〉、毛子水〈論語朱注補正〉則是集中於朱子《論
語集註》內容的考論與評述。毛子水〈丘光庭的論語說〉、〈清代兩

位學者（錢曉徵、焦理堂）對於忠恕的闡釋〉、李紹戶〈王夫之論語釋義〉、〈翟灝論語考異與阮元校勘記〉、〈黃式三論語後案釋例〉、〈劉寶楠論語正義評述〉、封恆〈劉寶楠論語正義之特性──有關宋、清朱劉論語注釋辨疑〉等，則是探討明清學者比較重要的論文。檢討其中，李紹戶從漢魏以下，各代皆有論述；毛子水集中於宋代以後的探究；錢穆更是以發揚朱子為重心，各人雖有不同的表彰重點，但歷代重要的注家，幾乎都有相關的考述，不論考辨體例，校勘訛誤，甚至推究學術思潮，均已提出鍼砭檢討的意見，內容可說既多且廣，其中尤以何晏、朱子最受矚目，篇目也最多，對於《論語》玄學化、理學化的過程，提供更為清晰的輪廓，也是建構學術史極為可貴的材料。

至於《孟子》方面：李旭光〈孟子著述及孟學顯晦考〉、朱廷獻〈孟子源流考〉、黃俊傑〈孟學流變史論〉對於歷代傳習《孟子》的情形有概括的描述。熊公哲〈孟子與所謂齊學之研究〉對孟子學術淵源提供更為清楚的說明；黃俊傑〈孟子趙註及其在後漢儒學中的地位〉、〈馬王堆帛書五行篇「形於內」的意涵──孟子後學身心觀中的一個關鍵問題〉、〈孟子後學對心身關係的看法──以馬王堆漢墓帛書「五行篇」為中心〉、〈荀子非孟的思想史背景──論思孟五行說的思想內涵〉等，不論是義理闡釋，或是出土文物的釐清，對於《孟子》學術思想有詳細的考辨，相關論述則匯整收錄於《孟學思想史論》卷一、卷二中；至於顧健民〈孟子趙注與朱注之比較研究〉，則是考究《孟子》兩大注本。趙國雄〈兩宋孟子著述考〉、夏長樸〈孟子與宋儒〉、〈李覯的非孟思想〉、宋淑萍〈孟子集注補正〉、張樹榮〈孟子朱注性命論綜釋〉、黃俊傑〈從孟子集註看朱子思想中舊學與新知的融會〉、〈朱子對於孟子知言養氣說的詮釋及其迴響〉則是針對於宋人《孟子》學的研究成果。牟宗三〈陽明學是孟子學〉、戴君仁〈陽

明批評孟子盡心章朱注〉是對於陽明學的分析。錢穆〈王船山孟子性善義聞釋〉、李源澄〈戴東原「原善」「孟子字義疏證」述評〉、羅聯絡〈略評「孟子字義疏證」〉、王梓凌〈戴震孟子字義疏證研究〉、毛子水〈孟子焦疏補正〉、黃俊傑〈從「孟子微」看康有爲對中西思想的調融〉、鮑國順〈戴震與孟荀思想的關係探究〉、何澤恆〈焦循論孟子性善義闡釋〉等,是針對清儒《孟子》學的探究,內容實爲豐富。其中以黃俊傑考論最爲全面,從淵源的考辨、義理闡發,一直到晚清西方文化衝擊下,《孟子》學展現不一樣的樣貌,皆有深入的探究。至於歷代重要的注家及思想的轉折,從秦漢、宋明以及清代不同的詮釋觀點,也多有深入的討論,可以據以了解《孟子》內涵的豐富。

有關《學》、《庸》流變的探究方面:廖亦昌〈古本大學淺說自序〉、周畊莘〈古本大學試釋〉、許俊雅〈古本大學散文研究〉則是嘗試依循義理系統,闡發古本《大學》。主要因爲自宋以來,改本紛紛,引起諸多爭議,也牽動宋明理學的義理基礎,程元敏〈大學改本述評〉、王大千〈改本大學釋義〉、李紀祥〈兩宋以來大學改本之研究〉、岑溢成〈大學之單行及改本問題評議〉、葉國良〈介紹宋儒林之奇的大學改本〉等,針對不同改本闡發精義,其中李紀祥之作蒐羅廣泛,考論最爲周詳❶,從版本的問題切入學術思想的流變,對於《大學》改本相關問題也就有比較全面的了解,尤其宋人以來建構《四書》學的精髓,藉此得以有更爲清楚的輪廓。此外,朱子添入「格致補傳」,也是著名的學術公案,陳榮捷〈宋明理學中的「格物」思想〉、林政

---

❶ 其中收錄宋代九家,元代二家,明代十八家,清代十家,民國三家,韓國一家,日本三家,舉凡重要改本,皆已網羅,並且詳考其中用意,推究學術主張,極有見地。參見李紀祥撰:《兩宋以來大學改本之研究》(臺北:臺灣學生書局,1988年8月)頁355。

華〈談朱子大學補傳〉、楊儒賓〈朱子的格物補傳所衍生問題〉、張亨〈朱子格物說試釋〉、曾春海〈朱子德性修養論中「格物致知」教〉等，是對此問題的檢討；萬心權〈大學朱王釋義之我見〉、戴君仁〈朱子陽明的格物致知說和他們整個思想的關係〉、陳明仁〈從朱王兩家詮釋看大學本義〉、錢穆〈王陽明傳習錄及大學問節本〉、蔡仁厚〈王陽明「大學問」思想析論〉、歐陽熙〈論王陽明「致知」之「知」〉、戴君仁〈陽明評象山說格物〉等是評述陽明學的成果；至於王季春〈王船山格物致知論〉、詹海雲《陳乾初大學辨研究——兼論其在明末清初學術史上的意義》等，是表彰清儒對於《大學》精義的發揮，這些都是《大學》發展的幾個重要問題，也是自程、朱以下學術史的重要關鍵。李正治〈從中庸、易傳看儒學的發展〉、呂凱先生〈中庸與孟子相關思想之研究〉等探討《中庸》的思想；莊錦津〈從朱注中庸「天命之謂性，率性之謂道，修道之謂教」管窺朱子思想〉、張德麟〈論朱子之「中和舊說」〉是對於朱子《中庸》學的闡發、程元敏〈論王魯齋（柏）中庸改本〉則是對於《中庸》不同改本的釐清。不過比較特殊之處是近五十年來學者有意以《中庸》作爲理解國父　孫中山先生及先總統　蔣公思想的重要憑藉，包括梁寒操、丁迪、陳立夫、張鐵君、羅光、周世輔等都有藉由《中庸》內涵來理解政治人物的考論，似乎也說明一個相當特殊的現象。❶不過總括而言，對於《四書》發

---

❶ 這是一個非常有趣的問題，如果將視野擴展至海峽對岸，竟然可以發覺有相同的趨向，只是人物變成毛澤東，如侯憲林〈毛澤東對中庸思想的批判與繼承〉，《齊魯學刊》1987年第4期（1987年7月），頁88-92。金邦秋〈毛澤東對中庸思想的評注〉，《復旦學報》（社會科學版）1991年第4期（1991年11月），頁45-47轉81。同樣是以《中庸》理解政治人物的思想內涵，只是兩岸似乎存在各表述的情形，也是極爲特殊的現象。

展的研究，似乎仍嫌單薄，尤其缺乏綜合統觀的視野，以及對於學術史的剖析，也就無法提供評斷得失的基準，自然成爲研究《四書》難以突破之處，有待後學進一步加強。

四、其他之整理工作

臺灣《四書》學除了有豐富的論著成績，前輩學者在匯整注解，抒發心得之餘，也嘗試整理舊籍，以備考究。尤其宋明以來有關《四書》的著作散佚極多，自然有賴吾輩蒐軼補殘，楊家駱〈四子書廣徵擬目二稿〉有初步的整理的工作。不過就成果而言，「國語《四書》編輯委員會」持續全面的整理工作，不僅從歷代書錄加以採錄，也蒐購目前所能找到的書籍，纂成《四書註解存目及存書目錄》，包括《四庫全書總目提要》、《續四庫提要》、《歷代藝文總志》、《叢書子目類編》、《中國古籍善本書目》等，輯出二千九百六十四種書目，列爲「存目」，更進一步蒐輯現存著作，除各書局出版三百二十一種書籍外，也旁及國內外圖書館珍藏之論著，一一加以蒐購影印，不僅包括本國，並且旁及日本、韓國、安南等，共計八百三十三種，列爲「存書」**⑰**，因此不論古今存佚，盡收一書之中，可以說是對於《四書》相當全面的整理工作，只是其中標示過於簡略，無法進一步按覈，罕本祕籍更是缺乏交代，不免稍有遺憾。但歷代《四書》論著浩如煙海，尤其有關科舉之作，更是時時改易，散佚不知凡幾，本來就不易

---

⑰ 詳見國語《四書》編輯委員會編 《四書註解存目及存書目錄》（臺北：文史哲出版社，1987年）中〈凡例〉所言。

蒐羅整理，《四庫全書總目提要》言其情形，云：

> 案古書存佚，大抵有數可稽。惟坊刻《四書》講章，則旋生旋
> 滅，有若浮漚，旋滅旋生，又幾如掃葉，雖隸首不能算其數。
> 蓋講章之作，沽名者十不及一，射利者十恆逾九。一變其面貌，
> 則必一獲其贏餘，一改其姓名，則必一趨其新異，故事同幻化，
> 百出不窮。取其書而觀之，實不過陳因舊本，增損數條，即別
> 標一書目，別題一撰人而已，如斯之類，其存不足取，其亡不
> 足惜，其剿竊重複，不足考辨，其庸陋鄙俚，亦不足糾彈，今
> 但據所見，姑存其目，所未見者，置之不問可矣。❽

　　由於科舉利祿的影響，自然存在《總目》所說的情形，但如果一
概摒斥，似乎也有失周全，尤其歷時既久，散佚之餘，片言隻語，皆
可作為了解一代之學的線索，《四書註解存目及存書目錄》存錄書目，
網羅舊籍，自然極為可貴。

　　此外，中央圖書館編〈論語集目〉、史墨卿〈論語集成總目提要〉
是對於歷來書目的整理，孔孟學會與國立中央圖書館合編〈論語展覽
會展品目錄〉以展覽的書目為範圍，既具推展作用，也可作為書目查
考；黃漢昌〈民國六十年（1971-1983）以來臺灣地區論語著述目錄〉網
羅六○年代臺灣地區《論語》著述篇目，邱燮友〈六十年來之論語學〉
整理民國以來《論語》論著的成果，梁容若〈千七百年中日本傳習研
究論語的綜合研究〉、〈千七百年來日本的論語研究〉則是整理日本
《論語》傳習的情形，同樣具有參考作用。至於《孟子》方面，有尤

---

❽　見紀昀《四庫全書總目提要》卷三十七「《四書》類存目」後之案語。頁788。

信雄〈六十年來之孟子學〉整理民國以來有關《孟子》的論著成果；胡毓寰〈批評近人關於孟子之幾部專著〉、新建設雜誌社〈一年來關於孟子思想的一些討論〉提供近來有關《孟子》的論著及討論。至於《學》、《庸》部分，有林耀曾〈六十年來之大學中庸〉、佚名〈大學書目八十六種提要〉、陳光政輯〈近三十年來中庸研究論文〉、倫明〈中庸書目四十三種提要〉等，提供相關之論文提要，以及整理有關《學》、《庸》論著的書目，也是可以參考之資料。

但以蒐羅完整著作部分：藝文印書館編有《皇清經解四書類彙編》、《續經解四書類彙編》，重新編輯清代有關《四書》之著作，頗便於引據；嚴靈峰編《無求備齋論語集成》收錄自漢迄今一百四十八種，九百七十二卷，共三百零八冊的著作，略分白文本、全解本、札記本、輯佚本、敦煌寫本、索引本等六類，舉凡歷來有關《論語》之注疏、考辨、輯佚、音義、論述等重要著作，大抵完備，可收網羅古今，匯粹一編之效。❶嚴靈峰《無求備齋孟子十書》收有四十二冊，也有相同的成果。至於編纂《四書》論文集，則是以當代學者爲主，同樣也有匯整表彰的作用，黎明文化事業公司出版《論孟研究論集》，收錄錢穆等十八位學者十九篇論文，不論義理考辨、注解說明、字詞用法，範圍極爲廣泛，另外還有《學庸研究論集》，收有吳康等十一位學者十三篇論文，針對義理也是頗多闡發，於是當代有關《四書》的論著，可藉此得其大要；高雄師範大學國文系編《大學論文資料彙編》、《中庸論文資料彙編》集中於《學》、《庸》部分，收錄更是

---

❶ 詳見陳重文撰：〈無求備齋論語集成介紹〉，《國魂》第263期（1967年10月），頁45。

豐富，分別有三十餘篇論文，名儒大家可謂網羅殆盡，針對義理、文詞、版本等各方面的考辨申論，內容極為豐富，同樣可以概見近年有關《學》、《庸》的研究成果；至於其他個別方面：政治大學中文系、所主編之《漢學論文集》第二集是「《論語》專輯」，收錄七篇論文，著重《論語》章句的體會，以及論著的檢討，並附有黃漢昌對於民國六○年代有關《論語》論著整理的成果；楊化之編，中華叢書編審委員會改編之《孟子研究集》則是收錄有關《孟子》的論文。這些匯整學者的論文集，既具整理的功用，也有表彰的效果，同樣是近五十年來臺灣學者努力成績的具體呈現。

五、結　論

　　《四書》是宋人構思的聖人之學，代表宋明以下學術的基調，但推究原始，《四書》既各有淵源，又有匯整相乘的義理內涵，不同的樣貌，也說明其中複雜的情形，但可確定是近五十年臺灣學者的努力下，統合漢學、宋學注解的歧異，調合朱子、陽明學說的不同，《四書》已成為傳統文化的精髓，也確立孔、孟精神是發揚傳統文化的重要指標，此一轉變與宋人強調儒家道統的訴求不同，也迥異於明清視為立身準則的作用，更非作為科舉考試的教本而已，而是有其銜接傳統，突顯文化的訴求，作為與其他文化思潮相互對話的基礎，甚至因應政治局勢，也被當作象徵的圖騰，層面牽涉既廣，也就不易釐清，不過經由論著的蒐輯，略分前輩學者關注的問題，似乎也就可以執一馭萬，概見近來臺灣《四書》學發展的情形。首先，大量的譯注論述，說明傳習《四書》的努力，既匯整以往的注解成果，又融入個人體證

的心得，同時又具指引後學的功效，傳承開新，展現一種新的注疏形態，可說是近來發展的成果，也是對於不習慣文言的初學者提供相當便捷的學習管道。再者，新的發現，新的詮釋方式，也成為整理《四書》的利器，從文法修辭、考辨輯佚，配合先秦簡牘、漢墓帛書、敦煌抄本等考古發現，提供不同以往的研究成果，極為可貴。當然另一方面對於《四書》教學工作的檢討，也是學者持續努力的重點，從教材的改革，義理的闡發，進而引領新的思惟，同樣也是嘗試加強之處。而這些可以從豐富的譯注論著，學術論文、叢書書目等，得到清楚的了解，茲就其中大端，條列如下：

一、臺灣發展《四書》有其特殊的歷史意義，既具傳承文化的訴求，也有與大陸相互抗衡的意味，所以兼有文化與政治的作用，配合教學需要，有持續的考論整理，成績斐然。

二、數量龐大的譯注論著，代表傳習文化的成果，而面對新時代，發展不同以往的義理闡釋，也是學者努力的目標，特別是以個人體會為前提，務求允合情理，通達世務，使《四書》內涵更為豐富。

三、《四書》內涵似乎也由以往重視《學》、《庸》，強調道統淵源以及為學規模的方式，轉而以闡發《論》、《孟》內涵為主，特別是以孔、孟作為中心，來發揚儒家的精神，落實文化傳承的訴求。

四、與清儒博採眾解，詳加考辨的研經方式相較，臺灣學者不再炫博逞辯，而是以個人研讀心得為主，強調調合注疏異解，由博返約，展現不同以往的研究趣味。

五、學者偏重於《四書》義理的闡發，對於流變的考辨則似乎缺乏興趣，固然因為表彰儒家精神是當務之急，不過考察歷代得失，建構宏觀視野，了解《四書》的發展趨勢，也是學者可以進一步努力的

方向。

六、對於前代論著書目的整理,臺灣學者同樣也是功不可沒,不論是遺文佚篇的蒐輯,或是古今論著的匯整,提供許多參考資料,對於後續研究極有助益,甚至諸多論文集的編纂,藉以達到表彰的效果,也是必須留意之處。

七、不過面臨新的世紀,不同的政經局勢,臺灣學者對於《四書》義理也嘗試構畫新的詮釋角度,賦予更深廣的價值,不僅回應不同思潮,也落實儒家引領人生的訴求。

綜括而言,臺灣近五十年來的蓬勃發展,儒家傳統文化提供相當的穩定作用,《四書》更是傳布孔、孟思想的利器,也就是因為存亡繼絕的文化使命,使前輩學者獻身其中,整理舊藉,闡發新意,成果極為豐碩,不僅代表臺灣吸取傳統,開創新局的情況,更標示一段臺灣努力奮發的過程。只是如此複雜豐富的成果,實在不是簡單的文字就可交代,尤其許多博學碩儒闡發《四書》義理,終身奉行誠正之教,雖然不見於論著中,卻是符合《四書》精神,未必可以全盤抹煞,所以本文介紹《四書》的研究成果,原本就是以管窺天,以蠡測海,筆者不揣簡陋,只為備存臺灣學者闡發《四書》精義,傳承文化的成績,藉以彰顯一代學者的苦心孤詣,至於挂一漏萬,粗疏固陋的缺失,尚祈前賢不吝指正。

經學史研究

陳恆嵩 *

一、前 言

經學是中國文化的淵源所在，也是中國一切學術文化的精華，更是先民從實際生活經驗中所累積得來的智慧結晶。因此，想要了解中國文化最直接而有效的方法即是研究經學。

自秦漢以降，兩千多年來經學的發展，是了解經學受時代環境變遷和學術思潮影響最最明顯的途徑，也是徹底比較歷代學者從事學術活動興衰的情形。經學雖是中國文化的主幹，最根源的學術，但是對於經學史的研究，比起文學史、哲學史、思想史的學門，卻相對顯得相當不發達。最早的經學史著作始於清光緒年間劉師培所撰的《經學教科書》，爾後相繼有皮錫瑞的《經學歷史》、甘鵬雲的《經學源流考》、馬宗霍《中國經學史》及日本人本田成之的《支那經學史論》等，對經學發展及學術演變的情況論述，可說有相當的貢獻。

清末民初興起的古史辨學風，及稍後隨之而起的讀經問題，則使

---

* 東吳大學中國文學系副教授。

經學在中國的學術地位，遭受到嚴重而無情的打擊，使之日漸衰微。而自中共竊據大陸以後，基於一切以馬列主義唯物史觀爲中心的哲學思想，將傳統的經學及所有學術都視爲封建時代的遺毒，盡在掃除消滅之列，更使經學的問題雪上加霜，經學的生命可說花果飄零，已成若存若亡之境地。

大陸自推翻四人幫，停止文化大革命以後，學術界近年來也開始重新審視經學對中國學術文化的貢獻，反省儒家學術存在的價值，在中國歷史的發展歷程，及其對中國文化的深遠影響，紛紛編撰經學史、儒學史或儒教史等書，如張豈之主編的《中國儒學思想史》（西安：陝西人民出版社，1990年4月），趙吉惠等主編的《中國儒學史》（鄭州：中州古籍出版社，1991年6月），程方平撰寫的《隋唐五代的儒學》（昆明：雲南教育出版社，1991年12月），龐樸主編的四卷本《中國儒學》（上海：東方出版中心，1997年1月），而由姜林祥主編，由孔子的故鄉曲阜師範大學的人文學系學者所撰寫的七卷本《中國儒學史》（廣州：廣東人民出版社，1998年6月），更是篇幅龐大至巨，內容詳細。章權才所撰寫的《兩漢經學史》（廣州：廣東人民出版社，1990年12月）、《魏晉南北朝經學史》（廣州：廣東人民出版社，1996年8月）及《宋明經學史》（廣州：廣東人民出版社，1999年9月）等系列經學史著作，按朝代編撰論述，亦有值得參考閱讀。田漢雲的《中國近代經學史》（西安：三秦出版社，1996年12月）一書，專門論述從道光至五四時期的經學發展與演變概況。這些研究成果的出現，不論是集體合作研究或個人獨力完成，均在在顯示大陸最近十幾年來，關於經學史的研究，充滿蓬勃的朝氣，值得我們注意與重視。

經學傳入臺灣，雖然可上溯自明鄭時代，卻並不興盛，清代中葉以後，鄭用錫（1788-1858）撰《欽定周易折衷衍義》、《學禮擇要》、

《周禮解疑》等書，黃敬（咸豐四年歲貢）著有《易經理解》、《易經義類存編》等書，楊克彰（光緒元年恩貢）著有《周易管窺》、《易中辨義》等書，始陸續有學者的經學著作出版，可惜這些著作，如今大都已亡佚，無從了解其實際內容及其研究成果。之後，臺灣割讓日本，很多學者留學日本，深受日籍教授學風影響，嘗試運用新方法研究經學，留下相當多的研究成果，中央研究院中國文哲研究所研究員林慶彰先生正在整理日據時期學者研究經學的這部分資料，完成後將對學術界瞭解日據時期的經學發展情形有極大的幫助。而自一九四九年臺灣光復以後，大陸上知名學者，屈萬里、王夢鷗、林尹、高明、王靜芝等人移居臺灣，連帶的將研究經學的風氣帶來臺灣。屈、王等人，主要在大學講授經書典籍課程，指導研究經學，經學的研究人才及風氣，由此培養出來。由於臺灣政治環境與大陸並不相同，對學術界較少干預，研究環境也比較不受政治社會情勢影響，學者得以專心的依照自己的興趣與理想，去從事學術研究工作，經學研究得以充份發展。然近五十年間，中國經學史的研究論著，除徐復觀的《中國經學史的基礎》及李威熊先生的《中國經學發展史論》上冊兩本專著外，其餘皆是單篇論文及博、碩士論文，為清楚明白此期間學者比較偏重觀照那一個時代？研究主題偏重那一個方面？其研究成果如何？有必要對五十年來的中國經學史研究概況作一綜述，歸納分析研究方向，以提供作為持續做廣泛深入研究的參考。

㈠先秦時期

　　先秦時期為中國經學的形成期，故大部分學者都將研究重點擺在群經的形成、孔子經學思想、孔子與《六經》及孔門弟子傳經的關係

探討上，相關論文分列如下：

1. 徐復觀　先漢經學的形成　明報　15卷9、10、12期　1980年9、10、
　　　　　12月　收入《中國經學史的基礎》　臺北　臺灣學生書局
　　　　　1982年5月

2. 李威熊　中國經學形成的考察　孔孟月刊　19卷4、5期　1980年12
　　　　　月、1981年1月

3. 宋鼎宗　六經形成說　第一屆先秦學術國際研討會論文集　1992年
　　　　　4月

4. 李威熊　中國經學的形成與先秦魯學的關係　東方雜誌　復刊21卷
　　　　　7期　1988年12月

5. 李威熊　戰國時代經學蠡測　孔孟月刊　19卷6期　1971年2月

徐復觀的〈先漢經學的形成〉一文，認爲經學的形成，並非出於一人
一時之作品，而是古代長期政治、社會、人生的經驗累積。由周室之
史，經過孔子及孔門後學的選擇、編纂與闡述，以作爲人生教育的基
本教材。李威熊的〈中國經學形成的考察〉一文，分爲群經形成的背
景、周公與六經、從周公到孔子時期的經學、孔子與六經、孔門傳經
等五節，論述中國經學形成概況。宋鼎宗的〈六經形成說〉一文，以
爲孔子之時並無六經，孔子亦未曾修纂六經，六經確立於漢代，實係
漢家之學術。李威熊先生的〈中國經學的形成與先秦魯學的關係〉，
說明六經經過孔子整理後，作爲教導弟子的教材。孔門弟子爲弘揚孔
子的學術思想，分散至各國，並將其學術傳播至各列國。經學在傳播
的過程，是先由齊、魯學的開展形成與發展，文中並進一步企圖澄清
前人對經學形成的諸般疑點。〈戰國時代經學蠡測〉一文，則分成孔
子弟子與經傳、春秋演化爲三傳、曾子弟子成孝經、孟子通詩書五經、

荀子承傳群經、諸子與六經關係、易傳完成於戰國、墨子非樂與樂經等八節，敘述戰國時代經學的傳衍流布的概況。

6. 華仲麐　周公、孔子與六經　國際孔學會議論文集　1988年6月
7. 黃彰健　周公與孔子　中央研究院歷史語言研究所　1998年
8. 華仲麐　六經討源與孔子述作　孔孟月刊　7卷9期　　1969年5月
9. 高　明　孔子與經學　孔孟月刊　12卷12期　1974年8月
10. 高　明　孔子的樂教　收入《高明文輯》　臺北　黎明文化事業公司　1978年3月
11. 熊公哲　孔子刪述與經學流衍　　中華學苑　3期　1969年1月
12. 熊公哲　孔子與六經　收入《孔學發微》　臺北　正中書局　1985年1月

周公與孔子是中國文化的集大成者，對民族文化的貢獻與影響，是無與倫比的，因而後世討論研究二人學術思想及其與經書關係的文章，可說相當多。華仲麐的〈周公、孔子與六經〉與黃彰健的〈周公與孔子〉兩篇文章，皆旨在闡述周公、孔子二人與六經形成的密切關係。華仲麐《六經討源與孔子述作》綜合前人意見，以爲六經原本是先王法典陳跡的總匯，經孔子修定彰布，已成孔門專有寶典，可視爲孔子的述作。而專門討論孔子與經學關係的，有高明的〈孔子與經學〉、〈孔子的樂教〉與熊公哲〈孔子刪述與經學流衍〉、〈孔子與六經〉等文章，對孔子整理、傳授、闡揚六經的偉大貢獻，都有相當詳細而深入的分析。

13. 楊晉龍　子貢經學蠡測　中國文學研究　4期　1990年5月
14. 簡淑慧　子夏其人及其所傳之經學　孔孟月刊　26卷5期　1988年1月

15.李雲光　曾子學案　臺灣師範大學國文研究所碩士論文　1959年

16.洪安全　荀子的經學　史原　9期　1979年12月

17.周虎林　荀子學術淵源及其流衍　臺灣師範大學國文研究所碩士論
文　1963年

18.于大成　諸子與經學　孔孟月刊　14卷12期、15卷5期　1976年8
月、1977年1月

19.李振興　先秦典籍引經輯略　中華學苑　38期　1989年4月

孔子逝世之後，弟子分散至各國，推尊孔子，傳揚聖道，「使孔子名布揚於天下」（《史記‧貨殖列傳》），儒家因而成為當時顯學。楊晉龍的〈子貢經學蠡測〉一文，即根據先秦兩漢典籍所存之片斷資料，探討孔子門人子貢對經學的觀念，及其與六經的關係。簡淑慧的〈子夏其人及其所傳之經學〉，則論述子夏的生平資料，及其所傳授經學典籍，並說明對儒家經學發展的過程與重大的貢獻。李雲光所撰寫的《曾子學案》，旨在藉由先秦經籍記載的曾參學術資料，去闡述孔子學生曾參的學術特色與思想。洪安全的文章主要討論荀子經學的內容與特色。周虎林的文章，則探討荀子學術的淵源所自，及其對後世經學傳授統緒的貢獻。于大成的〈諸子與經學〉，認為諸子的學術淵源來自於六經，故研究經學者不可以捨棄諸子而單獨論述經學，兩者之間關係密切。于氏以為諸子之書對於經學的研究有：證成經義、解說經義、補益經文、校勘經文、輯經書佚文、匡正經說、輯古經說等七點，不可等閒輕易忽視之。六經為先秦各家所共同誦讀者，諸子每有著述，經常會引錄經文而說其義，或證成其說者，成為後人考究解說經籍本義或引申義的極佳參考材料。李振興〈先秦典籍引經輯略〉一文，即在廣泛徵輯先秦諸家典籍所引錄的經書文句，考究經書的來源出處，

對學者了解先秦的經說有相當的助益。

㈡兩漢時期

　　兩漢時期是中國經學發展最關鍵的階段，也是經學最發達的時代，非但奠定儒術獨尊的政策，更是中國歷史上真正能夠將經義應用於實際政治的通經致用時代，影響後世經學發展極為深遠，學者研究此一階段的論文也就非常多，唯大多注意經今古文學、讖緯學、《白虎通義》及董仲舒、許慎、馬融、鄭玄等少數大家的經學成就，相關論文臚列如下：

1. 徐復觀　西漢經學史　收入《中國經學史的基礎》臺北　臺灣學生書局　1982年5月
2. 夏長樸　兩漢儒學研究　臺灣大學中國文學研究所碩士論文　1974年
3. 張慧芳　西漢之儒學　臺灣師範大學國文研究所碩士論文　1982年6月
4. 江乾益　前漢五經齊、魯學之形成及其影響研究　臺灣師範大學國文研究所博士論文　1991年6月
5. 熊公哲　兩漢經學異同概說　文海　2期　1963年1月
6. 熊公哲　兩漢經學與孔子　孔孟學報　13期　1967年4月
7. 程發軔　漢代經學之復興　孔孟學報　14期　1967年9月
8. 李威熊　兩漢經術獨尊與經學諸問題的探討　孔孟學報　42期　1981年9月
9. 李威熊　漢代獨尊儒術的平議　國文天地　5卷4期　1989年9月
10. 林慶彰　兩漢章句之學重探　漢代文學與思想學術研討會論文集臺北　文史哲出版社　1991年10月

徐復觀的〈西漢經學史〉，討論經學博士的性格演變，及《易》、《書》、《詩》、《禮》、《春秋》五經的傳承及其問題，並進一步介紹西漢時代陸賈、賈誼、淮南王劉安的賓客、董仲舒、司馬遷等五者對六經意義的詮釋，以闡釋各經經學家多樣化的經學思想。夏長樸的《兩漢儒學研究》一文，分為上下二編，上編〈兩漢儒學的發展〉，按時間發展作縱線的剖析，針對儒學在漢代獨尊的原因、經過及其成為漢代官學後本身的演變發展情形作討論，下編〈兩漢經學與人事〉，就經學在人事上的應用情形，及對當時政治、社會所產生的影響，作深入的分析評論。張慧芳的《西漢之儒學》與夏氏的論文主旨大略相似，唯論述範圍僅侷限於西漢時期的儒學發展演變的情形。江乾益的《前漢五經、魯學之形成及其影響研究》，討論西漢傳授的五經與魯學的關係，並探究分析先秦魯學形成的原因，及其對後世經學發展的影響。熊公哲〈兩漢經學異同概說〉專論東、西漢在治經、說經上的異同之處，而〈兩漢經學與孔子〉以為由孔子所定者為經，弟子所傳者為傳，六經實為孔子所刪述，經由子夏、荀子傳承而來。程發軔〈漢代經學之復興〉一文，分今文與古文、師法與家法、十四經博士、說經分類、群經傳授表及傳經名家等章節說明漢承秦火以後，從殘編斷簡之中，逐漸恢復六經的舊觀的情形。李威熊先生的〈兩漢經術獨尊與經學諸問題的探討〉一文，從秦始皇焚書的真相、經書的復原、經學博士的設立、經學的獨尊、劉歆與古文經學、經書與緯書、石渠閣與白虎觀的經議、以至許慎、馬融、鄭玄等經學家。而〈漢代獨尊儒術的平議〉一文，則透過對歷史及儒學內涵的考察，討論漢武帝獨尊儒術，罷黜百家，表彰六經，實係為因應國家大一統之需要，也為順應大勢所趨之故。林慶彰先生的〈兩漢章句之學重探〉，析論章句之學分為大小

章句及其定義並說明章句之學與師法、家法的關係。

11. 程元敏　漢代第一位經學大師伏生　國文天地　7卷8期　1992年1月

12. 韋政通　董仲舒　臺北　東大圖書公司　1986年7月

13. 陳問梅　董仲舒對西漢政治之貢獻　徐復觀學術思想國際研討會論文集　1992年12月

14. 戴君仁　董仲舒不說五行考　梅園論學集　1970年9月

15. 李威熊　董仲舒與西漢學術　臺北　文史哲出版社　1978年6月

16. 杜松柏　史記所顯示的群經大義　《經學研究論集》　臺北　黎明文化事業公司　1981年1月

17. 李周龍　揚雄學案　臺灣師範大學國文研究所博士論文　1979年

18. 王新華　白虎通義研究　政治大學中國文學研究所碩士論文　1975年

19. 陳玉台　白虎通義引禮考述　臺灣師範大學國文研究所碩士論文　1974年

20. 林麗雪　白虎通在漢代學術發展史上的意義　國科會研究獎助論文　1983年

21. 林麗雪　白虎通與讖緯　孔孟月刊　22卷3期　1983年11月

22. 林麗雪　白虎通「三綱」說與儒法之辨　書目季刊　17卷3期　1983年12月

23. 林麗雪　有關白虎通的著錄及校勘諸問題　孔孟月刊　25卷4期　1986年12月

24. 夏長樸　漢代白虎觀會議與白虎通義　國科會研究獎助論文　1985年

25. 羅肇錦　讖緯思想與訓詁符號──以白虎通為例　臺北師院學報　3期　1990年6月

26.張永儁　白虎通德論之思想體系及其倫理價值觀　漢代文學與思想
　　　學術研討會論文集　臺北　文史哲出版社　1991年10月

程元敏先生的〈漢代第一位經學大師伏生〉一文，考伏生《尚書》學
師承來源，里籍、仕履、授學統緒。暴秦焚書之後，經籍零散，經學
浸微，伏生口授傳經，使《尚書》一經得以累世講誦不斷，使孔子經
書能世代相傳，傳衍不綴，固皆伏生傳經之功。從韋政通至李威熊諸
篇文章，或全面介紹董仲舒的學術思想，或闡述其對西漢政治的貢獻，
或辨駁五行非董氏之學說，或說明董仲舒與西漢學術之間的關係。太
史公深受儒家教育，精通五經，以繼承孔子《春秋》為己志，網羅放
佚舊說逸聞，參稽百家，將經大義寫入《史記》書中，杜松柏之文，
在綜述史記書內所顯示的五經群經大義意蘊。李周龍的《揚雄學案》，
論述揚雄的主要學術思想。王新華《白虎通義研究》、陳玉台《白虎
通義引禮考述》、林麗雪《白虎通在漢代學術發展史上的意義》，或
析論其寫作背景源流與章句訓詁內容，或稽考其引《禮經》文字，或
分析其漢代學術發展史上重大意義，林麗雪的〈白虎通「三綱」說與
儒法之辨〉，辨析君臣、父子、夫婦三綱說與儒家、法家之間的關係。
而〈有關白虎通的著錄及校勘諸問題〉討論其書的現存版本及著錄情
形，並說明對校勘的意義。夏長樸之文討論東漢章帝白虎觀會議召開
的時代背景及其目的所在。白虎通全書引讖緯約三百四十二次，其與
讖緯關係相當密切，林麗雪〈白虎通與讖緯〉與羅肇錦〈讖緯思想與
訓詁符號——以白虎通為例〉兩篇，從《白虎通》徵引的去探討白虎
通受讖緯影響之情形，及其引讖解經的訓詁符號意義。張永儁之文，
論述白虎通德論全書的思想體系，及其與傳統倫理觀念的關係。

27.林惠勝　王充之問孔研究——兼談儒學之現代化　臺南師院學報

22期　1989年4月

28.黃永武　許慎之經學　臺灣師範大學國文研究所博士論文　1970年

29.李威熊　馬融之經學　政治大學中國文學研究所博士論文　1975年

30.李威熊　絳帳授徒的馬融與鄭公卿　國文天地　4卷10期　1989年3月

31.李威熊　馬融與東漢經學　孔孟月刊　15卷9期　1977年5月

32.高　明　鄭玄學案　香港大學金禧紀念論文集　1963年11月

33.魏伯特　鄭玄、趙岐、何休箋注的一些語法特色　臺灣大學中國文學研究所碩士論文　1990年

34.呂　凱　鄭玄之讖緯學　政治大學中國文學研究所博士論文　1974年6月

35.車行健　禮儀、讖緯與經義──鄭玄經學思想及其解經方法　輔仁大學中國文學研究所博士論文　1996年6月

36.楊晉龍　神統與聖統──鄭玄王肅感生說異解探義　中國文哲研究集刊　第3期　1993年3月

37.程元敏　東漢蜀楊厚經緯學宗傳　國立編譯館館刊　17卷1、2期　1988年6、12月

38.翁麗雪　東漢經術與士風　臺灣師範大學國文研究所碩士論文　1983年

39.劉瀚平　東漢儒學與東漢風俗　政治大學中國文學研究所碩士論文　1983年

40.程元敏　季漢荊州經學（上下）漢學研究　4卷1期、5卷1期　1986年6月、1987年6月

林惠勝之文，析論王充《論衡》的〈問孔篇〉，及其對儒學現代

化的啓示。黃永武《許愼之經學》、李威熊《馬融之經學》二篇論文，
分別對東漢兩位大經學家許愼、馬融做專門的研究。李先生的〈絳帳
授徒的馬融與鄭公卿〉，則說明馬融與鄭玄兩位經學家的人格修養對
東漢末年社會純樸善良風俗的影響。馬融學問淵博，世稱通儒，遍注
群經，今皆不傳，李先生惜其不彰，撰〈馬融與東漢經學〉一文，就
群書所徵引鱗爪資料，分析歸納，列舉馬氏經學之特色。高明、魏伯
特、呂凱、車行健的四篇論文，或介紹其全體的學術思想，或論述其
注經時訓詁的語法特色，或探討其讖緯學的內容，或解析其經學思想
與其解經的方法。楊晉龍〈神統與聖統—鄭玄王肅感生說異解探義〉
藉由鄭、王二人對「感生說」解釋態度的不同處，以探討二人在學術
旨趣及思想上的差異。程先生〈東漢蜀楊厚經緯學宗傳〉以東漢楊厚
家學爲中心，上溯其高祖，下述其三傳弟子及旁師授受共二十八人，
具論其經學與緯學內容。翁麗雪《東漢經術與士風》分上下兩編，述
東漢經學的轉變，及讖緯與經學之關係。劉瀚平的文章探討東漢儒學
與東漢風俗習慣之間的關係。東漢末年，中原擾攘，群雄割據，文士
紛紛走避，是時劉表治荆州，設學立官，招攬賢俊，講論經術，自漢
獻帝建安五年至十三年，八年之間，學風獨盛，史傳頗載其事。程先
生的〈季漢荆州經學〉，稽討季漢荆州地區四十五位經學家之傳授統
緒及其經說梗槪。

㈢魏晉南北朝時期

　　魏晉南北朝在政治上紛擾不安，社會變動劇烈，學者比較無法專
心學術研究，治經風氣自然比起兩漢時期消沈許多，因此皮錫瑞《經
學歷史》就將魏晉南北朝時期的經學，視爲是經學中衰時代，再加上

經學文獻資料，十不存一，亡佚殆盡，學者自然缺乏研究興趣，所以
發表研究此一階段經學的數量就比較少，相關論文臚列如下：

1. 湯雄飛　今存三國遺籍考　文化學院中國文學研究所碩士論文　
　 1967年

2. 簡博賢　今存三國兩晉經學遺籍考　臺灣師範大學國文研究所博士
　 論文　1980年

3. 簡博賢　今存南北朝經學遺籍考　臺北　黎明文化事業公司　1975
　 年2月

4. 宋鼎宗　魏晉經學質變　魏晉南北朝文學與思想學術研討會　1991
　 年8月

5. 浦忠成　魏晉時期經學之轉化　鵝湖　16卷5期　1990年11月

6. 林登順　魏晉南北朝儒學流變之省察　中國文化大學中國文學研究
　 所博士論文　1995年6月

7. 戴君仁　經疏的衍成　孔孟學報　19期　1969年9月

三國處於魏、蜀、吳鼎立相爭的時代，政治紛亂，天下動盪，擾攘不
安，兵馬倥傯，戰爭頻仍，當時的經學著作，幾乎全部亡佚殆盡，能
傳留後世者，可說微乎其微。根據史志記載，有存本傳世而今可考者，
僅魏王弼《周易注》、晉杜預《春秋經傳集解》、范寧《春秋穀梁傳》、
何晏《論語集解》等幾種而已，其餘皆亡佚不傳。欲探討此一階段的
學術思想，實有賴經籍遺文的輯存，雖屬吉光片羽，亦彌足珍貴。因
而後人頗多從事蒐羅輯佚的工作，湯雄飛《今存三國遺籍考》與簡博
賢《今存三國兩晉經學遺籍考》、《今存南北朝經學遺籍考》皆是從
事此期經學遺說的輯考搜尋，湯氏僅考察三國時代，簡氏則進一步將
時代範圍擴大至三國兩晉及南北朝時代，對了解魏晉南北朝期間的經

學研究，有極大的貢獻。唯簡氏之書考察三國兩晉經學遺籍時，僅侷限於《易》、《書》、《詩》、三《禮》、《春秋》三傳等九經傳，而將《論語》、《孟子》、《爾雅》等其他經書未加輯考，置而不論，稍有美中不足。宋鼎宗〈魏晉經學質變〉、浦忠成〈魏晉時期經學之轉化〉、林登順《魏晉南北朝儒學流變之省察》三家之文，皆旨在論述魏晉經學之面貌，與兩漢經學都有相異之處，經學老莊化，不重師法、家法轉而注重會通。戴君仁先生的〈經疏的衍成〉探論隋唐群經義疏之學，雖是從漢人章句、晉人經義衍變而來，也參雜佛典疏鈔的體製而成，而非單純的仿自釋氏。

8. 汪惠敏　三國時代之經學研究　臺北　漢京文化事業公司　1981年4月

9. 汪惠敏　三國時代經學之流變　孔孟學報　41期　1981年4月

10. 汪惠敏　荊州學風與三國時代經學之關係　孔孟月刊　19卷4期　1980年12月

11. 程元敏　三國蜀經學　臺北　臺灣學生書局　1997年8月

12. 江美華　西晉儒學研究　政治大學中國文學研究所博士論文　1995年7月

13. 汪惠敏　南北朝經學初探　輔仁大學中國文學研究所碩士論文　1976年

14. 廖維藩　南北朝經學及隋唐經學之統一　學粹　7卷2期　1965年2月

15. 李威熊　北朝經學與胡人漢化　孔孟月刊　17卷2期　1978年10月

16. 黃忠天　南北朝經學之消長與統一　孔孟月刊　30卷8期　1992年4月

17. 濮傳真　南朝經說玄理化　臺灣大學中國文學研究所碩士論文　1992年

汪惠敏的〈三國時代經學之流變〉與〈荊州學風與三國時代經學之關

係〉二文，實際是汪氏〈三國時代之經學研究〉一書單獨裁篇獨立發
表者，汪氏之書係統括而全面性地論述魏、蜀、吳三國經學發展的概
況，及五經在三國時代的流變情形。並論及荊州地區說經簡化、解說
義理兩種學風對三國時代學者治經的影響。程元敏先生的《三國蜀經
學》一書，詳考經史典籍的佚文資料，排比出蜀漢經學傳授發展的統
緒，使漢晉交替之際的經學興替脈絡之跡得以清晰顯現。江美華的《西
晉儒學研究》，探討西晉儒學發展演變情形，及其經學思想特色。汪
惠敏的《南北朝經學初探》，與其《三國時代之經學研究》是系列的
經學史研究的專論，旨在探討南北朝時代經學發展的概況，及其時代
的經學流變情形。廖維藩的〈南北朝經學及隋唐經學之統一〉一文所
論與汪氏主旨相同。李威熊先生的〈北朝經學與胡人漢化〉敘述北朝
經學發展資料，與胡人漢化及經學之間的關聯。黃忠天之文章，討論
南北朝經學之消長情形與其相異之處，並論述隨著政治上的復歸統
一，原本南北相異的經說也歸於統一的情形。濮傳真的《南朝經說玄
理化》一文，對南朝因佛教、玄談之風的盛行，影響致當時說經也參
雜玄理有相當深入的析論。

18. 程元敏　薛綜藝文徵經　臺北　臺灣商務印書館　1985年6月
19. 李振興　王肅之經學　政治大學中國文學研究所博士論文　1976年
20. 李振興　王肅之經學概述　孔孟月刊　16卷1期　1977年9月
21. 戴君仁　王弼何晏的經學　孔孟學報　20期　1970年9月
22. 林麗真　王弼　臺北　東大圖書公司　1988年7月
23. 王更生　文心雕龍中的經學思想　暢流半月刊　51卷7、8、9期
　　　　　1975年5、6月
24. 蔡宗陽　劉勰文心雕龍與經學　臺灣師範大學國文研究所博士論文

1989年6月

25.陳金木　皇侃之經學　政治大學中國文學研究所碩士論文　1986年

26.陳金木　劉焯、劉炫之經學　政治大學中國文學研究所博士論文
　　　　1989年6月

27.龔鵬程　北朝最後的儒者：王通　幼獅學誌　20卷2期　1988年10月

程元敏《薛綜藝文徵經》一文考論三國時代吳國知名文士薛綜的經術，
及其治經篤守古文經說的傾向。李振興《王肅之經學》、〈王肅之經
學概述〉兩篇文章，主要從王肅亂經緣由、注經用意、注經態度討論
起，到王氏經學的內容及其學術對後世之影響。戴君仁的文章，探討
王弼注《周易》和何晏注《論語》時，將道家之言參雜滲入二部儒家
經典之中，使晉代經學思想開始產生轉變。林麗真的《王弼》是全面
評述王弼學術思想的專著。王更生與蔡宗陽二位的文章，闡述劉勰《文
心雕龍》書中所蘊涵的經學思想。陳金木《皇侃之經學》旨在探討皇
氏的《禮記》、《孝經》、《論語》學的體製形式、內容與思想，並
評論其經學的特色與貢獻。陳金木《劉焯、劉炫之經學》探研隋代兩
個最代表性的經學家劉焯、劉炫的經學特色分析和評述。龔鵬程的〈北
朝最後的儒者：王通〉對王通的學術思想有深入的析論。

㈣隋唐五代時期

隋代享國年代極短，為李唐朝代的過渡局面，經學著作流傳後世
者甚鮮，至今可說幾乎亡佚殆盡。唐代之時，太宗以儒學多門，章句
繁雜，乃詔令儒臣孔穎達等刪定南北義疏，使經論歸於統一，經學也
因此歸於統一。此時期的經學典籍雖云富盛，雖有《五經正義》、《經
典釋文》等少數著作流傳於世，然大半也都散亡，後人無法據以作深

入研究，因而這時期的經學研究成果數量相對少很多，僅有少數十幾篇。

1. 汪惠敏　隋代經學概況　書目季刊　17卷3期　1976年
2. 簡博賢　今存唐代經學遺籍考　臺灣師範大學國文研究所碩士論文　1970年
3. 李威熊　隋唐經籍及義疏之學的探討　孔孟學報　48期　1984年9月
4. 汪惠敏　唐代經學思想變遷之趨勢　輔仁國文學報　1期　1985年6月
5. 李威熊　經典釋文引說文考　政治大學中國文學研究所碩士論文　1971年
6. 潘重規　五經正義探源　華岡學報　1期　1965年6月
7. 蘇瑩輝　從敦煌本銜名頁論五經正義之刊定　孔孟學報　16期　1968年9月
8. 蘇瑩輝　五經正義第一次頒行於貞觀年中說　國立中央圖書館館刊　新2卷2期　1968年10月
9. 張寶三　五經正義研究　臺灣大學中國文學研究所博士論文　1992年
10. 李景遠　張參五經文字之研究　政治大學中國文學研究所碩士論文　1990年
11. 蔡主賓　敦煌寫本儒家經籍異文考　政治大學中國文學研究所碩士論文　1968年
12. 林慶彰　唐代後期經學的新發展　東吳文史學報　8期　1990年3月
13. 劉醇鑫　唐代後期儒學新發展　輔仁大學中國文學研究所博士論文　1996年6月
14. 張育敏　唐代後期古文運動與經書關係之研究　東吳大學中國文學研究所碩士論文　1995年6月

15.金洪仲　唐代學制與經學之關係研究　中國文化大學中國文學研究
　　　所碩士論文　1991年6月

16.馮曉庭　五代十國的經學　經學研究論叢　第5輯　1998年8月

汪惠敏之文，概略敘述隋代興學的背景，綜合史傳說法，歸納隋代學者治經的特色。簡博賢先生的《今存唐代經學遺籍考》考述唐代經學的著述，將唐人經學著作分為唐代官定經本、五經正義之纂修、四經疏之續纂、唐代私人經學著作對後代之影響、唐人經義拾遺等五類考察，概略論述其里籍始末、篇卷內容及版本存佚情形，總共考得唐人經著三十六家，三十九種，其中現今存本二十二種，輯本十七種，足供後人研究唐人經學之參考。李威熊先生的〈隋唐經籍及義疏之學的探討〉一文，於隋唐經籍的整理和科舉對治經的影響，有相當詳細的論述。汪惠敏〈唐代經學思想變遷之趨勢〉一文所敘述的內容觀點大致上與李先生的相近。李先生的《經典釋文引說文考》一文，考察陸德明《經典釋文》徵引漢代許慎《說文解字》的情形，對了解說文在唐代初期時的文字異同情況有所幫助。潘重規先生的〈五經正義探源〉，認為唐太宗時纂修的《五經正義》，實採擷南北朝數十家義疏之說而成，孔穎達於《五經正義》各經書前之序文中，皆已明言修纂所本，故欲明六朝義疏之底蘊，當探求唐人經疏之淵源，以求恢復六朝義疏之舊。蘇瑩輝兩篇文章，主要藉敦煌發現的《五經正義》探討其書刊定及第一次頒行的時間；而張寶三的《五經正義研究》一文，則分別從《五經正義》的修撰版本、修纂依據、體式與內涵特性、論考內容、對注文之修正補充、校勘、字義訓詁、修辭觀、思想觀念等幾方面來對該書作深入的探討，可說目前第一本全面性研究《五經正義》內容的專門論著。李景遠的《張參五經文字之研究》及蔡主賓的

《敦煌寫本儒家經籍異文考》二文,均在考校當時經籍的文字。唐代中葉以後,因安史之亂的緣故,政治情勢丕變,經濟社會狀況劇烈轉變,學者治經受到政治局勢影響,逐漸拋棄《五經正義》注疏學的典範,開始提出對經書可靠性的懷疑,嘗試以己意說經,使經學發展情況轉變。林慶彰先生的〈唐代後期經學的新發展〉一文,闡述中唐以後,藩鎮割據,政府勢力衰微,學者為伸張王權,研究《春秋》就特別強調君臣之義,並分析由注疏之學轉變為中唐新經學的根本原因所在。劉醇鑫《唐代後期儒學新發展》文章內容架構基本上與林先生文章相似。張育敏的文章,探討韓愈、柳宗元等領導的古文運動與經書之間的關係,及其對唐代經學發展的影響。五代十國時期,政治上處於紛亂頻仍之際,學術發展亦受到影響,唯因其在歷史上所處的時間短暫,一向乏人觀照,經學發展情形也使人無法了解。金洪仲《唐代學制與經學之關係研究》討論學制和經學發展興衰的關係。馮曉庭的〈五代十國的經學〉一文恰好能夠彌補此一缺憾,文章介紹五代時期各國的經學發展情形,使學界對此階段經學能有比較清晰的認識。

㈤宋元時期

　　兩宋經學的成就相當突出,不僅擺脫漢唐章句注疏,崇尚義理的闡發,且出現勇於疑經、疑傳的風氣,對後世學術思想潮流的轉變影響很大,經義闡發的著作相當豐碩,唯學者研究的方向大都偏重在歐陽修、王安石、朱子、呂祖謙、王應麟等少數經學大家個別研究上,未能廣為對其他面向的經學作更深入研究,茲將相關論文分述如下:
1.馮曉庭　宋初古文家的經學觀析論　經學研究論叢　第1輯　1994年4月

2. 馮曉庭　宋初經學發展述論　東吳大學中國文學研究所碩士論文
　　1995年6月

3. 汪惠敏　宋代經學之研究　臺北　師大書苑有限公司　1989年4月

4. 李威熊　兩宋治經取向及其特色　中華學苑　30期　1984年12月

5. 金中樞　宋代的經學當代化初探　成大歷史學報　10期　1983年9月

6. 金中樞　宋代的經學當代化初探再續　成大歷史學報　11期　1984
　　年12月

7. 金中樞　宋代的經學當代化初探三續　珠海學報　14期　1985年5月

8. 程元敏　宋人在學術資料（書本資料）方面之貢獻　國立編譯館館刊2
　　卷3期　1973年12月

9. 屈萬里　宋人疑經的風氣　收入《書傭論學集》　臺北　臺灣開明
　　書店　1969年3月

10. 葉國良　宋人疑經改經考　臺灣大學中國文學研究所碩士論文
　　1978年

11. 阮廷焯　南宋九經考　經學研究論集　臺北　黎明文化事業公司
　　1981年1月

馮曉庭的〈宋初古文家的經學觀析論〉探究宋初古文家柳開、王禹偁
二人的經學觀，及其對後世經學家的治經提供新的方法與新的概念。
而《宋初經學發展述論》文章，論述宋代初年至仁宗慶曆以前的八十
年間經學發展的概況，以探討北宋初年新經學的貢獻及其對後來經學
變古之影響。汪惠敏《宋代經學之研究》，分析宋儒研治經書之態度
與成就，並探究其疑經改經之用心本旨所在。李威熊〈兩宋治經取向
及其特色〉探討宋代經學家治經趨於主觀，甚至走上疑改經籍的風氣，
並歸納出兩宋治經有：解經偏重義理、勇於變古、藉經義弘揚綱常、

喜標立新說等特色。金中樞〈宋代的經學當代化初探〉、〈宋代的經學當代化初探再續〉、〈宋代的經學當代化初探三續〉三篇文章，論述北宋初年聶崇義等二十人撥棄漢唐傳注而開始提倡經義，使經學變古而當代化，面貌與傳統產生相異。程元敏〈宋人在學術資料（書本資料）方面之貢獻〉，主要在表彰宋儒在經書篇章著作時代考定，經書錯簡之釐正，古代經籍原本正謬補缺，偽書資料之辨別，古代學術典籍之輯佚等方面之貢獻。屈萬里先生的〈宋人疑經的風氣〉一文，簡略論述宋人疑經之說，大致可分為三類：一是懷疑經義的不合理，二是懷疑先儒所公認的經書的著者，三是懷疑經文的脫簡、錯簡、訛字等。葉國良氏據屈先生所示方向，撰《宋人疑經改經考》，進一步詳細討論宋人對十三經之作者與著成時代之辨偽，及刪改移易經文之情形，唯未對疑經風氣形成之原因作詳細探討。阮廷焯的〈南宋九經考〉，南宋刊刻的九經共有淳熙本及紹熙本兩種，本文在考察二刻九經的內容，及其遞變之跡。

12. 許秋碧　歐陽修著述考　政治大學中國文學研究所碩士論文　1976年
13. 何澤恆　歐陽修之經史學　臺灣大學中國文學研究所碩士論文　1976年
14. 黃錦鋐　張載的生平及其思想　宋代文學與思想　1989年8月
15. 徐紀芳　邵雍研究　中國文化大學中國文學研究所碩士論文　1994年12月
16. 于大成　王安石三經新義　收入《經學研究論集》　臺北　黎明文化事業股份有限公司　1981年1月
17. 程元敏　三經新義與字說科場顯微錄　屈萬里先生七十榮慶論文集　臺北　聯經出版事業公司　1978年10月

18.程元敏　王安石、雱父子享祀廟庭考　文史哲學報　27期　1978年12月

19.程元敏　三經新義修撰通考　孔孟學報　37期　1979年4月

20.程元敏　三經新義修撰人考　臺靜農先生八十榮慶論文集　臺北　聯經出版事業公司　1981年11月

21.程元敏　三經新義板本與流傳　文史哲學報　30期　1981年12月

22.程元敏　三經新義評論輯類　國立編譯館館刊　9卷2期　1980年12月

23.夏長樸　王安石的經世思想　臺灣大學中國文學研究所博士論文　1980年

24.林慶彰　鄭樵與顧頡剛　宋學與東方文化國際研討會　1996年5月

25.林慶彰　論鄭樵　開封大學學報　1期　1997年3月

26.王孺松　朱子學　臺北　教育文物出版社　1985年5月

27.周榮村　朱子學術思想淵源　政治大學中國文學研究所碩士論文　1966年

28.吳春山　呂祖謙研究　臺灣大學中國文學研究所博士論文　1978年

29.王德毅　黃榦的學術與政事　漢學研究　9卷2期　1991年12月

30.林政華　黃震之經學　臺灣大學中國文學研究所博士論文　1977年

31.程元敏　王柏之生平與學術　臺灣大學中國文學研究所博士論文　1971年6月

32.周學武　葉適研究　臺灣大學中國文學研究所博士論文　1975年

33.何澤恆　王應麟之經史學　臺灣大學中國文學研究所博士論文　1981年

34.莊謙一　王厚齋學術及其著述考略　臺北　文史哲出版社　1978年

10月

35.何淑貞　金履祥的生平及經學　臺灣大學中國文學研究所博士論文
　　1981年

36.程元敏　宋元之際的學者——金履祥和他的遺著(上下)　書和人(國
　　語日報)　1968年7、8月

許秋碧《歐陽修著述考》一文，考察歐陽修的一生著作及其版本流傳
情形。何澤恆的《歐陽修之經史學》則著重在探研歐陽修的經學內容
梗概，與史學旨趣所在。黃錦鋐的〈張載的生平及其思想〉及徐紀芳
的《邵雍研究》二文，闡述北宋理學五子的張、邵二子的學術思想。
于大成〈王安石三經新義〉簡略介紹王安石《三經新義》的成書經過
及相關事略。程元敏先生的六篇文章，其中的〈三經新義與字說科場
顯微錄〉記述南宋熙、豐至乾、淳間，學校講授與場屋命題的演變，
以見《三經新義》在當時學術界之隆替。而〈王安石、雱父子享祀廟
庭考〉一文，藉兩宋學士大夫議論王氏父子身後享祀廟庭的崇隆與廢
絀，以彰顯王氏經學在兩宋之興衰。另外四篇文章，分別對《三經新
義》的修撰經過、修撰人、版本與流傳，以及歷代學者對該書的評論
意見作詳細而深入的分析研究。林慶彰先生〈鄭樵與顧頡剛〉與〈論
鄭樵〉二文，主要在探討鄭樵的學術思想對顧頡剛的影響。從王孺松
到程元敏先生等十一篇論文，主要針對南宋朱熹、呂祖謙、黃榦、黃
震、王柏、葉適、王應麟、金履祥等幾位學問淵博且影響後世相當深
遠的經學家，或探究其學術思想的淵源，或著重論述其學術與政治事
功之間的關係，或側重經學、史學及對清代學術之影響，或闡述其生
平著作與經學思想，或就其著作內容及流傳作介紹，均對各家的經學
著作、學術思想特色與貢獻作專門而深入詳盡的分析評述。

37.蔡信發　元代的經學　孔孟月刊　27卷7期　1989年3月

·38.徐玉梅　元人疑經改經考　東吳大學中國文學研究所碩士論文
　　　　　　1988年6月

39.王明蓀　略述元代朱學之盛　中華文化復興月刊　16卷12期　1983
　　　　　　年12月

40.何淑貞　元儒吳草廬的生平　高雄師範學院　11期　1983年4月

41.陳鴻森　十一經問對考正　國立中央圖書館館刊　21卷1期　1988
　　　　　　年6月

42.喬衍琯　通考經籍考述略　國立中央圖書館館刊　17卷1期　1984
　　　　　　年6月

43.田鳳台　馬端臨經籍考析論　中華文化復興月刊　18卷4期　1985
　　　　　　年4月

44.孔建國　文獻通考經籍考研究　政治大學中國文學研究所碩士論文
　　　　　　1975年

45.蔡介裕　前期闖學之研究　東海大學中國文學研究所博士論文
　　　　　　1996年1月

元代的經學，基本上承襲自宋人，尤以朱熹的學術思想影響最為深廣，
致使後人幾乎認定元代學者僅在述朱而已。蔡信發〈元代的經學〉一
文是對元代經學發展及其述朱特色提出苛刻評論，以為元儒死守宋儒
之書，心得淺陋。不依朱說成書者，則大都平庸淺近，乏善可陳。徐
玉梅〈元人疑經改經考〉是對元代繼承宋人疑經、改經風氣作通盤全
面的分析和評述。王明蓀〈略述元代朱學之盛〉敘述元代朱學興盛的
原因及其實況。何淑貞的文章，僅簡略介紹元代大儒吳澄的生平傳記
資料及著作。陳鴻森〈十一經問對考正〉是主要是針對元代《十一經

問對》所作的細部考證。喬衍琯〈通考經籍考述略〉、田鳳台〈馬端臨經籍考析論〉、孔建國《文獻通考經籍考研究》三篇文章皆是針對《文獻通考·經籍考》作專門研究討論。

㈥明代時期

明代的經學歷來都被前人認為是最衰微的時期，受到此種觀念的誤導後，學者便對其缺乏研究的興趣，近年來受到林慶彰先生大力提倡鼓吹以後，情形已稍有改善，學者逐漸願意將焦點注意到此期一些學者，研究論文也漸增多，相關論文列敘如下：

1. 饒宗頤　明代經學的發展路向及其淵源　明代經學國際研討會論文集　1996年6月
2. 李威熊　明代經學發展的主流與旁支　明代經學國際研討會論文集　1996年6月
3. 蔡信發　明代的經學　孔孟月刊　27卷12期　1989年9月
4. 林慶彰　晚明經學的復興運動　書目季刊　18卷3期　1984年12月
5. 周林根　明儒之經學、禮學與禮教　海洋學院學報　6期　1971年6月
6. 傅兆寬　明代學術思想與經學　木鐸　12期　1988年3月
7. 林慶彰　明代考據學研究　東吳大學中國文學研究所博士論文　1983年7月
8. 吳智和　明代的儒學教官　臺北　臺灣學生書局　1991年3月
9. 陳恆嵩　明人疑經改經考　東吳大學中國文學研究所碩士論文　1988年6月

饒宗頤的文章，論述明代經學的發展路向，與清代經學重文字訓詁考證之學並不相同。明代經學避開繁瑣的名句文身的糾纏，治經重旨義，

而以大義爲先，敦尙躬行實踐的功夫，直接受到經書的薰陶，身心俱沐浴經義之中，而非單純的僅注重「道問學」的知識層次。他們從義理上力求心得，以爭取有益於身心受用之處。李威熊先生之文，認爲明代經學的發展，初、中期以朱子學爲主流，晚期轉變爲陽明心學。而自明中葉以後，逐漸出現的考據、辨僞、輯佚等方面的學術，實際是屬於明代經學發展的旁支，可說是清代乾嘉考據學的先導。蔡信發先生的〈明代的經學〉一文，僅根據顧炎武《日知錄》、《四庫全書總目》及皮錫瑞《經學歷史》等少數幾家對明代經學的評論，便據以論斷明代經學除梅鷟《尙書考異》力辨《古文尙書》完全係雜取傳記中語句而成，屬後人僞撰，論據極有根據爲可取外，整個明代經學，可說「至爲衰微」、「五經掃地，至此而極」。林先生的〈晚明經學的復興運動〉，是歷來研究明代經學的復興運動最具有代表性的論文，傳統觀念裡，明代的經學幾乎可說一無是處，衰微至極，不值得去討論研究，清代乾嘉考據學的興盛，完全是清代學術特有的建樹，與明人毫無關聯。林先生該文主要觀點則認爲從整個經學發展的脈絡來看，經學的復興，實際上是起於明代中葉，爲證明其論點，林先生分析歸納晚明經學計有：追尋經學授受源流、斥疑經改經之非、考辨經書的眞僞、考訂文字音義、考訂名物制度、蒐輯經書佚文等數點貢獻，爲清代學者所繼承。周林根的〈明儒之經學、禮學與禮教〉與傅兆寬的〈明代學術思想與經學〉二文，旨在表彰明代諸儒在儒學、禮學、禮教等各方面的湛深造詣與其對學術思想的貢獻。林先生的《明代考據學研究》對明代的考據學家楊愼、梅鷟等人逐一作細緻的分析評價。吳智和的《明代的儒學教官》，據方志史料記載，對儒學教官與明代政治、社會、教育、學術等文化現象與結構作綜合性的探研評述。陳

恆嵩的《明人疑經改經考》，則是全面分析評述明人的疑經、改經風
氣與內容，並檢討其得失的專論。

10.劉百閔　四書五經大全和新十三經注疏　國魂　345期　1974年8月
11.林慶彰　五經大全之修纂及其相關問題　中國文哲研究集刊　1期
　　　　　1991年3月
12.陳恆嵩　五經大全纂修人考述　經學研究論叢　第3輯　1995年4月
13.陳恆嵩　五經大全纂修研究　東吳大學中國文學研究所博士論文
　　　　　1998年6月

劉氏的之文章根據顧炎武和《四庫全書總目》的記載，簡單敘述《四
書五經大全》的修纂及其取材來源，和清代新十三經注疏的書目。林
慶彰先生的〈五經大全之修纂及其相關問題〉探討明成祖纂修《五經
大全》的修纂動機、修纂人及其取材問題，是首次對《大全》提出檢
討，引起後學者頗大的回應。陳恆嵩〈五經大全纂修人考述〉則根據
正史傳記及方志的記載，專門查考胡廣等四十二位修纂者的生平傳記
資料，並另行發現六位參與修纂工作而未被列在纂修之列者。陳恆嵩
《五經大全纂修研究》賡續林先生文章所述，對顧炎武、朱彝尊、《四
庫全書總目》等所敘述的《五經大全》的資料取材來源重新提出檢討，
詳細核檢比對資料，發現《周易傳義大全》係取材元人董眞卿的《周
易會通》，《書傳大全》取材自元人董鼎的《書蔡傳輯錄纂註》，另
兼採陳櫟《書蔡傳纂疏》，《詩傳大全》取材自元人劉謹《詩傳通釋》，
《禮記集說大全》取材自宋人衛湜《禮記集說》，《春秋大全》取材
自元人汪克寬的《春秋胡傳纂疏》，並檢討《五經大全》與明代經學
衰微之間的關係，修正不少前代學者成說的缺失，對了解明代經學將
會有所助益。

14.林慶彰　楊慎之經學　國立中央圖書館館刊　18卷2期　1985年12月

15.陳郁夫　陳白沙與湛甘泉學記　臺北　石渠出版社　1986年8月

16.蔡仁厚　王陽明經學即心學的基本義旨　中華文化復興月刊　8卷9期　1975年9月

17.林慶彰　王陽明的經學思想　陽明學學術討論會論文集　1989年3月

18.林慶彰　豐坊與姚士璘　東吳大學中國文學研究所碩士論文　1978年

19.林慶彰　朱睦楔及其授經圖　中國文哲研究集刊　3期　1993年3月

20.鍾彩鈞　高拱的經學思想　明代經學國際研討會論文集　1996年6月

21.黃敏浩　湛甘泉的生平及其思想　臺灣大學中國文學研究所碩士論文　1988年

22.張曉生　湛若水經學初探　東吳中文研究集刊　第3期　1996年5月

23.詹海雲　劉蕺山的生平及其學術思想　臺灣大學中國文學研究所碩士論文　1979年

24.曾坤錦　劉蕺山思想研究　臺灣師範大學國文研究所碩士論文　1983年

25.王俊彥　理學家劉蕺山研究　文化大學中國文學研究所碩士論文　1985年

26.劉人鵬　陳第之學術　臺灣大學中國文學研究所碩士論文　1988年

林慶彰〈楊慎之經學〉旨在論述楊氏重視古注疏、斥責改經之非、治經必先通字學三個治經特點，指出他研究經書已拋開宋人自由心證的態度，建立客觀歸納分析的考證方法，此方法廣為清代考據學家所繼承。陳郁夫《陳白沙與湛甘泉學記》旨在闡述二人的理學思想。蔡仁厚〈王陽明經學即心學的基本義旨〉及林先生〈王陽明的經學思想〉對於探究王陽明融攝經學為心學的學術思想特點，有極為深入詳細的

論述。豐坊與姚士粦二人係明代後期喜好作僞的大家，林慶彰先生的《豐坊與姚士粦》，專門考辨二人僞撰的《詩傳》、《詩說》、《石經大學》、《孟子外書》等書的作僞方法及其對後世的影響。而〈朱睦㮮及其授經圖〉一文，由朱睦㮮的生平及著作，去探討其編纂《授經圖》的撰作動機，指出朱氏的用意本在提倡漢學。鍾彩鈞〈高拱的經學思想〉主要經由《日進直講》、《春秋正旨》、《問辨錄》等書來探討高拱的經學思想，高氏以發揮孔子之教爲志願，雖然在方法上並無創新，但其欲返回聖人本義的努力，仍然值得後人作爲觀察明代中葉以後經學思潮演變的重要對象。黃敏浩的文章，分析討論湛甘泉的生平資料及其學術思想。張曉生的〈湛若水經學初探〉探討湛氏「六經皆註於我心」的經學思想，並就其各經著作加以介紹，以明其觀點。劉宗周爲明代理學最後的殿軍，相當受到後世學者注意，詹海雲《劉蕺山的生平及其學術思想》、曾坤錦《劉蕺山思想研究》、王俊彥《理學家劉蕺山研究》三篇論文對劉宗周的哲學思想有極爲深刻的闡述。劉人鵬的《陳第之學術》，對陳第的古音學、《尚書》學及其學術思想有相當深刻的析論。

(七)清代時期

清代距今時代較接近，傳世的經學典籍資料也最多，光復初期經學界較不重視此段經學的研究，近年這種情形已有突破性的發展，學者開始將焦點集中在清代，發表的研究成果也最多，唯除通論清代經學史的論著外，大部分仍集中在乾嘉考據學派及顧炎武、惠棟、戴震、章太炎等少數經學家的研究，其他有成就的經學家雖也受到關照，但仍嫌不足。茲將論文序列如下：

1. 林聰舜　明清之際儒家思想的變遷與發展　臺灣師範大學國文研究所博士論文　1985年6月

2. 何佑森　清代經學思潮　清代經學國際研討會論文集　中央研究院中國文哲研究所　1994年6月

3. 林慶彰　明末清初經學研究的回歸原典運動　國際孔學會議論文集　1988年6月；孔子研究1989年第4期　1989年6月

4. 林慶彰　清初考辨群經風氣的探討　復興崗學報　43期　1990年6月

5. 林慶彰　清初群經辨偽學　臺北　文津出版社　1990年3月

6. 李威熊　清初經學的復興運動　孔孟月刊　29卷3、4期　1990年11、12月

7. 陸寶千　論清代經學——以考據治經之起源及其成就之限度　國立臺灣師範大學歷史學報　第3期　1975年2月

8. 張火慶　清初學風與乾嘉考證之學　中華文化復興月刊　15卷6期　1982年6月

9. 李新霖　清代經今文學述　臺灣師範大學國文研究所碩士論文　1977年

10. 林麗娥　晚清經今文學之探討　孔孟月刊　19卷2期　1980年10月

11. 蔡長林　清代今文學派發展的兩條路向　經學研究論叢　1輯　1994年4月

12. 李威熊　晚清的疑經風氣及其時代意義　清代經學國際研討會論文集　中央研究院中國文哲研究所　1994年6月

13. 黃忠慎　經苑作者與內容述評　孔孟學報　42期　1981年9月

林聰舜《明清之際儒家思想的變遷與發展》探討明清交替之際，儒家學者在政治局勢劇烈變動時，思想上受時代改變而產生變化的情況。

何佑森《清代經學思潮》探論清代學者將經學與理學、史學、天文曆術、文物制度相結合的新經學思潮關係。林慶彰先生的《明末清初經學研究的回歸原典運動》、《清初群經辨偽學》、《清初考辨群經風氣的探討》三篇文章，論述明末清初的學術界鑒於當時束書不觀的偏頗學風下，為探討孔門真義的而形成的經典回歸運動，探論其緣起，重新檢討其考辨經書的內容及揚本經黜偽經的學術與時代意義。李威熊〈清初經學的復興運動〉探討清初學術思想發生劇烈變化，治經風氣產生轉變，經學研究分為兩大系統，一派治經須與現實生活相結合，顧炎武、黃宗羲等人所主；一派講求治經須取證於經典，後來開啟乾嘉考據學，閻若璩、朱彝尊等人即是。陸寶千的〈論清代經學——以考據治經之起源及其成就之限度〉論述清初經學之興盛，完全是因晚明以來諸儒欲學術經世所致，而清儒考據治經，瑣屑纖細，無與於義理，係術而非學，本無宗旨可言。張火慶的文章，旨在探討清初學風與乾嘉考證興起之關係。李新霖的《清代經今文學述》探討清代今文經學之興起、發展，及其與學術、時政、變法改制關係之研究。林麗娥〈晚清經今文學之探討〉探討清代今文經學產生的背景原因及其內容與影響。蔡長林的〈清代今文學派發展的兩條路向〉，探討清代今文經學的發展，著者以為清代今文經學應當有「公羊學」與「今文學」兩條不同的學術發展路線和學風。李威熊先生的〈晚清的疑經風氣及其時代意義〉，探討清代晚期疑經風氣形成的緣起，就疑經的現象、內涵兩種類型，說明晚清疑經與宋元明各代相異之處。漢魏六朝的經解，有《十三經注疏》合刊而集其大成。唐宋元明之經義，則有清初納蘭成德的輯《通志堂經解》蒐羅集刊，然仍有未備，清道光、咸豐間錢儀吉又輯《經苑》補其未備。黃忠慎的〈經苑作者與內容述評〉

一文，即介紹《經苑》輯刊者錢儀吉的生平及二十五部經籍的內容評
介。

14.何佑森　顧亭林的經學　文史哲學報　16期　1967年10月

15.孫劍秋　顧炎武經學之研究　政治大學中國文學研究所碩士論文
　　　　　1988年6月

16.李慶龍　顧炎武經史論──明末清初學術之變遷　臺灣大學歷史研
　　　　　究所碩士論文　1990年6月

17.陳成文　論顧炎武「經學即理學」　孔孟月刊　30卷8期　1992
　　　　　年4月

18.陳邦禎　顧亭林先生學術思想研究　文化大學中國文學研究所博
　　　　　士論文　1988年

19.詹海雲　顧炎武的學術思想　國文天地　3卷5期　1987年10月

20.古清美　黃梨洲之生平及其學術思想　臺灣大學中國文學研究所
　　　　　碩士論文　1975年

21.曾昭旭　王船山及其學術　臺灣師範大學國文研究所博士論文
　　　　　1977年

22.林慶彰　王懋竑的朱子學　第一屆清代學術研討會論文集　高雄
　　　　　中山大學　1989　年11月

23.林慶彰　毛奇齡、李塨與清初的經書辨偽活動　第二屆清代學術
　　　　　研討會論文集　高雄　中山大學　1991年11月

24.林慶彰　姚際恆及其在近代學術史上的地位　中國文哲研究通訊
　　　　　4卷2期　1994年6月

25.林慶彰　姚際恆治經的態度　第四屆清代學術會議論文　高雄
　　　　　中山大學　1995年11月

26.林登昱　清學的絕筆與民初的啓蒙──小論姚際恆學術風格　大同
　　商專學報　第9期　1995年10月

27.蔡長林　姚際恆的學術風格態度　經學研究論叢　4輯　1997年4月

28.田鳳台　朱彝尊與經義考　中華文化復興月刊　11卷2期　1978年2月

29.喬衍琯　經義考及補正、校記綜合引得敘例　書目季刊　18卷4期
　　1985年3月

30.李時銘　馬驌之生平與學術　政治大學中國文學研究所博士論文
　　1984年

顧亭林爲清代學術的奠基者，他的學術思想長久以來一直爲學界所重
視，雖不以經學研究成果爲世所崇，其經學觀點仍爲人注意，何佑森
〈顧亭林的經學〉、孫劍秋《顧炎武經學之研究》、李慶龍《顧炎武
經史論──明末清初學術之變遷》、陳成文〈論顧炎武「經學即理學」〉
紛紛就其著作中探討其對經學思想的意見。陳邦禎《顧亭林先生學術
思想研究》、詹海雲〈顧炎武的學術思想〉二文主要論述顧氏的「博
學於文，行己有恥」爲學宗旨，及其學術經世的思想。古清美《黃梨
洲之生平及其學術思想》及曾昭旭《王船山及其學術》二篇論文，旨
在探討與顧炎武齊名清初學術界的黃宗羲、王夫之二人的學術思想。
林慶彰先生〈王懋竑的朱子學〉討論王懋竑研究朱子學的成就，及其
考證研究方法對清代學風的影響。林先生的〈毛奇齡、李塨與清初的
經書辨僞活動〉主要探討毛奇齡、李塨與閻若璩等清初辨僞學者之間
的來往聯絡情形。姚際恆爲清初辨僞學者中際遇最爲不幸者，在當時
不受學術界重視，其著作如今大都亡佚不傳，林慶彰先生的〈姚際恆
及其在近代學術史上的地位〉主要論述姚氏的生平傳記，著作存殘亡
佚情形及其對晚近學術界的影響。而〈姚際恆治經的態度〉一文，試

圖從姚氏分辨經書之眞僞、破除解經的障礙、回歸原典的努力等數個
方面，去探討姚氏治經時大膽拋棄前人解經的束縛而直探孔孟眞義的
態度。林登昱、蔡長林兩篇文章皆是討論姚際恆的學術風格。田鳳台
〈朱彝尊與經義考〉簡單介紹朱彝尊的生平資料及其編纂《經義考》
的經過、體例內容。喬衍琯〈經義考及補正、校記綜合引得敘例〉論
述朱彝尊《經義考》及翁方綱《經義考補正》兩書的內容大概及其版
本沿革。李時銘的《馬驌之生平與學術》，探討清初學者馬驌之生平
資料，與其在《左傳》學、上古史學術研究上的成就。

31. 唐素珍　紀昀的學術活動研究　輔仁大學中國文學研究所碩士論文
　　　　　1995年
32. 莊清輝　四庫全書總目經部研究　政治大學中國文學研究所碩士論
　　　　　文　1988年6月
33. 曾聖益　四庫總目經部類敘疏證及其相關問題之研究　輔仁大學中
　　　　　國文學研究所碩士論文　1996年6月
34. 李威熊　清代吳派經學評述　中華學苑　36期　1988年4月
35. 孫劍秋　清代吳派經學研究　政治大學中國文學研究所博士論文
　　　　　1993年1月
36. 黃順益　惠棟、戴震與乾嘉學術研究　中山大學中國文學研究所博
　　　　　士論文　1999年6月
37. 耿志宏　惠棟之經學研究　政治大學中國文學研究所碩士論文
　　　　　1984年
38. 鮑國順　戴東原學記　政治大學中國文學研究所博士論文　1978年
39. 鮑國順　戴東原研究　臺北　國立編譯館　1997年5月
40. 張壽安　戴震義理思想的基礎及其推展　漢學研究　10卷1期

1992年6月

41.張壽安　戴震對宋明理學的批評　漢學研究　13卷1期　1995年6月

42.鮑國順　戴震與孟荀思想的關係探究　清代思想與文學研討會論文　高雄　1989年11月

43.司仲敎　錢大昕之生平及其經學　文化大學中國文學研究所博士論文　1984年

44.羅卓文　錢竹汀之經學與史學研究　東吳大學中國文學研究所碩士論文　1985年

45.張文彬　高郵王氏父子學記　臺灣師範大學國文研究所博士論文　1978年

46.賴炎元　王引之之經義述聞　南洋大學學報　7期　1973年

47.劉德美　阮元學術之研究　臺灣師範大學歷史研究所博士論文　1986年

48.何佑森　阮元的經學及其治學方法　故宮文獻　2卷1期　1970年12月

49.岑溢成　阮元《性命古訓》論析　清代經學國際研討會論文集　中央研究院中國文哲研究所　1994年6月

50.何澤恆　焦循研究　臺北　大安出版社　1990年5月

51.何澤恆　焦循經學餘論　大陸雜誌　81卷4、5期　1990年10、11月

52.詹海雲　清代浙東學者的經學特色　清代經學國際研討會論文集　中央研究院中國文哲研究所　1994年6月

53.鄭吉雄　經史與經世——清代浙東學者的學術思想　臺灣大學中國文學研究所碩士論文　1990年6月

54.胡楚生　章實齋六經皆史說闡義　中國學術年刊　6期　1984年6月

55.林釗誠　章學誠六經皆史說研究　高雄師範學院國文研究所碩士論
　　文　1984年
56.林安梧　章學誠六經皆史及其相關問題的哲學反思　清代經學國際
　　研討會論文集　中央研究院中國文哲研究所　1994年6月
57.林勝彩　章實齋對乾嘉學術的批評與修正　中山大學中國文學研究
　　所碩士論文　1995年
58.張麗珠　乾嘉時期的義理學趨向研究　高雄師範大學國文研究所碩
　　士論文　1995年
59.謝金美　崔東壁學述　高雄師範大學國文研究所博士論文　1995年
　　6月

唐素珍的《紀昀的學術活動研究》，探討紀昀在乾隆年間的學術活動
及其參與編纂《四庫全書》、《四庫全書總目》的情形。莊清輝對《四
庫全書總目》的經部做通盤全面的分析研究。曾聖益的論文雖然也以
《四全書庫總目》經部爲研究對象，但將範圍縮小在限於疏證經部類
敘及經學發展六變等相關問題的探討。李威熊先生的〈清代吳派經學
評述〉，從吳派經學的建立敘起，析論吳派重要經學家、治經特色及
缺點。孫劍秋的《清代吳派經學研究》則是探討該派經學成就的專門
研究。黃順益《惠棟、戴震與乾嘉學術研究》分別論述惠、戴二人的
成學歷程、學術成就，及其與乾嘉考據學的吳、皖兩派學術群體的學
術關係。耿志宏的論文對惠棟的經學成就作全面而專門的研究。張壽
安的兩篇文章，探討戴震的新義理學的思想理論基礎所在及其推展擴
充，並論述戴震對宋明理學不滿意的批評。而鮑國順〈戴震與孟荀思
想的關係探究〉則是探討戴氏新義理學與孟子性善說、荀子性惡說間
思想的承繼關係。司仲敖《錢大昕之生平及其經學》、羅卓文《錢竹

汀之經學與史學研究》兩篇論文旨在探討考據學大家錢大昕的經學成就。張文彬《高郵王氏父子學記》論述王氏父子在校勘與訓詁方面的成就與貢獻。賴炎元〈王引之之經義述聞〉分析歸納《經義述聞》在訓詁經籍的內容與成就。劉德美的論文專論阮元的學術思想。何佑森的〈阮元的經學及其治學方法〉，探論阮元的經學觀，和他嘗試從漢儒的訓詁中尋求先秦以前的古訓的治學方法與門徑。岑溢成〈阮元《性命古訓》論析〉檢討阮氏撰寫《性命古訓》的方法論未能做到「以訓詁學的方法定其字義，而後就其字義疏為理論」，因而對先秦典籍中的「性」作出不甚符合原意的解釋。何澤恆《焦循研究》、〈焦循經學餘論〉是對揚州學派的通儒焦循經學的專門研究。詹海雲的《清代浙東學者的經學特色》，從地理緣關係討論浙東學者的經學觀及其治經的方法和特色，以為浙東學者研經主張學術貴合不貴分，貴通今而不貴崇古，重經世致用，重具學術史意義的經典研究。鄭吉雄《經史與經世——清代浙東學者的學術思想》專重探討浙東學者研經時特重的經史與經世傳統學術思想。胡楚生、林釛誠、林安梧三篇文章專門討論章學誠所提出的六經皆史說的義蘊，而林勝彩的文章在探討章學誠在乾嘉考據興盛之際對其學風的針砭。一般人觀念裡，乾嘉學術特質在瑣碎的考據，並無義理學的存在，張麗珠的《乾嘉時期的義理學趨向研究》則企圖釐清此種誤解，探討乾嘉義理學的實質內涵及其發展的趨勢。謝金美《崔東壁學述》探討崔述致力古史系統的疑古辨偽的學術思想。

60.江素卿　論常州學派之學術特質及其經世思想　東海大學中國文學研究所碩士論文　1996年6月

61.張運宗　劉逢祿與常州學派（1780-1810）　東海大學中國文學研究所

　　碩士論文　1995年6月

62.張壽安　龔定菴學術思想研究　臺灣大學中國文學研究所碩士論文
　　1977年

63.張壽安　龔定菴的治經態度　書目季刊　11卷4期　1978年3月

64.張壽安　龔定菴的經世思想　漢學研究　10卷2期　1992年12月

65.朱傑勤　龔定菴研究　臺北　臺灣商務印書館　1966年

66.孫廣德　龔自珍的經世思想　近代中國經世思想研討會論文集
　　1984年4月

67.周啓榮　從狂言到微言——論龔自珍的經世思想與經今文學　近代
　　中國經世思想研討會論文集　1984年4月

68.鍾彩鈞　宋翔鳳學術及思想概述　清代經學國際研討會論文集　中
　　央研究院中國文哲研究所　1994年6月

69.賀廣如　魏默深思想探究——以傳統經典的詮說爲討論中心　臺灣
　　大學中國文學研究所博士論文　1997年

70.李幸長　凌曉樓學術研究　高雄師範大學國文研究所博士論文
　　1997年

71.盧瑩通　陳蘭甫先生之生平及其學術　文化大學中國文學研究所博
　　士論文　1988年

72.胡楚生　俞樾《群經平議》中之解經方法　文史學報　23期　1993
　　年3月

73.王更生　籀廎學記　臺灣師範大學國文研究所博士論文　1972年

74.陳振風　孫詒讓之生平與學術思想　臺灣大學中國文學研究所碩士
　　論文　1977年

75.許英才　皮錫瑞經學史觀及其經學問題之探討　政治大學中國文學

研究所碩士論文　1992年6月

76.張火慶　皮錫瑞經學歷史析論　孔孟月刊　17卷4期　1978年12月

77.吳　康　晚清今文經學代表康有爲之思想　收入《經學研究論集》
臺北　黎明文化事業公司　1981年1月

78.丁亞傑　康有爲經學述評　中央大學中國文學研究所碩士論文
1992年5月

79.陳文豪　廖平經學研究　政治大學中國文學研究所碩士論文　1992
年6月

80.王汎森　章太炎的思想及其對儒學傳統的衝擊　臺北　時報出版社
1985年5月

81.胡楚生　章太炎「釋戴篇」申論　幼獅學誌　19卷2期　1986年10月

82.高　明　章太炎先生之學術成就　孔孟學報　58期　1989年9月

83.陸寶千　章太炎在晚清之經世思想　近世中國經世思想研討會論文
集　中央研究院近代史研究所　1984年4月

84.陸寶千　章炳麟之儒學觀　中央研究院近代史研究所集刊17期下
1988年12月

85.王　樾　章太炎的儒俠觀及其歷史意義　淡江史學　4期　1992
年6月

86.張至淵　論章太炎對儒學的批判　中山大學中國文學研究所碩士論
文　1982年6月

87.劉紀曜　梁啓超與儒家傳統　臺灣師範大學歷史研究所博士論文
1985年6月

常州學派係嘉、道年間，因應國勢漸衰後而興起，厭棄乾嘉考據之瑣
碎餖飣，標舉治學宗旨方向尙西漢通精致用、微言大義之傳統。江素

卿《論常州學派之學術特質及其經世思想》討論常州學派宗尙西漢今文經學的微言大義，經世致用的學術特質，以應國家之危急。劉逢祿爲常州今文經學發展的關鍵人物，張運宗的《劉逢祿與常州學派》即在探討劉氏的經學思想與常州今文經學的建立及發展。張壽安的《龔定菴學術思想研究》與朱傑勤的《龔定菴研究》爲研究龔氏學術思想的專門論著，而張壽安的〈龔定菴的治經態度〉一文，論述龔氏由早年「好學臚古」至中年轉爲著重探求經文大義的治經態度，對乾嘉考據學的瑣碎餖飣的文字訓詁提出嚴厲批評。張壽安〈龔定菴的經世思想〉、孫廣德〈龔自珍的經世思想〉與周啓榮〈從狂言到微言──論龔自珍的經世思想與經今文學〉二文，主題都著重在分析龔自珍的經世致用思想。鍾彩鈞〈宋翔鳳學術及思想概述〉以爲宋氏的學術思想，係在經書名物制度的基礎上，以探索孔門微言大義爲目標，爲爾後的今文經學發展開闢新的途徑。賀廣如〈魏默深思想探究──以傳統經典的詮說爲討論中心〉透過分析其《老子本義》、《詩古微》、《書古微》等三本對傳統經籍著作的詮說，去呈現魏源早期的憫時救世、中期的通經致用、晚期的時勢自變三期學術思想的變化。李幸長、盧瑩通兩篇文章探索凌曙融《公羊》、三《禮》爲一的經學思想及陳澧漢宋兼採之學術思想。胡楚生的文章分析俞樾《群經平議》中之解經方法，約有辨識通假、探索古訓、推尋語義、校訂訛誤、勘正衍文、釐定句讀等六項。王更生及陳振風二文，旨在論述晚清經學大家孫詒讓的生平資料與學術思想。許英才、張火慶的文章則在分析皮錫瑞《經學歷史》一書所呈現的經學史觀，及其對經學問題觀點的探討。吳康的〈晚清今文經學代表康有爲之思想〉約述康氏主要哲學思想有四點：仁之觀念、三世進化、三統改制、大同思想。丁亞傑的《康有爲經學

述評》指出康氏學術承繼朱次琦理學經世觀念及廖平以制度分別經今文學，導致康氏經學由古文轉向今文，進而重組孔子，將孔子尊為教主，以實際行動藉孔教改革社會。康氏原本欲尊孔子，最後卻導致經書及上古史事的眞僞考辨，殆非其所預見。陳文豪《廖平經學研究》對廖平經學凡六變的思想演變脈絡，作深入的探討，辨析頗為明白。王汎森《章太炎的思想及其對儒學傳統的衝擊》探討章太炎深惡康有為欲立孔教，憤而訂孔、詆孔，並將六經視為歷史文獻，記載遠古事蹟，非聖人載道之書，其思想對民初學術界及古史辨運動產生深遠的影響，導致儒家學術與六經的地位逐漸衰微。胡楚生《章太炎「釋戴篇」申論》析論戴氏義理之學，要旨有三：一是理欲之論與程朱相異，二是宋儒以理殺人之說法係針對清廷帝王而發，三是義理學係根源於荀卿心傳，皆戴震學術思想極緊要關鍵所在。高明的文章旨在闡揚章太炎在傳統學術上的成就。陸寶千、王樾、張至淵三人的四篇文章，或論章太炎的經世思想，或論述儒學觀，或探討其對儒學的批判，或析論其儒俠觀及其歷史意義，均有深入而詳盡的闡述。劉紀曜的文章則討論梁啓超的學術淵源與儒家文化傳統之間的關係。

(八)民國時期

　　民國時期的經學，由於時間與現代過於接近，以往學者較不願意去研究，被研究的學者大都僅限於王國維、劉師培、顧頡剛、熊十力、黃季剛、馬浮等少數幾人，近年情況已稍有改善，其相關論文分列如下：

1.陳光憲　王靜安先生生平及其學術　文化大學中國文學研究所博士論文　1984年

2.洪國樑　王國維之經史學　臺灣大學中國文學研究所博士論文
　　　　　1987年6月

3.陳慶煌　劉申叔先生之經學　政治大學中國文學研究所博士論文
　　　　　1982年

4.陳慶煌　左盦經學綜論　孔孟月刊　23卷11期　1985年7月

5.林慶彰　熊十力對清代考據學之批評　東亞文化的探索——近代文
　　　　　化的動向　正中書局　1994年4月

6.林慶彰　熊十力論讀經應有之態度　傳承與創新：中央研究院中國
　　　　　文哲研究所十周年紀念文集　中央研究院中國文哲研究所
　　　　　1999年12月

7.林安梧　熊十力先生的孤懷弘毅及其原儒的義理規模　鵝湖　14卷
　　　　　6期　1988年12月

8.劉又銘　馬浮研究　政治大學中國文學研究所碩士論文　1984年5月

9.劉又銘　馬浮生平成學歷程考述　中華學苑　31期　1985年6月

10.蔣年豐　馬浮經學思想的解釋學基礎　東海學報　33期　1992年6月

11.柯淑齡　黃季剛先生之生平及其學術　文化大學中國文學研究所博
　　　　　士論文　1982年

12.王汎森　古史辨運動的興起　臺北　允晨文化實業公司　1987年4月

13.王仲孚　顧頡剛的古史研究與著述　師大歷史學報　15期　1987年
　　　　　6月

14.林慶彰　鄭樵與顧頡剛　泰安師專學報　1999年2期　1999年3月

15.岑溢成　徐復觀先生的經學觀　徐復觀學術思想國際研討會論文集
　　　　　1997年12月

16.林慶彰　徐復觀先生研究經學史的得失　徐復觀學術思想國際研討

會論文集　1997年12月

17. 林慶彰　近十五年來經學史的研究　漢學研究通訊　6卷3、4期
　　1987年9、12月

18. 林慶彰　近年臺灣研究經學史的新發展　炎黃文化研究　4期
　　1997年12月

王國維與劉師培為清末民初兩大經學家，陳光憲《王靜安先生生平及
其學術》、洪國樑《王國維之經史學》及陳慶煌的《劉申叔先生之經
學》、〈左盦經學綜論〉四篇論文均在探討王、劉兩個學者在經學上
的卓越成就。林慶彰〈熊十力對清代考據學之批評〉論述熊氏認為考
據僅是工具並非學術，進而批評清儒為學有三項大缺失：即排擊高深
學問、喪失漢唐及明末諸儒的實用精神和以考據取容清廷，並對顧炎
武、閻若璩、戴震等個別考據家提出極嚴厲的批判。林慶彰〈熊十力
論讀經應有之態度〉探討熊氏強調讀經的時代意義及其應有的態度。
林安梧的〈熊十力先生的孤懷弘毅及其原儒的義理規模〉主要探討熊
氏的人格胸襟及其閎識孤懷，並探討《原儒》書中的哲學思想。劉又
銘的《馬浮研究》、〈馬浮生平與成學歷程考述〉及蔣年豐〈馬浮經
學思想的解釋學基礎〉三篇文探討民初大儒馬浮先生的成學歷程及其
學術思想，與經學解釋學的關係。柯淑齡《黃季剛先生之生平及其學
術》旨在探討黃侃在經學及古音學上的成就。古史辨運動為中國近百
年來對學術界最大的破壞革命，將中國的古史幾乎摧毀殆盡，使古史
的生命至今仍奄奄一息。王汎森的《古史辨運動的興起》一書，首先
從釐清前人對顧頡剛的影響及「層累造成說」的來源開始敘起，指出
顧氏如何受到康有為《新學偽經考》、《孔子改制考》二書疑古思想
的影響及繼承，進而探究古史辨運動的興起、過程與所討論的主要古

史議題。王仲孚〈顧頡剛的古史研究與著述〉介紹顧氏的著作及其考辨古史方面的學術成就。林先生的〈鄭樵與顧頡剛〉則追尋顧氏疑辨古史的學術思想淵源所自。徐復觀爲新儒家的一員,晚年始著力先秦兩漢學術思想的研究,尤以經學爲重。岑溢成〈徐復觀先生的經學觀〉、林慶彰〈徐復觀先生研究經學史的得失〉二文,皆以徐氏的《中國經學史的基礎》一書爲探討對象,然研究的面向卻稍有不同。岑氏之文,重在藉由徐復觀對經學起源問題及五經博士與漢代經學發展變化,去探討徐氏的經學觀及其內容。林先生的文章,則主要在論述徐氏認爲研究經學史既要有經學的傳承,也要有經學思想,傳承是骨骸,思想是血肉,爲尋回經學史的血肉,極力探究經學家的思想及其在政治層面的意義。唯徐氏未能汲取前人研究成果,對《周易》、《尚書》、《詩經》等經書在漢代的新發展、新詮釋,未作更深入析論,爲美中不足之處。林慶彰先生的〈近十五年來經學史的研究〉、〈近年臺灣研究經學史的新發展〉兩篇是總結性質的文章,均在檢討臺灣近年來學術界研究經學史的新成果,肯定已有的貢獻,指陳不足而仍需努力之處,有待後人持續深耕並去開拓發展。

二、經今古文問題

漢代今古文經學的問題,因時代、資料緣故,較少學者注意,研究的論文有下列各篇:

1. 黃彰健　經今古文學問題　臺北　中央研究院歷史語言研究所
　　　1982年11月
2. 張成秋　漢代今古文爭論之因素　國教世紀　5卷12期　1970年6月

3. 于大成　今古文經學　臺北　文鏡文化出版公司　1981年9月
4. 杜松柏　博士官與今文經學　中華文化復興月刊　19卷2期　1986年2月
5. 盧元駿　經學之發展與今古文之分合　中華學苑　17期　1976年3月
6. 蘇瑩輝　論孔壁的古文經與說文所謂古文以及魏石經中的古文一體　書目季刊　18卷4期　1985年3月
7. 朱廷獻　劉歆移太常博士書中有關今古文經之探討　孔孟學報　52期　1986年9月

經學歷經秦火兵燹劫餘，典籍大都焚毀，殘缺斷爛。漢代收拾典籍於劫灰燒殘之餘，幾經徵集搜尋，經書典籍始陸續獻出，朝廷設立五經博士，博士所用的經書，以當時通用的隸書所寫的，故曰今文。後魯共王在孔壁發現許多經書，以古文大篆所寫，故曰古文。官府所設立的五經博士，都是今文經學，古文經因係陸續發現，且不為政府所承認，故不列於學官。兩者在文字、字句、篇章、書籍、意義皆不相同，為爭立於學官，彼此爭論不休，從西漢末年，一直延續到東漢末年，鄭玄揉合今古文，遍注群經，爭論才稍終止。黃彰健的《經今古文學問題新論》，以專題專書形式討論從西漢末年劉歆至東漢末年之間的經今古文學的爭論問題及其經說內容。張成秋〈漢代今古文爭論之因素〉討論今古文經學之間因文字、篇章、意義、利祿等因素而產生爭論。于大成的《今古文經學》以簡單淺顯文字介紹漢代今古文經學形成的大略情形。杜松柏〈博士官與今文經學〉探討漢代經學博士官的設置，以利祿鼓勵經學，崇尚經術，使經學浸盛，卻也因此產生師法、家法，進而引起今古文之爭，對今文經學產生重大的影響。盧元駿的文章，主旨在討論十三經的次第發展及傳授情形，與漢代以後二千餘

年的今古文經學的分合演變，作一詳盡的說明。蘇瑩輝之文，討論孔壁的古文經與《說文》所謂的「古文」以及魏石經中的古文一體三者之間的稱謂異同及內容。朱廷獻之文章，探討劉歆移太常博士書中有關的經今古文學問題。

三、漢宋學問題

漢宋學問題爲中國學術思想史上極爲重要的課題，早期論述此一課題的學者比較多，相關的論文約有一、二十篇，近年臺灣學術界較少措意於此議題，茲將篇目分述如下：

1. 林慶彰　明代的漢宋學問題　東吳文史學報　5期　1986年8月
2. 徐復觀　清代漢學衡論　大陸雜誌　54卷4期　1977年4月
3. 何佑森　清代漢宋之爭平議　文史哲學報　27期　1978年12月
4. 張錫輝　清代漢宋之爭的主要問題及其檢討　東海大學中國文學研究所碩士論文1995年6月
5. 王家儉　清代漢宋之爭的再檢討——試論漢學派的目的與極限　第二屆國際漢學會議論文集　歷史考古組　上冊　1981年10月
6. 王家儉　由漢宋調和到中體西用——試論晚清儒家思想的演變　國立臺灣師範大學歷史學報　第12期　1984年6月
7. 張壽安　禮理爭議——清嘉道間漢宋學之爭的一個焦點　清代經學國際研討會論文集　中央研究院中國文哲研究所　1994年6月

一般人論斷漢學、宋學之爭論以爲係起於源於清代初年，甚至有人認

為係清代乾嘉時期注重漢學所引起，此種看法可說完全抹煞明代學者對漢宋學問題檢討的貢獻。林慶彰先生的〈明代的漢宋學問題〉一文，在廣泛閱覽明代經學典籍後，認為明代學者在其經學著作中，已開始評估檢討漢學、宋學之間得失的問題。林先生以為明人對於漢宋學問題的討論意見有五點值得後人注意，第一，明人逐漸揚棄宋人空發議論的解經方式，改採漢宋兼收。第二，斥責前人疑經改經風氣的錯誤，以重新提振經書的地位。第三，注重文字聲韻的研究，以作為讀通經書的基礎。第四，注重名物制度的考訂，以輔佐通經。第五，注意經書的輯佚工作，以恢復經書的原貌。徐復觀〈清代漢學衡論〉釐清清代漢學與漢代學術在政治背景、取士制度、尊經態度、天道性命、學術趨向、師法家法觀念、對釋老態度、視漢學為批宋學工具等幾點上根本相異，而且清代漢學家在心態、學問上並不想完全了解宋儒，遂可放肆而隨意批評排斥宋儒。何佑森〈清代漢宋之爭平議〉及張錫輝的〈清代漢宋之爭的主要問題及其檢討〉二文，主要皆在論述清代漢宋學爭論的起因與議題焦點，並檢討兩派意見的利弊得失。王家儉〈清代漢宋之爭的再檢討——試論漢學派的目的與極限〉討論乾嘉時期考據學興盛，漢學批評宋儒之學的真正目的，並分析漢學本身發展的限制。而《由漢宋調和到中體西用——試論晚清儒家思想的演變》一文則在討論道光、咸豐至清末，學者的思想由以往漢宋學之爭轉為調和漢宋兼采的思想演變。張壽安〈禮理爭議——清嘉道間漢宋學之爭的一個焦點〉以為從嘉慶年間，張成孫與方履籛的論辨；道光初，方東樹辨禮理之異；道咸間，黃式三與夏炘、夏炯的論辨，三者對禮、理的爭辯，偏重點雖不一，正是當時漢宋學風轉變的反映。

四、讀經問題

　　經學為中國文化的主幹，經書則為中國古聖先賢智慧的長期積累凝煉而成的不刊典籍，自漢武帝罷黜百家，獨尊儒術以後，經書被列為國定教本，成為歷代讀書人必讀的經籍，而知識分子也視讀經為天經地義之事。民初，古史辨運動興起，加上西潮大舉入侵，是否需要讀經始成被討論的問題，爭辯不休。學者討論此問題的相關論文有：

1. 林麗容　民初讀經問題初探　臺灣師範大學歷史研究所碩士論文 1986年
2. 陳美錦　反孔廢經運動之興起（1894-1937）臺灣大學歷史研究所碩士論文　1991年1月
3. 馬光宇　從讀經問題談到中國文化生命根源之培植　經學研究論集 1981年1月
4. 李威熊　讀經問題　孔孟月刊　19卷2期　1970年10月
5. 林慶彰　熊十力論讀經應有之態度　東亞細亞傳統文化會議論文（日本福岡）1994年4月

林麗容的《民初讀經問題初探》及陳美錦的《反孔廢經運動之興起》兩篇碩士論文，專門探討自清末以來，科舉制度被廢止及疑古思潮興起後，知識分子由詆孔、反孔，以致進而欲打倒孔家店，從疑經、廢經，到發起禁止讀經運動，孔子與六經因而慘遭摧剝的原因及過程。馬光宇〈從讀經問題談到中國文化生命根源之培植〉論述讀經對生活教育、人格修養與語文能力提昇的重要性。李威熊先生的〈讀經問題〉一文，論述經書之價值，及今日讀經所應具有之態度。林慶彰先生的

文章，論述熊十力身處清末民初反孔廢經運動風起雲湧之際，傷心悲憤於傳統文化遭受到空前未有之無情批判與蹂躪踐踏，提出讀經應採取尚志、砭名、三畏、博學、漢宋不可偏廢等五種態度，並進而闡發熊氏強調讀經態度的用意在於：重新強調經書在中國文化的地位，確立正確的讀經觀等兩點重要的時代意義。

五、石經問題

　　石經爲我國儒家經書的官定標準本，經書文字因之得以正訛刊謬，天下士子讀經得有範本，其重要性可想而知。歷代曾刊刻過的石經計有：漢熹平石經、魏正始石經、唐石經、五代蜀石經、北宋石經、南宋石經、清石經等。石經文字能垂諸久遠，歷來爲學者所重視，但因其功用較多運用於校正經籍文字，故臺灣經學研究石經者相較缺乏，茲將相關論文分述如下：

1. 邱德修　漢熹平石經的發現及其價值　國立編譯館館刊 (上) 19卷1期　1990年6月 (下) 19卷2期　1990年12月
2. 于大成　談漢石經　孔孟月刊　8卷11期　1970年7月　經學研究論集　1981年1月
3. 呂佛庭　蔡邕與漢熹平石經　中原文獻　10卷10期　1978年10月　暢流　58卷7期　1978年11月
4. 黃漢昌　熹平石經之時代背景　孔孟月刊　19卷5期　1981年1月
5. 趙鐵寒　讀熹平石經殘碑記　大陸雜誌　10卷5期　1955年3月
6. 趙鐵寒　漢熹平石經殘石簡介　國立歷史博物館館刊　3期　1963年12月

7. 趙鐵寒　漢熹平石經殘石　藝壇　3期　1968年5月

8. 呂振端　魏三體石經殘字集證　臺北　學海出版社　1981年5月

9. 周　全　漢魏石經殘存　東吳大學中國文學系系刊　1期　1975年5月

10. 邱德修　魏石經初探　臺北　學海出版社　1979年

11. 于大成　談唐石經　收入《經學研究論集》　臺北　黎明文化事業公司　1981年1月

漢石經爲儒家經書在秦火以後第一次經整理校勘的標準本，因刊刻愼重不苟，又屬漢代傳本，歷代學者皆相當重視。邱德修的〈漢熹平石經的發現及其價値〉，文中主要在介紹自西元一九六〇年以後新發現的漢石經資料，而不討論之前所發現的漢石經資料。文中首先略敘熹平石經刊刻及其遷毀與出土經過。根據整理出的漢石經殘碑資料，可看出當時共刊刻有：《魯詩》、《周易》、《尚書》、《春秋》、《公羊傳》、《儀禮》、《論語》等七經。並論述新發現漢石經的價値約有三點：一爲證實石經《尚書》係採用「歐陽氏本」，前人以爲採用「小夏侯本」的說法並不正確。二爲提供熹平石經《後記》研究刊立的證據。三爲提供熹平石經殘碑的綴合及復原，有利於經學研究者參考。于大成〈談漢石經〉記述東漢靈帝在熹平年間刊刻熹平石經的經過，併及石經二千餘年來殘毀流傳的價値所在。呂佛庭〈蔡邕與漢熹平石經〉論述蔡邕其人的生平資料與刊刻熹平石經的關係。黃漢昌〈熹平石經之時代背景〉闡述熹平石經的刊刻實與東漢靈帝時考試作弊風氣盛行有關。趙鐵寒〈讀熹平石經殘碑記〉、〈漢熹平石經殘石簡介〉、〈漢熹平石經殘石〉三篇文章，大要都在記述刊刻立石的原始本末，後世流傳收藏的詳細經過情形，兼及經文異文的考釋。魏三體石經，

係魏廢帝正始年間所刊立，共刻《尚書》、《春秋》、《左氏傳》三經，皆古文，因每字必具古篆隸三體文字，故又稱爲三體石經，今殘存碑石僅剩約五千字。呂振端的《魏三體石經殘字集證》，詳細論述魏石經刊刻始末與毀廢經過，釐清書丹之人非邯鄲淳，石經之碑版數目及各經所採取的版本，考校三經古文字，並試行拼集「魏石經碑復原圖」，以利後人就石經殘字以勘訂經文，對魏石經的瞭解有相當大的幫助。周全〈漢魏石經殘存〉係簡略介紹漢、魏石經的文字。邱德修《魏石經初探》探討魏石經的刊刻年代、字體、形製，並試圖綴合殘碑經文。于大成《談唐石經》記述唐代在文宗開成二年刊刻開成石經的經過，且論及爲宋以後群經鏤版的來源，對後世經學影響極大。

六、讖緯問題

對讖緯學之內容與思想做分析探討的論文有下列各篇：

1. 呂　凱　東漢讖緯學之研究　國科會研究獎助論文　1972年
2. 呂　凱　鄭玄之讖緯學　政治大學中國文學研究所博士論文　1974年7月
3. 車行健　禮儀、讖緯與經義──鄭玄經學思想及其解經方法　輔仁大學中國文學研究所博士論文　1996年6月
4. 羅肇錦　讖緯思想與訓詁符號──以白虎通爲例　臺北師院學報第3期　1990年6月
5. 殷善培　讖緯中的宇宙秩序　淡江大學中國文學研究所碩士論文　1991年6月
6. 殷善培　讖緯思想研究　政治大學中國文學研究所博士論文　1996

年6月

7.金發根　讖緯思想下的東漢政治和經學　沈剛伯先生八秩榮慶論文
　　　　　集　1976年12月

8.陳郁芬　東漢讖緯與政治　臺灣大學中國文學研究所碩士論文
　　　　　1977年

讖緯之學，西漢末哀、平以後始大量出現，至東漢朝極其盛。舉凡政
治、社會、學術等各層面，莫不深受影響。呂凱《東漢讖緯學之研究》
專門研究東漢讖緯學興盛之原因、內容及其發展情況。呂凱的《鄭玄
之讖緯學》探討鄭玄治經今古文兼採，注經之際，時常引經說緯，或
引緯注經，其用意並非炫奇愛博，乃在求學問之至當。車行健《禮儀、
讖緯與經義——鄭玄經學思想及其解經方法》探討鄭玄之經學思想與
其援據讖緯解經的方法。羅肇錦〈讖緯思想與訓詁符號——以白虎通
為例〉舉白虎通為例，探討訓詁語言符號和讖緯思想之間的關係。殷
善培的《讖緯中的宇宙秩序》、《讖緯思想研究》兩篇論文，主要在
探討讖緯宇宙論及其他哲學思想的專門研究。金發根的〈讖緯思想下
的東漢政治和經學〉，論述讖緯為東漢時代的顯學，當時政治深受它
的支配，無論定制度、服色、祀太廟、議靈臺、辟雍、制禮作樂等都
依讖書來決定，即使官府用人也根據讖緯。章帝召開白虎觀講論五經
同異會議，諸儒援緯證經，使經學讖緯化。影響所及，當世大儒注經，
莫不稱引讖緯。讖緯在皇帝崇信和鼓勵之下，遂成為東漢的利祿之途。

七、經學專家研究成果

㈠程元敏研究成果

　　程元敏先生是國內少數專門從事於中國經學研究的學者，非但學養深厚，見識淵博，又兼刻苦勤奮，努力鑽研，多年來不但在《詩經》、《尙書》學的研究成果豐碩，中國經學史的研究成果也相當斐然，其重點主要偏在季漢三國與宋代王柏之學術兩方面，茲就所論分述如下：

1.季漢三國經學的研究

　　三國蜀漢，讖緯學特盛，士大夫論學議政無不參雜圖讖。蜀漢國危，是之不明大義以扶國祚，亦因圖讖，考其學之淵源，實皆起源於東漢楊厚。程先生感於其學影響深遠，撰〈東漢蜀楊厚經緯學宗傳〉以明學統。文章主要探討東漢蜀地經緯學家楊厚的家學淵源承傳，上溯至西漢其高祖楊仲續，中間更歷新莽、東漢，下傳至晉初弟子高玩。文中述其三傳弟子及旁師授受共二十八人，兼詳論其經學與緯學的概略內容，有助於學術界了解蜀地經學、緯學傳衍流變的情形。東漢末年，中原動盪不安，擾攘惶懼，各地群雄割據，文士紛避走四方。劉表統治荊州，偏安一隅，設學立官，招攬賢士，群聚講論經學，八年之間，學風獨盛，史書盛讚其事。程元敏先生的〈季漢荊州經學〉，旨在稽討季漢荊州地區四十五位經學家之傳授統緒及其經說梗概。

　　三國時代，政治鼎立，局勢動盪，經學發展情況，學者多未加重

視，致闇然不彰，而僻處西南一隅的蜀地，尤其爲甚。程先生憫三國蜀經學之不顯，經學興替之跡不明，遂遍考經史百家，廣輯蜀漢經學家之遺文，撰爲《三國蜀經學》專書，考得蜀漢經學家共計五十三家，徵知蜀士研治群經，今古文兼採，而以古文爲主。對於西漢以來，繁蕪的章句，蜀士多承襲前朝刪汰浮文之風。清談風氣發端於東漢，蜀士承上啓下，言談常涉玄言，影響後世經學玄理化相當深遠。三國蜀經學上承東漢經學餘波，下傳影響司馬晉之學術，係了解漢晉經學際會興替之關鍵。程先生除考察三國蜀地經學之概況，亦徵考孫吳通經之士的研經概況，《薛綜藝文徵經》即探論孫吳文士薛綜通曉之經籍及其經說內容。

2.宋代經學的研究

王安石的《三經新義》變漢唐舊義，創立新說，又被列爲宋代科舉考試用書，影響當時官學及私家著述極大，也影響學術風氣相當深遠，後因政治環境改變，導致《三經新義》亡佚失傳。程先生因專研宋人王柏的經學，然對其他宋人經學也多所關心，尤以王安石《三經新義》爲然。惜其書後世不傳，或殘或佚，學者無從知其學說眞貌，經多年的搜討抄錄，輯成《三經新義輯考彙評（尚書、詩經、周禮）》三部書，使已佚典籍在沉晦六百餘年之後，得以復顯於世，有功學林。〈三經新義修撰通考〉探討宋神宗在熙寧四年（1071）接受王安石貢舉新制的建議，專以經義取士，而試經義不須盡用古注舊疏。爲使舉人讀經有定本，評卷有依據，必需重新修撰新經義。遂設經義局，職司修撰之責。文中詳細考證《三經新義》從設經義局、選官、修撰、頒行、改定到刊版流傳等種種事項，資料詳實，使當時修撰情形，清

晰顯現。而〈三經新義修撰人考〉一文賡續〈三經新義修撰通考〉，考證當時參與經義局纂修新經義工作的提舉、修撰、同修撰、檢討等官員，及未入局但可能參與修撰工作者，合計二十餘人，詳考其仕履經歷與著作等事實。〈三經新義版本與流傳〉則考察《三經新義》的刊刻版本與宋代流傳及亡佚的情形。

《三經新義》為王安石等奉敕所撰，於宋神宗熙寧八年（1075）頒行天下傳習，作為取士之標準本；《字說》則為王安石私人著作，於元豐五年（1082）進上，考官用以取士，學者不敢不傳習，二書皆行於科場，影響舉業深遠。程先生〈三經新義與字說科場顯微錄〉一文，旨在探討《三經新義》與《字說》在兩宋時代因朝政更替，導致二書在場屋或存或廢，或顯或微，以迄宋亡的流傳情況。〈王安石、雱父子享祀廟庭考〉一文，考察王安石宰臣輔國，治績卓著。安石以宰臣兼提舉修撰經義局，其子王雱同參與修撰經義。王氏父子歿後，朝臣議王安石宜配享神宗廟。又王氏父子經術湛深，同參與修撰三經新義，有功儒學，父子宜並侑食孔廟大成殿，其間因黨爭之故，配享從祀，或廢或存，迨宋理宗淳祐元年始定黜廢祀孔廟，改以北宋理學五子入廡從祀。

3.王柏之學術研究

宋儒之學，勇於疑古改經，自歐陽修、劉敞倡始，至王柏達於極致，其學說影響元明七百年，而世人對其學術卻缺乏瞭解，評論者亦未盡妥當。程先生有鑒於此，自民國五十三年進入臺灣大學中國文學研究所就讀，即職志於王柏學術之探論，《王柏之生平與學術》即程先生於六十年完成提交的博士論文。《王柏之生平與學術》一書，全

書共分爲上下兩冊，六編。首編生平，據宋元明人文集，史傳方志，旁搜博探，互相取證，縷述其世系，詳載王氏仕履行實；二編著述考，錄傳本則詳考刊板流傳經過及其存佚，輯佚文則旁搜廣探，見之必錄；三編理學與四書學，詳論更定《大學》、《中庸》篇章次第及治《四書》之方法；四編尚書學，述其明道統、正錯簡、衍洪範、重定《尚書》篇名與篇第；五編詩經學，論其議刪國風淫詩篇章之原因、理由、篇數及篇名，兼述其疑改詩篇與重訂詩文字句；六編王柏學說之淵源與流傳。全書不論章節之安排，徵引資料之繁富，分析之深入，在在皆可見出先生學養功力之深厚。

㈡李威熊研究成果

李威熊教授，政治大學中國文學研究所博士班畢業，國家文學博士，多年來沉浸於中國經學史的研究，先後出版有關經學的著作：《馬融之經學》、《董仲舒與西漢學術》、《中國經學發展史論》上冊等書，及相關經學單篇論文數十篇。就其撰寫論文重點來看，可知其用力較多於兩漢和明清經學發展問題。以下即依此分項敘述：

1.漢代經學探討

兩漢經學對後世發展影響最深遠的舉措，當推漢武帝罷黜百家，獨尊儒術，將儒學定於一尊的政策。李先生〈漢代獨尊儒術的平議〉一文透過歷史與對儒學內涵的考察，了解漢武帝所以獨尊儒術，係基於對動亂社會的反省所得、秦始皇嚴刑峻法而國速亡的教訓、爲建立大一統政局的實際需要、儒家思想本身的優越性等四項重要因素考量。且論述漢武帝、董仲舒與獨尊儒術政策的提出係出於自然的發展，

並評論該政策與多元社會並不相衝突。《董仲舒與西漢學術》則詳盡論述董仲舒的經說及其對西漢學術思想的深遠影響。〈兩漢經術獨尊與經學諸問題的探討〉一文，從秦始皇焚書原因的探討，到漢初經學家對經書的復原、經學博士的設立、經學的獨尊、劉歆與古文經學、經書與緯書、石渠閣與白虎觀的經議、以至東漢大經學家許慎、馬融、鄭玄等經學成就的評述。《馬融之經學》根據史傳記載的資料，及諸經書所引馬融經注資料分析歸納，去探討馬融經學的特色及其在東漢經學界之地位。李先生以爲馬氏經學具有集東漢古學大成、精通於訓詁、雜糅今古文經說、注經雜採讖緯、兼採陰陽五行之說、注經博通群經且兼採群書之說，混同師法家法等特點，文中並比較馬融、鄭玄、王肅三家經說異同，以彰明漢晉之際鄭玄、王肅兩大經學家經學之淵源所自。

2.明清經學評述

對於明代經學的發展變化，李先生以爲應當分爲主流與旁支兩寮系統來觀察，〈明代經學發展的主流與旁支〉一文，文中先將明代經學分成初、中、晚三期。再從漢宋家法、官私之學、群經研究、治經方法等四項觀察明代各其經學發展的情況。最後李先生得出明代經學的發展，初、中期以朱子學爲主流，晚期轉變爲陽明心學。而自明中葉以後，逐漸出現的考據、辨僞、輯佚等方面的學術，實際是屬於明代經學發展的旁支，可說是清代乾嘉考據學的先導。

關於清代經學的成就，李先生有〈清初經學的復興運動〉、〈清代吳派經學評述〉及〈晚清的疑經風氣及其時代意義〉三篇文章。〈清初經學的復興運動〉一文論述清初順治、康熙、雍正合計九十二年間

經學逐漸興起發皇的時期。全文分成清初的學術背景、清初治經風氣的轉變及乾隆以前的考據派的經學三節，文中並兼述各重要經學家、考據家的簡略履歷及重要著作。〈清代吳派經學評述〉論述清代惠棟創立吳派經學的經過，文中並介紹吳派重要經學家惠棟、余蕭客、江聲、王鳴盛、錢大昕、汪中、劉台拱以迄孫星衍、洪亮吉、王聘珍、江藩等十四位的仕履簡歷及重要著作。文末並分析歸納吳派學者治經的特色及其缺點，文章相當簡明清晰。

　　「晚清」一般泛指清道光元年（1821）到宣統三年（1911）清朝滅亡為止的近百年時間，可說是中國政治、社會劇烈大變動的時代，學術思想發展也產生影響深遠的疑經風氣。李先生〈晚清的疑經風氣及其時代意義〉探討清代晚期疑經風氣形成的緣起及動機，將疑經的風氣分為現象、內涵兩種類型。就疑經現象分類：有為考證求真而疑經、為闡發經義而疑經、為經世需要而疑經、因學派不同為而疑經四種。就疑經內涵分類：有懷疑經書的作者年代、懷疑經書的文字章句、懷疑經書的傳注、懷疑經書的內容四種。晚清的疑經風氣，牽涉到當時國家政治的危機，其疑經係針對現實的政治社會與宋元明為尊經而疑經、清初為回歸原典而疑經並不相同。李先生認為此種疑經具有學術思想的大解放、經術變為政治的附庸、中國經學獨尊局面終結等三點時代意義。

㈢簡博賢研究成果

　　簡博賢先生為國立臺灣師範大學國文研究所畢業，師承楊家駱、熊公哲兩先生學習經學及版本學，專精於經學典籍的輯考評述。自民國五十九年以來，相繼撰寫出版《今存唐代經學遺籍考》、《今存南

北朝經學遺籍考》、及《今存三國兩晉經學遺籍考》等書，研究成果相當豐碩。這三部專書，勾稽探賾，索隱探微，考辨三國至唐代的經學典籍存佚情形，及其版本傳衍、內容概況得以復顯於世人眼前，對學術界貢獻甚偉。茲分述其內容如下：

1.唐代經學遺籍

唐代經學發展，猗猗昌盛，著作繁富，據《新唐書·藝文志》著錄有經部典籍三百七十家，四百八十四部，如今幾乎亡佚殆盡，好學欲尋莫由，殊為令人惋惜。簡博賢先生歎經術之日湮，儒學之不彰，於民國五十九年就讀師範大學國研所碩士班時，即以《今存唐代經學遺籍考》為題撰寫碩士論文，此篇論文可說是現存唐代經籍最佳的提要。全書總共分為六章，首章唐代官定經本，包括校定經籍文字的張參《五經文字》、唐玄度之《九經字樣》，及校刊諸經定本所用的唐文宗《開成石經》；二、三兩章論述《五經正義》之纂修；四章說明賈公彥《周禮疏》、《儀禮疏》及徐彥《公羊傳疏》、楊士勛的《穀梁傳疏》等四部賡續《五經正義》而修纂的義疏。五章唐代私人經學著作對後代之影響。六章唐人經義拾遺，論述郭京《周易舉正》等十三家著作，或舉證訛謬以垂示來世，或勾玄探賾而別具新義，輔翼經說，亦不可忽視。全書共考得唐人經學遺籍三十六家，三十九種（存本二十二種、輯本十七種），書中內容要依章節排列，每節之內依《易》、《書》、《詩》、《禮》、《春秋》、《論語》、《孝經》序次分類，各篇提要皆先敘述著者之爵里事蹟，其次則考察各書內容，撮其要旨，末則著錄該經書的各種刊刻版本及收錄叢書的名稱，以便利讀者依目尋閱。

2.南北朝經學遺籍

作者既撰成《今存唐代經學遺籍考》之後，知悉唐代孔穎達等纂修《五經正義》實皆稟承南北朝之義疏經說而成，然今傳南北朝諸家經部典籍的著述，幾乎亡佚殆盡。基於「憫斯道之微替，慨墜緒之就湮」的心理，於是廣覽經史傳志，旁徵諸家輯本，以學術史的體裁，為目錄學的考述，掇拾南北朝經學遺籍，將其「類聚群分，循義比次」，並且溯流尋源，詳考諸家師承所本，撰成《今存南北朝經學遺籍考》一書。全書總共分為四章，首章義疏之興起與影響，詳義疏體裁之源流及對當時學風之影響；二章兩漢學風之繼承，述南北朝經學家猶有篤守漢儒遺風，崇尚《詩》、《禮》名物制度的考徵；三章魏晉新學之後勁，述王弼《周易注》及杜預《春秋經傳集解》的流裔；四章南北朝論語校經學；末附：樊深《七經義綱》。全書共考得南北朝經學遺籍合計五十種，包括北周盧辯《大戴記注》和梁皇侃《論語集解義疏》兩種存本，另外有輯本四十八種。文中各篇經籍皆先敘述著者之爵里事蹟，其次則考察各書內容，撮其要旨，末則著其學術的淵源與其影響所及。文字提要鉤玄，清晰明白，使人可以依尋目錄讀書，迅速掌握書中要旨，極方便讀者檢閱。

3.三國兩晉經學遺籍

三國兩晉時期，政治上適逢動盪離析，興衰演變迅速之計，儒者對於六經典籍的研究，依舊孜孜不倦，留下的著作，根據《隋書·經籍志》的記載，無慮百數，然遭逢動亂，經籍著作往往闕佚不存，如今存留有傳本行世者，僅剩下魏王弼《周易注》、晉杜育《春秋經傳

集解》、范寧《春秋穀梁傳集解》及何晏《論語集解》等四種而已，餘皆已亡佚殆盡。簡先生賡續清儒比輯經籍之風氣，根據《隋書·經籍志》的記載，撰寫《今存三國兩晉經學遺籍考》，全書依照學者經說的遷衍之跡以論述鄭、王經義的異同，概分為兩漢學風之流裔、鄭王之爭、魏晉儒學新義、經義玄理化之濫觴、三傳之會通及范注之集成等五章。全書凡考得《易》類十九種、《書》類二種、《詩》類十種、《禮》類七種、《春秋》類十六種，合計共五十四種（內含存本三種、輯本五十一種）。書中僅錄九經典籍（《易》、《書》、《詩》、三《禮》、《春秋》三傳），不收《論語》等四部經書，每類序次，每部經籍皆首先敘述著者之爵里事蹟；再次考察各書內容，以撮其全書要旨；末則著明學風時尚，並考明著者之學術淵源與影響所及。

㈣林慶彰研究成果

　　林慶彰先生，東吳大學中國文學研究所博士班畢業，國家文學博士，係臺灣著名經學家屈萬里教授的學生，自六十四年進入研究所就讀以來，孜孜矻矻的投入中國經學史的研究，多年來累積研究成果，先後出版有《明代考據學研究》、《明代經學研究論集》、《清初的群經辨偽學》等專著，與經學相關的單篇論文有百餘篇，可說相當豐碩。他也相當注重經學文獻目錄的編輯，主編出版《經學研究論著目錄（1912-1987）》、《經學研究論著目錄（1988-1992）》、《朱子學研究書目》、《乾嘉學術研究論著目錄（1900-1993）》、《日本經學研究論著目錄》、《日本儒學研究書目》等二十餘種。這種基礎的經學文獻整理工作，一般人做不好，專家學者又不屑為，先生這種默默為學術犧牲奉獻的精神，實在值得令人敬佩。

1.漢唐經學新探討

研讀漢代經學時，往往會遇上史書批評當時儒者爲「章句小儒，破碎大道」，又有師法、家法的稱謂，究竟何者是章句？師法、家法何所指？兩者之間有何關連？前人雖有解說，但仍係人云亦云，不得確解。林先生經詳細考察後，撰寫〈兩漢章句之學重探〉一文，重新探討章句之學及其對兩漢經學的影響。林先生以爲章句非單純的經書註解，實際上它分爲大章句與小章句兩種。解經時如對各章、各句作簡明釋義，僅「訓故舉大誼」的，就是小章句。與其相反的，若解釋經文時，旁徵博引眾多資料，針對某一問題作詳盡縝密的闡釋者，這種發揮個人理論的詮釋方式，就是大章句。兩漢經學又有師法、家法的說法。皮錫瑞以爲「前漢重師法，後漢重家法。先有師法，而後能成一家之言。師法者，溯其源；家法者，衍其流也。」皮氏的說法，林先生以爲係就經學傳授源流而言，並不完全符合實際情形。他以爲師法是傳習一經的始祖所建立的解經方式和規範，用以約束、指導每一位經生的釋經，因爲一經往往只有一位始祖，所以師法一詞大多出現在西漢。而由一經始祖分出的各家，在增飾過程中，逐漸形成一家之學，所留傳下來的典範，就是家法，故家法多流行於東漢。師法和家法都是一種章句之學，不僅解經的典範，可以增加自己學派的力量，也可作爲控制經生思想的工具。

林先生的〈唐代後期經學的新發展〉，探討唐中葉以後，政治局勢丕變，藩鎭割據，政府勢力衰微。學術界因應新情勢，也開始產生變化。學者開始懷疑經書的作者，更動經書原有篇章，更改經書文字，懷疑經書的史事正確性，補經書篇章闕佚，種種作爲，可以反映出四

點傾向，第一，唐代後期經學逐漸拋棄注疏學的典範，而以己意說經。第二，開始懷疑漢人傳經的可靠性，爲宋代疑經改經的先聲。第三，中央政府衰弱，地方藩鎮勢力強大，學者爲伸張王權，研究《春秋》時就特別強調君臣之義。第四，李翱、韓愈表彰《中庸》、《大學》、《論語》、《孟子》等書，以建構中國哲學心性論的理論，爲宋代理學立論的基本典籍和依據所自。

2.明代經學的研究

(1)五經大全之修纂研究

關於明代的經學，一般人的觀念大都持否定的態度，以爲「無非盜竊」、「荒疏已極」，不值得研究，推源起始，多歸罪《五經大全》的纂修。林先生〈五經大全之修纂及其相關問題〉，企圖釐清前人對《五經大全》修纂動機、修纂人、取材來源、與明代經學衰微關係等問題的誤解。在修纂動機方面，林先生以爲明成祖纂位，大肆屠殺士人，爲籠絡士人，收拾潰散惶恐的人心，且要以修書繼承道統，藉此宣示其正統地位，並有澆平士人心中不平之氣的用意。編纂人問題，全祖望以爲實際係全委託給陳濟一個人，林先生經詳細考察後斷定此種說法以訛傳訛，不足採信。檢討前人有關修纂取材來源的說法，經核對元人經書，也有不少新發現，如《周易大全》發現係僅取董真卿《周易會通》，再加入少數宋、元人經說。文末並討論《五經大全》與明代經學衰微的關聯，以爲《大全》雖採錄部分漢、唐古經義，但在宋元人普遍鄙視漢唐心理及科舉八股取士制度影響下，導致明代經學在中葉以後逐漸趨於衰微。

(2)明代考據學及經學家的經學研究

考據本是一種治學的方法，目的在用以解決學術上疑難問題，以協助了解問題的眞相。自清代乾隆、嘉慶考據學蔚爲學術界的普遍風氣，學者的學術研究成爲從事考據工作，前人遂誤以爲考據學是清學所特有的學術成就。林先生的《明代考據學研究》即專門探究明代考據興起的原因及其內容，並逐章分析楊愼、梅鷟、陳耀文、胡應麟、焦竑、陳第、周嬰、方以智等八位的考據學方面的成就。明代學術自中葉以後，宋學傳統逐漸崩潰，漢學漸次興起，爲瞭解學術思潮轉變的原因及過程，林先生針對當時代表性經學家及其著作逐一研究，〈楊愼之經學〉論述在整個學術界完全被朱熹學籠罩下，楊愼不僅能突破宋學傳統的束縛，且能建立重視古注疏、恢復漢學的新學風，開啓清代考據學的先聲。〈王陽明的經學思想〉一文，探討王守仁藉恢復《大學》古本，以凸顯朱子《大學章句》任意改經的不合理，顯示他想要突破宋學傳統，直探聖人本旨的用心。並論述王陽明倡導尊經，用意在尊吾心之常道，即尊性、尊命，將經學收攝爲心學，使後人知六經實理存於吾心，不需務於考求名物度數、文義訓詁等枝微末節。明代嘉靖年間，相繼出現兩本《子貢詩傳》和《申培詩說》，當世學者信以爲眞，紛紛傳刻行世，林先生經過深入研究，精密的考證，撰寫《豐坊與姚士粦》，認爲《子貢詩傳》有抄本及刻本兩種，編排、內容各不相同。抄本《子貢詩傳》爲豐坊所僞撰，刻本則爲王文祿所改定。今世所流行的刻本多爲王文祿改定本。至於《申培詩說》則是王文祿祿抄襲豐坊之父豐熙《魯詩正說》而成。此外，林先生也考辨豐坊除僞撰《子貢詩說》，還僞撰《魯詩世學》等，林先生除研究豐坊之僞

作外，也研究另一僞撰專家姚士粦的事蹟及著作。使後人得以清楚了解明代中期以後僞書相繼出現的眞相。〈朱睦㮮及其授經圖〉一文，討論朱睦㮮編纂《授經圖》係有感於宋儒「千載無眞儒」、「諸儒窮經而經絕」的批評，抹殺漢儒傳經之功，故編纂漢人傳授諸經的源流和諸儒傳略，證明漢儒傳經，不但傳經之儒者眾多，且均是直接承繼孔門眞傳，對宋儒的說法提出強力反駁，同時也提倡漢學。

(3)明代晚期經學復興運動

傳統觀念裡，明代的經學研究，幾乎可說一無是處，荒陋至極。林先生不爲傳統偏見所囿，他在廣泛閱覽明人經籍著作，撰文發表〈晚明經學的復興運動〉，探討明嘉靖年間至明代滅亡的一百餘年間經學發展的概況。林先生的文章，首先檢討明代經學發展日趨衰落的原因。次則論述自明中葉以後，學者開始厭倦宋儒經說，轉而持宋學與漢學相比較，突破宋人經說的束縛，提出揚漢抑宋與漢宋兼採的觀念，再經過楊愼、鄭曉、黃洪憲等大學者的極力倡導，明代經學逐漸復興。林先生分析歸納當時經學家從事的研究重點有：開始懷疑宋人注經的可靠性，而去追尋經學授受源流；爲確立經書神聖地位，斥責先儒的疑經改經行爲的錯誤。考辨經書的眞僞，以免使經書義理眞僞難辨。考訂文字音義，以便通經致用。考訂名物制度，以利於通經學古。蒐輯經書佚文，以保留吉光片羽等幾項。從晚明經學家的這些研究方法和工作，確係一項新的經學復興運動。

3.清初群經辨僞學

自明中葉起，學者逐漸厭棄宋明學理學空談心性，轉而研究漢唐

經學，但經學流傳兩千餘年，產生許多附會、僞託、仿冒、竄改等現象，故要讀經須先正經，而要恢復經書本來面目，必先從考辨經書的眞僞入手，群經辨僞遂蔚然成風，形成一股「回歸原典運動」。林先生《清初的群經辨僞學》一書即係此一階段經學發展的專門論著。全書共分爲十章，首章導論，敘述本書研究範圍、價値及前人成果的檢討。次章〈清初辨僞風氣的興起〉，探討清初考辨群經風氣的內在原因，並對當時辨僞學家作概要介紹。三至九章，分別評述清初學者對《易圖》、《古文尚書》、《子貢詩傳》、《申培詩說》、《周禮》、《大學》、《中庸》、《石經大學》等經書考辨的過程與成就。末章結論，論述清初的群經辨僞學在經學史、思想史、學術史上所彰顯的意義。

林先生在研究明末清初學者的群經考辨工作中，發現自先秦，更歷兩漢、隋唐、宋元，迄至明末，在這兩千多年的經學發展過程中間，每經歷數百年之後，必定有一批判期出現，魏晉時期是漢代經學的批判；晚唐至北宋時期，是對漢唐經學的批判；晚明至清初，是對宋元新經學的批判，這種每隔一段時間即會出現的批判現象，借用孔恩的典範說來解釋此種經學史的演變現象，恰能符合實際的發展變化，林先生將它稱爲「回歸原典」運動。此種研究中國經學史的新觀念、新方法的提出，已引起學術界的認同引用，對經學研究工作極具啓發和助益。

九、結　語

　　在論述完臺灣近五十年的中國經學史研究概況之後，若就研究成果現況加以分析歸納，可以發現有幾點現象值得提出說明：

　　第一點，就經學研究的方法來說，臺灣經學界的研究方法，相較於哲學界、歷史學界來說，研究方法顯得傳統而缺乏創意。推究其原因，主要是臺灣中國經學史的研究，主力大都來自於中文學界，而中文學術界因所閱讀的泰半是中國經典古籍，較少接觸西方的社會科學的理論，因此，在研究方法上，往往是陳陳因襲，甚少有變化，對於問題的思考較不周延，問題解析能力也稍嫌不足，因而研究經學時，常將經學家的經學思想置於時代思潮、社會、政治、經濟等環境影響之外，往往容易流於見樹不見林的缺點，也就無法切實掌握問題的關鍵點。近年林慶彰先生將美國科學史家孔恩的「典範說」理論，修正後運用於明末清初的群經辨偽現象的解釋，相當成功，已引起學界的重視和引用，是相當值得參考的範例。

　　第二點，就經學發展時代來說，以往大部分集中在漢、宋兩代的情形，而被視為經學中衰的魏晉南北朝及積衰的明代，兩個階段的經學衰微，學者都視為缺乏研究價值，因而成果也極少。這種情形近年來已有所改善、根據研究論數量統計，以清代九十三篇為最多，漢代六十二篇居次，宋代三十七篇，魏晉南北朝三十篇，明代二十七篇，先秦十九篇，隋唐五代十七篇，民國十九篇，元代八篇。檢討研究成果，以清代九十三篇的數量最多，其次才是宋代及漢代。魏晉及明代的經學研究，有相當大進展。從此我們可知早年偏重先秦、漢、宋三

個時期的經學研究，近年反而以明、清兩代及民國三個階段的經學最受學者關照。尤以清代經學的數量發展最快，其次是明代及民國。這種情況的產生，顯示學者近年對經學發展的觀念，已有所改變，也是因爲以往各朝代的重要經學問題，大部分都已被人撰文研究過，爲求另尋研究題材，是以將眼光沿伸到往昔不受重視卻經學資料傳世豐富的明清兩代，甚至民國也迭受到關注，彰顯臺灣經學史的研究較平均發展，而無畸重畸輕的情形。

第三點，就研究的人才培養來說，根據上文所敘述的論文統計來作分析，臺灣在五十年之間，學者發表有關中國經學史的研究論文總計有三一七篇，其中碩士論文六十一篇，博士論文四十七篇，碩、博士學位論文合計有一〇八篇，佔全部論文的百分之三十四點一，約佔全部的三分之一。由此可知臺灣研究經學的主要人才，大都來自國內各大學的中文研究所所培養出來的碩、博士班學生，他們的研究成果對臺灣經學研究發展有相當大的助益。

第四點，就經學文獻資料整理來說，文獻目錄的編輯工作，對研究者而言是最爲切要之急務，繁雜瑣碎，耗時費日，上智者不爲，平常人難爲，故學者搜尋研究資料、題材，往往無謂的浪費寶貴時間。臺灣近年在系統的整理經學史資料上，也有極顯著的成果。《經學研究論著目錄》、《乾嘉學術研究論著目錄》、《朱子學研究書目》等經學書目的陸續編輯完成，顯示臺灣的經學發展，不僅重視經學專家的研究，也開始了解到重視基礎的文獻資料系統整理對研究工作的重要性。

經學文獻整理概況

游均晶、黃智明[*]

一、前　言

　　所謂經學文獻，泛指一切與經學相關的研究著作而言。因此，從廣義的角度論述經學文獻整理，其範疇應涵括歷代學者對經典注釋、個別字義、典章制度、思想內容甚至群經源流發展的考述與闡釋。然而細考以往學者整理經學文獻的方式，大抵不外注釋（如《十三經注疏》）、校勘（如阮元纂《十三經注疏校勘記》）、纂輯（如阮元輯《皇清經解》）、編目（如朱彝尊纂《經義考》）、輯佚（如袁鈞輯《鄭氏佚書》）、辨偽（如閻若璩撰《尚書古文疏證》）、撰寫提要（如沈豫撰《皇清經解提要》）數種，所謂專門著疏，固然有助於經學研究的發皇，但對於經學的普及化，並沒有明顯的助益。

　　民國以後，科舉制度廢除，經學失去在政治上的助力，經學研究也顯得沈寂許多。但相對來說，隨著民初白話文的推行與西方編纂學觀念的傳入，使得經學文獻整理出現嶄新的面貌，而新的文獻整理著

---

*　游均晶，亞東技術學院兼任講師。黃智明，康寧護理專科學校兼任講師。

作相繼問世，直接促成了經學研究的簡易化與普及化。因此，在今日
研讀經學，較之以往，可以說更爲便利。

關於民國以來經學文獻的整理概況，大致已見載於程發軔先生所
主編的《六十年來之國學》叢書，但此套叢書主要在介紹建國六十年
以來的研究著作，無法突顯出台灣地區經學文獻整理的方式與成果。
因此，本文擬專就近五十年來台灣地區相關經學文獻整理部分再重新
加以檢視介紹，冀能對此五十年間台灣學者辛勤整理經學文獻的成果
有所彰顯，而理應積極整理卻尚未開始進行的工作，也希望透過淺見，
引起學界的重視。

二、白話譯註類

傳統經典，由於時代久遠，古今言語不同，制度、名物有殊，非
加以注釋不易理解，是以歷代都有大量的經典解釋出現，或疏通文字、
辨析章句，或闡發義理、說解精義，而爲讀者解決閱讀障礙，引導讀
者瞭解經書內容。

民國以來，白話文逐漸取代了語體文，成爲國人習用的語言。以
白話文書寫的文字，淺顯易懂，對於各種知識的傳播，較之語體文更
爲有利。然而習慣白話文的說寫，卻成了閱讀古籍最大的阻礙，因此
如何將艱澀的經典文字，以平順流利且眞確的現代口語重新「譯註」
出來，成爲民國以來經學學者的首要工作，白話譯註的作品，也成了
這一時期所有經學著疏的大宗。

民國三十八年，政府遷臺，政治與經濟尚未步上軌道，更無暇顧
及教育與出版事業。直到五十六年七月中華文化復興運動委員會正式

成立，將古籍白話譯註納入工作計畫，大力推行，於是有了臺灣商務印書館所印行的一系列的「古籍今註今譯」叢書。此後陸續又有許多民間出版社積極投入此項工作，一時間各個經典的白話譯註如雨後春筍，大量產生。茲列舉如下：

(一)易經

劉百閔　周易事理通義　臺北　中國文化學院出版部　1971年
張淵量　易經白話句解　新竹縣　撰者印行　1972年2月
張元夫　易經述聞　臺北　臺灣商務印書館　1974年9月
何靜安　易學會通　臺北　中國文化大學出版部　1974年9月
南懷瑾、徐芹庭合著　周易今註今譯　臺北　臺灣商務印書館　1974
　　年2月；1974年9月（修訂本）
林廷橋　周易臆解　高雄　三信出版社　1976年4月
朱維煥　周易經傳象義闡釋　臺北　臺灣學生書局　1980年3月
黃慶萱　周易讀本　臺北　三民書局　1980年5月
屈萬里　周易集釋初稿　臺北　聯經出版事業公司　1981年2月
張汝誠　實用易經　臺北　臺灣商務印書館　1991年6月
徐芹庭　易經詳解　2冊　中壢　聖環圖書公司　1994年3月
朱高正　周易六十四卦通解　臺北　臺灣商務印書館　1995年10月

(二)尚書

屈萬里　尚書釋義　臺北　中華文化出版事業委員會　1956年8月；
　　臺北　中國文化大學出版部　1980年8月

張元夫　尚書述聞　臺北　中華叢書委員會　1958年4月；臺北　臺
　　灣商務印書館　1980年6月

屈萬里　尚書今註今譯　臺北　臺灣商務印書館　1969年9月

周景波　書經易經全集　高雄　大夫書局　1977年10月

吳　嶼　尚書讀本　臺北　三民書局　1977年11月

屈萬里　尚書集釋　屈萬里先生全集　臺北　聯經出版事業公司
　　1983年2月

(三)詩經

屈萬里　詩經釋義　臺北　中華文化出版事業委員會　1952年4月；
　　臺北　中國文化大學出版部　1980年9月

李一之　詩三百篇今譯　臺北　世界書局　1964年3月

王靜芝　詩經通釋　臺北　輔仁大學文學院　1968年7月

張允中　白話註解詩經　臺北　臺灣商務印書館　1971年3月

馬持盈　詩經今註今譯　臺北　臺灣商務印書館　1971年7月

宋海屏　詩經新釋　臺北　新文豐出版公司　1975年11月

裴普賢　詩經評注讀本　臺北　三民書局　上冊1982年7月，下冊1983
　　年1月

屈萬里　詩經詮釋　屈萬里先生全集　臺北　聯經出版事業公司
　　1983年2月

朱守亮　詩經評釋　臺北　臺灣學生書局　1984年10月

魏子雲　詩經吟誦與解說　臺北　巨流圖書公司　1987年11月

糜文開、裴普賢　詩經欣賞與研究（改編版）　4冊　臺北　三民書局
　　1987年11月

吳宏一　白話詩經　2冊　臺北　聯經出版事業公司　　1993年5月

余培林　詩經正詁　2冊　臺北　三民書局　1993年10月

黃忠慎　詩經簡釋　臺北　駱駝出版社　1995年1月

李辰冬　詩經通釋　臺北　水牛出版社　1996年4月

(四)周禮

林　尹　周禮今註今譯　臺北　臺灣商務印書館　1972年9月

萬靖宇　周禮新傳　宜蘭　撰者印行　1977年9月

(五)禮記

王夢鷗　禮記選註　臺北　正中書局　1968年7月

王夢鷗　禮記校證　臺北　藝文印書館　1976年12月

王夢鷗　禮記今註今譯　臺北　臺灣商務印書館　1970年1月

張元夫　禮記述聞　臺北　臺灣商務印書館　1974年6月

(六)左傳

李宗侗　春秋左傳今註今譯　臺北　臺灣商務印書館　1971年6月

洪順隆　左傳論評選析新編　臺北　中國文化大學出版部　2冊
　　　　1982年10月

(七)公羊傳

李宗侗　春秋公羊傳今註今譯　臺北　臺灣商務印書館　1973年5
　　　　月；1994年6月（校訂本，葉慶炳校訂）

㈧四書

錢　穆　四書釋義　臺北　中華文化出版事業委員會　1955年4月；
　　臺北　臺灣學生書局　1978年7月（修訂本）

李丹郎　四書輯要註解　臺南　復文書局　1967年

徐伯超　四書讀本　臺中　中臺書局，1959年

李珮精編　四書精釋　臺北　臺灣中華書局　3冊　1965年

羅　璋　四書選粹新詮　臺北　編者印行　1966年8月

謝冰瑩等　四書讀本　臺北　三民書局　1966年9月

陳立夫　四書道貫　臺北　撰者印行　1966年10月

沈富進　文言對譯附閩南音符號四書　嘉義　文藝學社出版所
　　1969年

徐文珊　四書發微類編　臺北　維新書局　1972年9月

李丹郎　綜輯註解四書精華　臺南　豐生出版社　1976年8月

甯　昌　四書通釋　基隆　撰者印行　1981年7月；臺北　倫理文化
　　資源開發公司　1986年4月（修訂再版）

楊亮功等　四書今註今譯　臺北　臺灣商務印書館　1984年4月（修訂
　　本）

賴明德等　新註新譯四書讀本　臺北　黎明文化事業公司　1987年7月

鄭佩香　四書集解新釋　臺南　正言出版社　1991年4月

錢　穆　論語新解　臺北　三民書局　1965年4月

李曰剛　論語正譯　臺北　白雲書屋　1955年11月；臺北　黎明文化
　　事業公司　1971年12月

南懷瑾　孔學新語—論語精義今訓　臺北　淨名學舍　1962年

劉義生　論語表解　臺北　中華叢書編審委員會　1963年11月

余家菊　論語今解　臺北　撰者印行　1964年2月；臺北　臺灣中華
書局　1967年4月

嚴靈峰　論語章句新編　臺北　水牛出版社　1968年9月；1981年9月
（修訂本）；臺北　中華叢書編審委員會　1983年

陳大齊　論語臆解　臺北　臺灣商務印書館　1968年3月

方驥齡　論語新詮　臺北　撰者印行　1971年1月；臺北　臺灣中華
書局　1978年12月

鄭曼青　論語釋旨　臺北　臺灣中華書局　1974年7月

羅聯絡　論語釋義　臺南　撰者印行　1974年8月

毛子水　論語今註今譯　臺北　臺灣商務印書館　1975年10月；1984
年7月（修訂本）

黃吉村　論語析辨　臺南　撰者印行　1976年1月；高雄　復文圖書
出版社　1984年

南懷瑾　論語別裁　臺北　老古出版社　1978年5月（修訂版）

王靖之　論語通議　臺北　三民書局　1977年5月

殷豫川　論語今詮　臺北　黎明文化事業公司　1978年3月

吳宏一譯　白話論語　臺北　臺灣新生報社　1980年10月

王熙元　論語通釋　臺北　臺灣學生書局　1981年2月

林耀曾編譯　論語讀本　高雄市政府等印行　1981年3月

王邦雄、曾昭旭、楊祖漢　論語義理疏解　臺北　中華文化復興運動
推行委員會臺灣省分會等印行　1982年1月；臺北　鵝湖出版社
1983年1月

王書林　論語譯註及異文校勘　臺北　臺灣商務印書館　1982年5月

林　桐　論語新釋　臺北　國家出版社　1983年4月

喬一凡　論語通義　臺北　臺灣中華書局　1983年11月

桂　裕　論語新說　臺北　撰者印行　1986年3月；臺北　三民書局
　　　1991年1月

王偉俠　孟子分類纂注　臺北　中華文化出版事業委員會　2冊
　　　1953年6月

孫云遐　孟子分類選注　臺北　正中書局　1955年5月

李日剛　孟子正譯　臺北　白雲書屋　1956年9月

許叔彪　孟子今義類編　臺北　中華叢書編審委員會　1968年

徐伯超　孟子讀本　臺南　綜合出版社　1968年2月

張元夫　孟子述聞　臺北　臺灣商務印書館　1972年8月

史次耘　孟子今註今譯　臺北　臺灣商務印書館　1973年2 月

王邦雄、曾昭旭、楊祖漢　孟子義理疏解　臺北　鵝湖出版社　1983
　　　年1月

陳　槃　大學中庸讀本　臺北　正中書局　1954年4月

王春茂　最新學庸證釋本　臺中　新學出版社　1963年9月

徐伯超　大學中庸論語讀本　臺南　綜合出版社　1968年

萬心權、蔡愛仁　大學中庸精注　臺北　正中書局　1969年1月

鄭曼青　學庸新解　臺北　臺灣商務印書館　1971年7月

王止竣　學庸類釋　臺北　臺灣商務印書館　1971年

毛樹駿　學庸講義　臺北　中國孔學會　1976年4月

涂德麟　學庸銓解　高雄　明德雜誌社　1979年2月

蕭天石　大學中庸貫義　臺北　自由出版社　1983年1月

龔寶善　學庸今解　臺北　臺灣書店　1990年7月

賴　強　大學新論　臺北　臺灣商務印書館　1970年10月

宋天正　大學今註今譯　臺北　臺灣商務印書館　1977年2月

彭　幹　大學講義　臺北　彭幹先生遺作編輯委員會　1981年3月

岑溢成　大學義理疏解　臺北　中華文化復興運動推行委員會臺灣省
　　分會發行　鵝湖月刊出版社　1983年10月

嚴靈峰　大學章句新編　臺北　帕米爾書店　1984年9月

王孺松　大學章句補釋　臺北　教育文務出版社　1986年9月

史次耘　中庸通義　臺北　亞洲書局　1965年；臺北　臺灣商務印書
　　館　1986年3月

喬一凡　中庸通義　臺北　三軍聯合參謀大學　1966年10月

陳兆榮　中庸探微　臺北　正中書局　1975年7月

宋天正　中庸今註今譯　臺北　臺灣商務印書館　1977年2月

馬紹伯　中庸新義　臺北　文史哲出版社　1977年8月

鄭　琳　中庸翼　臺北　文史哲出版社　1982年3月

楊祖漢　中庸義理疏解　臺北　鵝湖月刊社　1984年5月

(九)孝經

陳慧復　孝經講義　臺北　善導寺護法會　1963年

喬一凡　孝經通義　臺北　國防大學　1956年；臺北　三軍聯合參謀
　　大學　1966年10月

趙東書　孝經新解　臺北　理教總公所　1967年11月

李　禮　孝經註釋　臺北　實踐月刊社　1968年

史次耘　孝經述義　臺北　臺灣商務印書館　1972年3月

黃得時　孝經今註今譯　臺北　臺灣商務印書館　1972年7月

嚴協和　孝經白話注釋　臺中　撰者印行　1957年；臺中　瑞成書局
　　1967年

臺灣省政府新聞處編　孝經楷書定本暨白話註釋　臺中　臺灣省政府
　　新聞處　1972年

（釋）大同　孝經白話句解　臺北　華聯出版社　1974年7月

李丹邱　新孝經　臺北　臺灣商務印書館　1970年7月

賴炎元、黃俊郎　新譯孝經讀本　臺北　三民書局　1992年4月

　　仔細觀察這五十年間白話譯註的出版情形，反映出了這個階段學
術發展的幾個特殊現象：其一，各類白話譯註，以《四書》類數量最
爲可觀，這與政府長期致力於文化復興運動的推行，表彰孔孟思想，
普及文化教材及機關團體、財團法人的推波助瀾有密切關係。例如「孔
孟學會」的成立，《孔孟月刊》、《孔孟學報》等刊物的發行，中學
生必讀的中國文化基本教材課程的設計，都落實了《四書》學研究成
爲顯學的重要基礎。其二，早期由於國內與對岸處於緊張對峙狀態，
使得大陸出版品一律禁止在任何場合觀覽閱讀，民間出版業者對這樣
一種情況的變通方式，就是將這些出版品書名或作者加以改名，造成
讀者徵引上的紊亂。中華文化復興運動委員會的成立與臺灣商務印書
館「古籍今註今譯」叢書規畫出版，是國內從事白話譯註工作最值得
稱說的大事。蓋當時執筆的學者，皆爲任教於各公私立大學的專門名
家，配合經學課程的開設，這些譯註自然成爲中文系所學生必讀的參
考書籍，影響後來學術界頗爲深遠。三民書局「古籍讀本」的印行，
是另一套具有代表性的著作。然而隨著與大陸關係的漸趨和緩，兩岸
學者及出版品可相互流通，目前國內出版界大量翻印對岸經學白話譯

註作品，或者直接與大陸學者合作從事此項工作，反而國內學者在這方面的成果急速銳減，相當可惜。

三、標點校勘類

所謂「點校」，乃合辨章句讀與板本校讎而名之。讀古書而不知讎校，不能辨別書本之眞偽；得眞本善本而不能通其句讀，則無法通曉書本之大義，因此辨章句讀與板本校讎，可說是一切學術研究的根本基礎。

臺灣地區關於經學文獻的點校整理起步較晚，成果也較爲有限，究其原因，是臺灣地區原本就缺乏古籍善本，即使各公私立圖書館有所庋藏，但館方多半爲避免古書遭受毀損，拒絕外界複印，這就使得點校工作受到很大的限制。近十餘年來，由於大陸地區大量翻印古籍，此項工作乃得以次第進行。

另外一項影響點校工作的因素，是這類著作在臺灣出版不易，以現今已出版的點校著作來看，幾乎全由中央研究院中國文哲研究所獨力擔負完成，因此成果自然有限。茲簡述其出版狀況如下：

㈠《論語注疏》　子峰文教基金會　臺北：弘毅出版社　2
　　冊　1994年3月

《論語》一書，爲中華文化之精髓，也是儒家經典的入門之鑰。子峰文教基金會彙編茲書，係據清嘉慶年間阮元刊《論語注疏》二十卷爲底本，據其書前凡例，《論語》二十篇，凡四百八十一章又二十

二節，原刻有篇名而無章名。此彙編據阮氏〈校勘記〉並參考《釋文
論語音義》，於各章經文之前，增列章名。〈校勘記〉闕略者，則據
經文增補，並於增補之章名下，加一＊號，以資鑑別。又鑑於何晏《集
解》，自注疏合刊後，久已不傳，邢昺《論語疏》，國內久佚，因取
元刻宋世綵堂本何晏《集解》、昭和五年日人澀谷榮一影印《論語》
邢疏以考較阮氏刻本，遇有異文，則附註各家注文之下。此外，又於
書末附錄《史記·孔子世家》、《史記·仲尼弟子列傳》、《經典釋
文論語音義》、《諡法解》、「《論語》經文語句索引」。全書體例
嚴密，資料完善，實爲今日研讀《論語》之善本。

㈡《（分段標點）十三經注疏》　周何主持整理　臺北：新
　　文豐出版公司　20冊　2001年6月

　　自漢立《易》、《詩》、《書》、《禮》、《春秋》爲五經以來，
經唐、宋遞增，而爲十三經。彙刻十三經注疏的工作，始於明嘉靖間
閩中御史李元陽，世稱「閩本」或「李元陽本」。萬曆間，北京國子
監又據閩本重雕，稱「北監本」。崇禎時，毛晉汲古閣在據北監本重
刻，謂「毛本」或「汲古閣本」。毛氏刊本，至清初百餘年間廣行於
世，但其板本頗多訛謬，每爲士林所詬病。清乾隆中，據北監本刊成
武英殿十三經，非但校勘精美，並附有考證，然而此本深藏宮中，外
人不得而見，，因此流傳未廣。嘉慶五年，阮元任浙江巡撫，六年，
開十三經局，延請長於校經之士，共輯《十三經校勘記》，十一年，
全書告藏，十三年初刻完成。十九年，阮元調任江西巡撫，開始《宋
本十三經注疏》刊刻的籌備工作，經始於嘉慶二十年仲春，完竣於二

十一年秋八月,歷時十九月,即今流傳最廣的南昌府學刊本。

民國七十二年,國立編譯館鳩集周何、邱燮友、許錟輝等多位學者,著手從事十三經整理工作,第一階段工作,即以南昌府學刊本為底本,加以新式標點及分段,期使儒家重要經典現代化,易讀能解,以達成典籍宣揚流通的效果。

全書體例,凡經文起訖自成段落者則予分段,經文若有過長,或疏文過於冗繁者,酌情再作適當的分割。如在一卷或一篇之內,則逐段冠上 (1.2.3……) 之編號。各段之中,則依經文、記文、傳文、注文、《經典釋文》、疏文之次序排列,阮元〈校勘記〉文則由原書末移至該段之末。

㈢《點校補正經義考》　清朱彝尊撰,林慶彰、蔣秋華、楊晉龍、張廣慶編審　臺北:中央研究院中國文哲研究所　8冊　1998年2月

彝尊此書,總合補苴馬端臨《文獻通考經籍考》,朱西亭《授經圖》、《經序錄》,孫退谷《五經翼》而成,上起兩漢,下迄清初,通錄歷朝經義之目八千四百多種,著者四千三百多家,凡三百卷,為清代以前最完整的經學目錄。其書首錄康熙御注及敕撰之書,以下分為二十六類:「易」七十卷,「書」二十六卷,「詩」二十二卷,「周禮」十卷,「儀禮」八卷,「禮記」二十五卷,「通禮」四卷,「樂」一卷,「春秋」四十五卷,「論語」十一卷,「孝經」九卷,「孟子」六卷,「爾雅」三卷,「群經」十三卷,「四書」八卷,「逸經」三卷,「毖緯」五卷,「擬經」十三卷,「承師」五卷,「宣講」一卷(闕),「立學」一卷 (闕),「刊石」五卷,「書壁」一卷,「鏤板」

一卷，「著錄」一卷，「通說」四卷，末附「家學」、「自敘」四卷
（闕）。此書雖云網羅宏富，囊括千古，但著錄亦頗有闕失，故清儒
繼起續補者，有沈廷芳《續經義考》四十卷、胡爾榮《經義考校勘記》
二卷、陸茂增《續經義考補遺》、錢東垣《補經義考》四十卷、《續
經義》二十卷、翁方綱《經義考補正》十二卷、羅振玉《經義考目錄》
八卷、《校記》一卷。

　　《點校補正經義考》的整理工作，始於一九九四年三月，次年六
月完成。整理之方法，是以中央研究院歷史語言研究所傅斯年圖書館
藏乾隆二十年（1755）盧見曾補刻本爲底本，加以新式標點；另以文
淵閣《四庫全書》本、《四部備要》本爲輔本，詳加校勘，作成校記。
再將前賢補正之資料，如翁方綱《經義考補正》、羅振玉《經義考校
記》、《四庫全書總目》等附於相關條目之下，故此書洵爲現今研究
經學所不可或缺的參考工具書。

㈣《姚際恒著作集》　林慶彰主編　臺北：中央研究院中國
　　文哲研究所　6冊　1994年6月

　　姚際恆爲清初重要經學家，與毛奇齡、閻若璩、朱彝尊等人，開
創了以辨僞爲主的考證學風，對民國初年的古史辨學派影響甚深。如
此具有代表性的經學家，其重要的經學著作《九經通論》，除《詩經
通論》、《儀禮通論》、《春秋通論》（中央研究院傅斯年圖書館、北京圖
書館有殘本，亡卷十一至十三）、《禮記通論》（杭世駿《續禮記集說》徵引三
十餘萬字）、《古文尚書通論》（閻若璩《尚書古文疏證》引有二十餘條）今
尚見存外，其餘竟未能流傳於世，殊爲可惜。

　　近年來，林慶彰先生有鑑於研究姚氏學術的風氣漸開，希望能將

其著作彙整出版，因此邀集曾對姚氏學術有深入研究的同好和學生，共同輯校姚際恆的著作。此部《姚際恆著作集》，計分六冊：第一冊《詩經通論》，顧頡剛點校；第二冊《古文尚書通論》（輯本），張曉生輯校、《禮記通論》（輯本上），簡啓楨輯點；第三冊《禮記通論》（輯本下），簡啓楨輯佚、江永川標點；第四冊《春秋通論》，張曉生點校；第五冊《古今僞書考》，童小鈴彙集；第六冊《好古堂書目》，林慶彰點校，《好古堂家藏書畫記》、《續收書畫奇物記》，林耀椿點校。

此項工作的完成，至少具有兩項重要的意義：其一是完成錢玄同、顧頡剛以來未竟之事業，其二是方便學界從事姚氏之研究。而此一叢書作爲臺灣第一套古籍點校專書，亦具有非常深遠的意義。

㈤《劉宗周全集》　戴璉璋、吳光主編，蔣秋華編審　臺北：中央研究院中國文哲研究所　6冊　1997年6月

劉宗周，學者稱蕺山先生，爲明末大儒，蕺山學派的創立者。劉宗周一生著述宏富，約計專著三十多種，今存者約近二百萬字，主要保存在《劉子全書》、《劉子全書遺編》、《水澄劉氏家譜》中。此部《劉宗周全集》計分六冊，即以道光四年刊《劉子全書》本、光緒十八年刊《劉子全書遺編》本、民國二十二年活字排印本《水澄劉氏家譜》爲底本，再加上新近發現的若干種劉氏著作，並附錄以相關的傳記資料、著述資料，重加編輯、整理、校點而成。

本書爲中國文哲研究所「劉蕺山學術思想研究計畫」成果之一，由海峽兩岸學者合作整理出版。

㈥《汪中集》　汪中、古直等著，王清信、葉純芳點校，林
　　慶彰、蔣秋華主編　臺北：中央研究院中國文哲研究所
　　1冊　2000年3月

　　汪中為乾嘉時期著名學者，其學由聲音訓詁而兼通名物象數，再
由名物象數精研大義，故王念孫以為汪氏有功經義，使後之治經者，
振煩袪惑，而得其會通；王引之謂博考文字訓詁、名物象數，識議精
卓，唐以下所未有。

　　汪氏著作除《述學》外，另有《大戴禮記正誤》一卷、《春秋述
義》一卷、《經義知新記》一卷、《國語校文》一卷、《廣陵通典》
十卷、《舊學蓄疑》一卷、《容甫先生遺詩》五卷、《補遺》一卷、
《策略諛聞》一卷、《附錄》一卷、《文宗閣雜記》三卷、《中庵集
校本》等，而以《述學》流傳最廣。

　　此新編《汪中集》，蓋合《述學》、《汪容甫先生遺詩》、《汪
容甫文箋》三書而成，另羅振玉《昭代經師手簡》中有汪中致王念孫
書，為《述學》所失收，亦將其補入。《述學》一書，經後人一再增
附，版本甚為複雜，《汪中集》的點校出版，將使今後研究汪中學術，
有較完整的文本可供參考。

㈦《劉壽曾集》　清劉壽曾著，林子雄點校，楊晉龍審訂　臺
　　北：中央研究院中國文哲研究所　1冊　2001年

　　劉壽曾，江蘇儀徵人，與其祖文淇，父毓崧，三代研究經學不輟，
學者稱之曰「儀徵劉氏」。壽曾的著作，除《傳雅堂集》、《昏禮重

別論對駁義》、《臨川答問》尚存外,其餘《南史校義集平》、《芝雲雜記》、《續左箚記》、《春秋五十凡例表》等書則均已亡佚。

《傳雅堂文集》四卷、《詩集》一卷,收錄了關於壽曾的傳記、墓表、墓誌銘,和數名學者爲該集寫的序跋,以及壽曾自撰的八十四篇文章和九十八題一百七十五首詩歌,這些篇章反映了壽曾的人生經歷、學術成就、待人接物和書信往來的面貌。

《劉壽曾集》一書,根據民國二十六年四月的鉛印本點校,點校工作由廣東省中山圖書館林子雄先生負責,文哲所楊晉龍先生擔任校訂。

四、研究論集類

研讀經典的最基礎條件,是具備一部較佳的注本,然而所有的注釋書,僅能提供讀者章句字義的訓解,卻無法對存在於經典中種種繆轕複雜的問題,或歷代學者學說傳承的關係作出解答,爲彌補這種不足,最好的方法就是將研究經典相關問題的單篇論文集結成書,於是論文集的編纂,就成爲輔翼注解的一種重要工具。

臺灣地區近五十年來各種論文集的纂輯爲數不少,顯示出論文集對治經學者而言,確實有相當大的助益。早期的論文集,大多是由各種學術刊物中,按各個經典選取較具代表性的單篇論文集結而成。在以往學術研究論著編目尚未完備的年代,這類論文集的出版,帶給讀者莫大的便利,免除了翻檢之苦。其後隨著國內學術研究風氣漸開,各公私立大學或研究機構陸續召開了多次學術討論會以交換彼此心

得，這些學者們的最新研究成果，大部分也透過論文集的型式發表出來，其中以中央研究院中國文哲研究所所舉辦並編纂出版的幾部歷代經學研討會論文集最具代表性。除此之外，文哲所長期執行清代乾嘉時期及揚州、常州等學派學術研究，也先後出版了數種探討某位經學家生平事蹟與學術成就的研究論集，成果相當豐碩。以下將近五十年間出版的各種論文集分類加以臚列。

(一)群經總論

帕米爾書店編輯部　讀經問題　臺北　帕米爾書店　1953年

劉百閔　經子肆言　臺北　遠東圖書公司　1964年6月

程發軔主編　六十年來之國學(一)經學之部　臺北　正中書局　1972年
　　5月

黃彰健　經學理學文存　臺北　臺灣商務印書館　1976年1月

高　明　高明經學論叢　臺北　黎明文化事業公司　1978年7月

高明主編　群經述要　臺北　黎明文化事業公司　1979年10月

王靜芝等著　經學研究論集　臺北　黎明文化事業公司　1981年1月

林慶彰編　中國經學史論文選集(上、下)　臺北　文史哲出版社　1992
　　年10月、1993年3月

林慶彰主編　經學研究論叢(1)－(10)　1至4輯由中壢　聖環圖書公司出
　　版，5－10輯改由臺北　臺灣學生書局出版

中央研究院中國文哲研究所編委會主編　清代經學國際研討會論文集
　　南港　中央研究院中國文哲研究所　1994年

林慶彰、賈順先主編　楊慎研究資料彙編　南港　中央研究院中國文
　　哲研究所　1992年

第一屆經學學術討論會編委會編　第一屆經學學術討論會論文集　臺
　　北　國立臺灣師範大學國文系所　1994年4月

林慶彰　明代經學研究論集　臺北　文史哲出版社　1994年

林慶彰、蔣秋華主編　姚際恆研究論集　南港　中央研究院中國文哲
　　研究所　1996年

林慶彰、蔣秋華主編　明代經學國際研討會論文集　南港　中央研究
　　院中國文哲研究所　1996年

鍾彩均主編　劉蕺山學術思想論集　南港　中央研究院中國文哲研究
　　所　1998年

楊晉龍主編　元代經學國際研討會論文集　南港　中央研究院中國文
　　哲研究所　2000年

林慶彰、蔣秋華主編　朱彝尊研究論集　南港　中央研究院中國文哲
　　研究所　2000年

林慶彰、楊晉龍主編　陳奐研究論集　南港　中央研究院中國文哲研
　　究所　2000年

祁龍威、林慶彰主編　清代揚州學術研究　臺北　臺灣學生書局
　　2001年

(二)易經

嚴靈峰　易學新論　臺北　正中書局　1969年7月

陳立夫主編　易學應用之研究(1)─(3)輯　臺北　臺灣中華書局　1975
　　年2月、1982年6月、1986年10月

嚴靈峰　無求備齋易論　臺北　成文出版社　1976年

程石泉　易學新探　臺北　文行出版社　1979年7月

陳新雄、于大成合編　易經論文集　臺北　西南書局　1980年

林尹等著　易經研究論集　臺北　黎明文化事業公司　1981年1月

黃本英　（白話圖說）易經文學　臺北　集文書局　1981年10月

謝扶雅　周易論集　臺中　東海大學哲學系　1984年4月

黃沛榮主編　易學論著選集　臺北　長安出版社　1985年10月

中華易學雜誌社編　第二屆國際易學大會論文專集　中華易學　第6
　　卷第6期　臺北　中華易學雜誌社　1985年11月

林政華　易學新探　臺北　文津出版社　1987年5月

徐芹庭　易學深入(1)－(5)　桃園　普賢出版社　1991年10月

黃慶萱　周易縱橫談　臺北　東大圖書公司　1995年3 月

(三)尚書

朱廷獻　尚書研究論集　臺北：華正書局　1975年1月

陳新雄、于大成主編　尚書論文集　臺北　木鐸出版社　1976年5月

劉漢德等著　尚書研究論集　臺北　黎明文化事業公司　1981年1月

朱廷獻　尚書研究　臺北　臺灣商務印書館　1987年1月

(四)詩經

何定生　詩經今論　臺北　臺灣商務印書館　1968年6月

糜文開、裴普賢合著　詩經欣賞與研究(1)－(4)　臺北　三民書局
　　1964年5月、1969年8月、1979年6月、1984年1月、1987年11月（改
　　編版）

張成秋　關於詩經與詩序的幾個問題　臺北　文津出版社　1976年

12月

裴普賢　詩經研讀指導　臺北　東大圖書公司　1977年3月

李辰冬　詩經研究　臺北　水牛出版社　1978年9月

李辰冬　詩經研究方法論　臺北　水牛出版社　1978年11月

熊公哲等著　詩經研究論集　臺北　黎明文化事業公司　1981年1月

黃振民　詩經研究　臺北　正中書局　1982年2月

裴普賢　詩經比較研究與欣賞　臺北　臺灣學生書局　1983年9月

趙制陽　詩經名著評介(1)　臺北　臺灣學生書局　1983年10月

趙制陽　詩經名著評介(2)　臺北　五南圖書出版公司　1993年7月

林慶彰編　詩經研究論集(1)─(2)　臺北　臺灣學生書局　1983年11
月、1987年9月

江　磯　詩經學論叢　臺北　崧高書社　1985年6月

林葉連　詩經論文　臺北　臺灣學生書局　1996年5月

㈤三禮

高　明　禮學新探　臺北　臺灣學生書局　1977年9月

李曰剛等著　三禮研究論集　臺北　黎明文化事業公司　1981年1月

洪菊蕊主編　禮記研究專輯　高雄　國立高雄師範學院國文系　1985
年6月

㈥春秋及三傳

戴君仁等著　春秋三傳研究論集　臺北　黎明文化事業公司　1981年
1月

陳新雄、于大成主編　左傳論文集　臺北　木鐸出版社　1976年

張以仁　國語左傳論集　臺北　東昇出版事業公司　1980年9月

張瑞穗　左傳思想探微　臺北　學海出版社　1987年1月

(七)四書

錢穆等著　論孟研究論集　臺北　黎明文化事業公司　1981年1月

國立政治大學中文系所主編　漢學論文集　第2集　論語專輯　臺北
　　文史哲出版社　1983年12月

楊化之原編，中華叢書編審委員會改編　孟子研究集　臺北　中華叢
　　書編審委員會　1963年3月

李明輝主編　孟子思想的哲學探討　南港　中央研究院中國文哲研究
　　所　1995年5月

黃俊傑主編　孟子思想的歷史發展　南港　中央研究院中國文哲研究
　　所　1995年5月

吳康等著　學庸研究論集　臺北　黎明文化事業公司　1981年1月

國立高雄師範學院國文系編輯委員會編　大學論文資料彙編　高雄
　　復文圖書出版社　1981年9月

國立高雄師範學院國文系編輯委員會編　中庸論文資料彙編　高雄
　　復文圖書出版社　1981年3月

(八)孝經

張　嚴　孝經通識　臺北　臺灣商務印書館　1970年11月

從上文列舉的論文集數量來看，以《易經》與《詩經》兩部經典最多，反映了國內早期經學研究的重心所在。值得一提的是，近幾年來，中央研究院中國文哲研究所所出版的各種論文集，打破以往以經典為主軸的纂輯方式，將觸角擴及至某一時代、某個學派或某位經學家生平與學術成就的專題式論集，而且其書編輯體例與收錄資料的翔備，更能提供讀者莫大的便利。以《陳奐研究論集》為例，全書包含三大部分：第一類為「陳奐傳記年譜」，凡史傳、學案、碑傳、行狀及日人山本正一所撰年譜，全予錄入。第二部分「陳奐著作研究」，收錄今人研究陳奐所有相關論著，同時日本研究陳奐的學術篇章也予以翻譯介紹，十分可貴。第三部分「陳奐相關資料彙編」，收錄陳奐傳記資料、著作資料及清儒與陳奐往來書信。對於研究陳奐的學者來說，擁有這本論集，應可收事半功倍之效。另外由林慶彰先生主編的《經學論叢》，目前已出版十輯，此套書不僅是國內所僅見的定期性的專門學術論集，更值得稱道的是，主編苦心邀集學者所撰寫的「新書提要」，對於從事經學研究者而言，提供了最新的出版資訊。

五、經學目錄類

專科目錄產生之原因，一是為滿足專門學者之需要，蓋學術分科愈細，學者為專精於某一學科之研究，勢必儘量蒐集該一學科之相關著作，於是專科目錄應運而生；二是為反映當時之學術特色，蓋每個時代均有當時之學術風尚及特色，其相關著作必定最多，一般綜合書目難以完全容納，於是專科目錄應運而生。

臺灣地區經學目錄，目前出版五種，均為林慶彰先生籌畫編輯，

略述各書體例如下：

㈠《經學研究論著目錄（1912－1987）》　林慶彰主編，李
　　光筠、張廣慶、陳恆嵩、劉昭明編輯　臺北：漢學研究
　　中心　1988年初版，1994年4月修訂版

　　一九八五年，林慶彰先生有鑑於民國以來經學研究之成果與日俱
增，然由於迭經戰亂，資料散失亡佚，兩岸學術訊息中斷，爲總結近
七十餘年來經學研究的總成績，於是邀請張廣慶、陳恆嵩等四位研究
生共同編輯《經學研究論著目錄（1912－1987）》（以下簡稱《初編》），
旨在了解民國以來學者研究經學的成果，並且提供學者檢索資料的便
利。當時由於長期戒嚴，大陸出版品嚴禁輸入，國內圖書館收藏資料
有限，而且借閱手續繁瑣，即使僅是鈔錄資料也遭遇不少困難。再者，
國內並未有較具規模的經學論著目錄可供參考，在缺乏取資憑藉、沒
有經費奧援的情形下，林先生靠著超乎常人的堅忍毅力和學術使命
感，終於編就成這部「智者不肯爲，愚者不能爲」的重要工具書。

　　本目錄計收錄民國元年（1912）至民國七十六年（1987）間，臺灣、
香港、新加坡、大陸學者研究「經學通論」一千零七十二篇、「周易」
二千五百三十七篇、「尚書」九百五十二篇、「詩經」三千七百八十
四篇、「三禮通論」一百四十九篇、「周禮」二百三十一篇、「儀禮」
一百四十五篇、「禮記」四百五十五篇、「大戴禮」六十三篇、「春
秋」三百八十篇、「左傳」七百九十二篇、「公羊傳」一百三十五篇、
「穀梁傳」五十三篇、「四書」二百零二篇、「論孟合論」五十二篇、
「論語」一千四百三十四篇、「孟子」五百四十四篇、「學庸合論」
八十七篇、「大學」二百九十七篇、「中庸」二百八十六篇、「孝經」

一百七十五篇、「爾雅」一百六十六篇、「讖緯」八十四篇、「石經」一百五十三篇。所採錄之資料，涵蓋專書、期刊論文、報紙論文、論文集論文（包括自著、合著）、博碩士論文、國科會獎助論文等。另外為便利學者檢索參考，書末並附有作者索引及所收期刊、報紙、論文集一覽表。

此書分類翔密、著錄謹嚴，為臺灣之有專科目錄以來所僅見，後來各門學科陸續有專門目錄之編纂，如黃文吉《詞學研究書目》（臺北：文津出版社，1993年）、林玫儀《詞學論著總目》（臺北：中央研究院中國文哲研究所，1995年）、陳麗桂《兩漢諸子研究論著目錄》（臺北：漢學研究中心，1998年4月）等，均遵循此書以為典範。

㈡《經學研究論著目錄（1988－1992）》　林慶彰主編，汪嘉玲、張惠淑、侯美珍、游均晶編輯　臺北：漢學研究中心　1994年9月

本書為收錄一九八八至一九九二年間，臺灣、香港、新加坡、大陸學者的經學研究成果約一萬五千餘筆。其編輯體例，大體承繼《初編》而來，但為求研究資料更加完整，在「群經總論」這一大類下，增加「經書人物」及經書反映之思想與制度如天人關係、宗教祭祀、倫理、政治、軍事、社會等子目；而「經學史」部份，對於歷代經書研究者之生平、年譜等資料，皆儘量收錄；「三禮」部份，也擴大蒐集各種禮制之資料，區而別之為概況、祭天神、祭地祇、祭祖先、婚姻、喪葬、宗法、其他諸細目；另將「論語類」改稱「孔子與論語」，添補「孔子總論」、「孔子與文化傳統」二子目，以突顯孔子生平事蹟、治學精神、孔子與文獻學、孔子與經學、孔子與史學、孔子與先

秦諸子、孔子地位與影響等論著；又以陰陽五行與經書關係密切，特
於「讖緯類」中附錄陰陽五行研究等相關資料。另外編者又將陸續發
現《初編》所失收的一千餘條資料，依其內容合併入各類中，如此一
來，《續編》較諸《初編》又更形完整。

㈢《日本研究經學論著目錄》　林慶彰主編，馮曉庭、許維
　　萍、大藪久枝、橋本秀美編輯　臺北：中央研究院中國
　　文哲研究所，1993年11月

　　繼《經學研究論著目錄 (1912－1987)》之後，林慶彰先生又帶領
四位研究生編輯了《日本研究經學論著目錄》。本書收錄一九九〇至
一九九二年間，與「日本研究經學」相關的論著，其涵蓋的範圍如下：
　　1.日本人在本國出版或本國期刊發表的論著。
　　2.日本人在外國期刊發表的論文。
　　3.外國人士在日本刊物發表的論文。
　　4.外國人士對日本經學研究成果的介紹和批評。
　　5.日本人翻印的中國人著作。
　　在此定義下，收錄日本研究經學之論著資料達七千二百六十三
條，比學界常用的《東洋學文獻類目》、《中國思想宗教文化關係論
文目錄》、《禮學關係文獻目錄》的經學類目錄總合，還多出三千餘
條，可見本《目錄》對學界的貢獻。至於本《目錄》的特色，至少有
「目錄項完整」、「涵蓋面廣」、「體例完善」、「分類細密」四項
優點，以下略加說明：
　　就目錄項而言：早期日本編修的目錄，如《東洋學文獻類目》，
往往不標示出版年月及起迄頁數，或者使用省稱來表示出版物名稱。

對使用者來說，不完整的目錄項，帶給讀者查閱資料的困難度，也增加了謬誤的可能性。而本《目錄》注記態度嚴謹，專書依作者、書名、出版地、出版者、出版年月排列；論文則按作者、篇名、期刊名、卷期、頁碼、出版年月著錄。若同一條目有多種出處，也都按出版年月順序排列。尤其在注記出版年月部份，本《目錄》均使用西元紀年，其下以括弧加注日本紀年的名稱，如「明治」、「大正」、「昭和」等，使讀者對出版年月有更清楚的認識。

就涵蓋面而言：本《目錄》為便利讀者「讀其書，知其人」，兼收經學家的生平、時代背景資料，另加收與孔子有關的資料。

就體例而言：本《目錄》的論著條目，採混合排列的方式，可免於像《東洋學文獻類目》，專書與論文分列，讀者需前後翻檢。再者，專門討論經學之瀹文集，除了在該書下將全部篇目列出之外，又分別析入相關各類，讀者不但可以查到論文集的全貌，於查詢各類資料時，又可免於翻檢之苦。其附錄之「論文集一覽表」，亦可快速顯示專經研究的著作狀況。再者，「期刊一覽表」的編列，有助於了解日本期刊的發行情況。其中專經期刊部份，如《周易研究》和《詩經研究》等刊物，比照論文集的收錄形式處理，這些經學期刊不但反映了日人研究《周易》、《詩經》的部份成果。另外，有關條目「裁篇」、「互見」的處理細緻，使讀者不至於遺漏若干資料，如今井宇三郎所撰之《左傳國語筮占考》，可互見於《周易》研究史之「先秦」類與《左傳》分類研究之「天文、宗教」類，如此完整的篇目處理，足見編者用心之處。

就分類而言：本《目錄》分類細密嚴謹，以《周易》為例，分為通論、易古經研究、易傳研究、注釋、翻譯、字詞音義研究、札記、

卦象、卦變、占筮、哲學思想、周易與其他學科、周易研究史、易圖
書學、歐美的周易研究等類，在「通論」之下，又細分易之名義、成
書時代、研讀法、概述、帛書周易、連山、歸藏、目錄、索引等小類，
十分便利讀者檢索。

　　本《目錄》出版的意義，足以反映日本學者研究漢學的發展軌跡，
國內學者亦可經由本書看出日人專經研究的範圍和開發新論題（如趙
汸、錢謙益研究）的努力，這些特色使得本《目錄》不只是一本翻檢資
料的「工具書」而已，值得學界注意。

㈣《乾嘉學術研究論著目錄（1900－1993）》　林慶彰主編，
　　汪嘉玲、游均晶編輯　臺北：中央研究院中國文哲研究
　　所　1994年4月

　　本目錄收錄一九○○至一九九三年間，臺灣、大陸、日本、歐美
等地研究「乾嘉學術」之重要專著和論文條目。另外爲顧及資料的全
面性與乾嘉學術的連貫性，凡綜論清代學術的論著與乾嘉前後學者的
研究，也酌予收錄。

　　全書分爲四編，第一編爲「清代學術通論」，第二編「乾嘉學術
通論」，第三編「四庫學」，第四編「乾嘉學者分論」。分論部分，
以乾嘉學者生卒年爲序，起於顧棟高，終於馬國翰，計收學者七十四
人。本書內容涵蓋乾嘉學術中各流派的學術總論和各學派的承繼關
係，學者可藉由本書以掌握清乾嘉時期學術的特色與面貌。

(五)《日本儒學研究書目》　林慶彰主編，連清吉、金培懿編
輯　臺北：臺灣學生書局　1998年7月

　　儒學傳入日本一千六百年，產生許多儒學家和儒學著作❶，若是
想從其中看出儒學發展的軌跡、儒學家屬於那一學派？同一學派的儒
學家有那些人？某一儒學家之著作有那些版本等等，首先必須參考林
慶彰先生主編的《日本研究經學論著目錄》。本書收集一九○○至一
九九二年間日本研究經學的專著和論文有七千二百六十三條，按「群
經總論」、「周易」、「尚書」、「詩經」、「三禮」、「春秋及三
傳」、「孔子與論語」、「孟子」、「大學」、「中庸」、「爾雅」、
「石經」、「讖緯」等類編排，每一類之下又分數小類不等。此書出
版，對日本近百年來有多少經學著作？那一經的研究成果較多？有那
些重要經學家？都可一目了然。但是《日本研究經學論著目錄》所採
集之資料，畢竟以經學研究為主體，儒學研究雖與經學相關，卻不等
同於經學，因此許多儒學研究的資料，在編輯此書時並不適合採入。
是以主編林慶彰先生在呼籲日本學者應編纂日本儒學書目而無反應的
情況下❷，又編輯了《日本儒學研究書目》。

---

❶　想要檢索日人儒學著作、典藏地點，可參考《國書總目錄》(東京：岩波書店，1972
　　年)、《古典籍總合目錄》(東京：岩波書店，1990年)。關儀一郎、關義直所編《近
　　世漢學者著述目錄大成》(東京：東洋圖書刊行會，1941年)，收漢學家2898人之
　　傳記和著作目錄，其中大部份是儒學家。另外，森銑三等編《近世文藝家資料綜
　　覽》(東京：東京堂，1974年)、近藤春雄編《日本漢文學大事典》(東京：明治書
　　院，1985年)等書，也蒐集不少儒學家的資料。
❷　參見《經學研究論叢》第2輯（中壢：聖環圖書公司）。

　　本書目至少有合儒者著作和後人研究成果爲一書、立叢書類、爲
儒學家的姓名標音、兼收思想、哲學的著作條目、列出各儒學家全集
的子目等特點，收錄日本上古至一九九八年六月間，有關日本儒學之
原典和日本本土及世界各地研究日本儒學之專門著作，和部分單篇論
文。全書所收資料條目，計有七千九百九十四條。按資料的性質分爲
六編：第一編總論，分思想總論、漢學和儒學史、文獻資料三大類，
每一類又分數小類不等。如思想通論，又細分爲哲學思想史、精神史、
倫理思想史、政治經濟思想史、教育思想史等小類。第二編古代—中
世，分總論、古代、中世三大類。第三編近世，分總論、近世前期、
近世後期三大類。近世前期細分爲通論、朱子學派、陽明學派、古學
派。近世後期又細分爲通論、後期朱子學派、石門心學派、後期古學
派、折衷學派、考證學派、後期陽明學派、獨立學派等。第五編現代，
也分總論、儒學家各論兩大類。第六編叢書，收與儒學相關之叢書三
十五種，每一種都列出子目。

　　以上各類撰著，是臺灣地區近五十年成果較爲豐碩的部分。至於
其他各類文獻整理著作，如《經學粹編》（臺北：大通書局，24冊，1970年）、
《易學叢書》（臺北：廣文書局，1971年）、《無求備齋易經集成》（嚴靈
峰編　臺北：成文出版社，1976年）、《大易類聚初集》（趙蘊如編　臺北：新
文豐出版公司，1983年10月）、《易學術數百部叢書》（臺北：武陵出版社，14
冊，1990年3月）、《尚書類聚初集》（杜松柏編　臺北：新文豐出版公司，8冊，
1984年10月）、《無求備齋論語集成》（臺北：藝文印書館，308冊，1966年）、
《無求備齋孟子十書》（臺北：藝文印書館，1969年），是屬於纂輯類的
文獻整理方式；國立編譯館主編的《新集四書註解群書提要附古今四
書總目》（臺北：華泰文化事業公司，2000年5月），是屬於提要類的整理方

式；李迺平的《十三經注疏經文索引》（臺北：大化書局，1987年），陳柾治、謝慧暹合編的《皇清經解正續編書題索引》（臺北：文史哲出版社，1991年）、《通志堂經解書題索引》（臺北：文史哲出版社，1995年），則屬於索引類的整理方式。這些撰著的出版，均可作為近五十年來臺灣經學文獻整理正逐步受到重視的證據。

六、結　語

　　經由上述介紹，可以大致歸納出臺灣地區近五十年來經學文獻整理工作的幾個重要訊息：其一、白話譯註的大量產生，使初學入門者得以直接吟詠經典本文，而跳脫出瑣碎枯燥的訓詁考證和深邃蕪漫的義理論辨的牢籠，這是臺灣地區研讀經學風氣之所以能夠日漸普及的最重要基礎。其二、連續幾部《經學研究論著目錄》的編纂出版，方便學者迅速掌握完整、全面的學術研究概況，更值得一提的是目前無論大陸、香港或日本等地區，尚未能有如此翔備的工具書產生，從這個角度來說，經學目錄的編纂可稱得上是臺灣地區經學文獻整理最可驕傲的部分。其三，研究論集的體裁，從早期只為方便讀者取讀而單純彙輯各種篇章，略無分類的形式，進而發展為擇取某一時代、某個學派或某位經學家生平與學術成就的專題式著作，也顯現出編輯者服務讀者的良苦用心。再者，從各種論文集收錄的範圍來看，早期的論文集所收錄的，僅僅限於臺灣或香港地區學者的論著，近期的論文集，則將範圍擴大到日本、美國等國外學者研究成果得譯介，因此能夠提供給治經學者更完備、更全面的資料。其四，臺灣地區相對於大陸地區而言，所投入於經學文獻整理的人力與資源畢竟太少，以點校古籍

爲例，大陸地區近年出版歷代經學研究專著與治經學者文集或作品集的數量，就遠遠超越臺灣地區；又如大型叢書的編印、經學辭典的編纂、經學家學說貢獻的評傳等等，亦均爲臺灣地區所不及。

總而言之，經學文獻的整理工作仍有許多有待開發的部分，例如黃沛榮先生曾撰〈近十餘年來海峽兩岸易學研究的比較〉一文，提出《易》學研究的十大工作目標，其中關於文獻整理的部分有八項：

1. 編印歷代《易》學論著目錄，並以現代觀念撰成新提要；對於《四庫全書》失收或只見於存目，以及著成於《四庫》以後之《易》學論著，應盡力訪求，並理理行世。

2. 蒐集民國以來之期刊、專刊、論文集中之《易》學論文，並擇要分類出版《易》學論文集，以供學界參考。

3. 根據歷代《易》學論著目錄，及歷代《易》學資料，編成「易學史長編」，進而撰成資料詳盡，觀點正確之「易學史」。

4. 將散見於歷代文集、筆記、雜說、雜考、註釋等文獻中之《易》說輯出，分段標點，並按所解釋的經文次序編次成書，可省卻學者尋檢之勞。

5. 收集現存各種《周易》經傳之版本及譯本，包括中國或域外之刻本及排印本，以及德文、英文、法文、日文、韓文、越南文等譯本。

6. 參考近人最新的研究成果，撰寫《周易通論》，對《周易》經傳作系統性之探討。

7. 綜合古說的精髓，並利用近代訓詁學、古文字學、聲韻學的知識，編撰《周易》經傳的新註。

8.編撰《易學辭典》。❸

黃先生所舉八項工作目標，當然亦適用於各經的整理工作。除此之外，關於記載經學家生平的年譜傳記資料、國外學者研究經學著作的譯介，以及電子古籍檢索資料庫的設計等工作❹，應該也可納入經學文獻整理的範疇。但諸如此類的工作，所須投入的人力物力當必不少，絕非單一機構或學者所能獨力承擔，然而如果能夠事先設定目標、主題，逐步加以蒐羅整理，對往後經學的研究，必能提供莫大的助益。

---

❸ 參見《漢學研究》第7卷第2期，1989年12月。

❹ 目前台灣地區已完成的電子古籍檢索資料庫有二，一是陳郁夫先生主持設計的「龍泉二號」，一是中央研究院歷史語言研究所設計的「漢籍電子文獻」，這兩種資料庫都提供了《十三經注疏》逐字的檢索功能。而各別經典如《詩經》，更有元智大學羅鳳珠「網路展書讀」可供查檢，其餘資料庫則不一一列舉

國家圖書館出版品預行編目資料

五十年來的經學研究

林慶彰主編.— 初版.— 臺北市：臺灣學生，
2003 [民 92]　面；公分

ISBN 957-15-1171-4 (精裝)
ISBN 957-15-1172-2 (平裝)

1. 經學

090　　　　　　　　　　　　　92001794

五十年來的經學研究（全一冊）

主　編　者：林　　　慶　　　彰
出　版　者：臺　灣　學　生　書　局
發　行　人：孫　　　善　　　治
發　行　所：臺　灣　學　生　書　局
　　　　　　臺北市和平東路一段一九八號
　　　　　　郵 政 劃 撥 帳 號：00024668
　　　　　　電　話：(02)23634156
　　　　　　傳　真：(02)23636334
本書局登
記證字號：行政院新聞局局版北市業字第玖捌壹號
印　刷　所：宏　輝　彩　色　印　刷　公　司
　　　　　　中和市永和路三六三巷四二號
　　　　　　電　話：(02)22268853

　　　　　精裝新臺幣四三〇元
定價：平裝新臺幣三六〇元

西 元 二 〇 〇 三 年 五 月 初 版

09010
ISBN 957-15-1171-4 (精裝)
ISBN 957-15-1172-2 (平裝)